In den vergangenen Jahrzehnten hat der wissenschaftliche Fortschritt rasant zugenommen und mit ihm die Segnungen der Technik, die rein materieller Natur sind. Daß dieser Fortschritt (fortschreiten wohin?!) jedoch den Charakter eines trojanischen Pferdes in sich birgt, können wir sowohl auf materieller wie auf geistiger Ebene leicht erkennen; wir konsumieren und »haben« immer mehr, »sind« aber immer weniger. Die Unfähigkeit, unseren Überfluß zu konsumieren, drückt sich im Körper u. a. in den zunehmenden Darmerkrankungen aus. Dickdarmkrebs steht inzwischen an zweiter Stelle der Krebshäufigkeit. Ebenso leidet der Körper unserer Erde unter dem Wust an Unverdaulichem, den wir in ihn hineinbaggern.

So großartig wir im Materiellen zulegen, so dürftig sieht es im Geistig-Seelischen aus. Als Konsequenz hieraus: die Suche nach neuen Inhalten, nach Lebenssinn. Leider bleibt das meiste, was dem Suchenden hierzu angeboten wird, an der Oberfläche hängen und entpuppt sich bei genauerer Untersuchung als »Geistiger Materialismus«.

Hans Endres' »Das Beste aus dem Leben machen« hebt sich von diesem flachen Positivismus wohltuend ab. Er geht wirklich an die Quellen und zeigt, auf welchen Erkenntnissen ein erfülltes und glückliches Leben beruht. Damit dieses Wissen nicht graue Theorie bleibt, ist es in Form eines Lehrgangs gestaltet, durch den man höchst greifbare Resultate erzielen kann.

Von Hans Endres ist außerdem erschienen:

»Das spirituelle Menschenbild« (Band 4176)
»Menschenkenntnis – schnell und sicher« (Band 4178)

Vom Autor neu bearbeitete Taschenbuchausgabe 1988
© 1988 Droemersche Verlagsanstalt Th. Knaur Nachf., München
Umschlaggestaltung Dieter Bonhorst
Satz Ludwig Auer GmbH, Donauwörth
Druck und Bindung Ebner Ulm
Printed in Germany   5   4
ISBN 3-426-04183-9

Dr. Hans Endres:

Das Beste aus dem Leben machen

Inhalt

ERSTER TEIL:
AUFBAU DER PERSÖNLICHKEIT 21

ZWEITER TEIL:
MITEINANDER LEBEN 277

DRITTER TEIL:
DREIMAL LIEBE 379

SCHLUSS:
ZEHN LEBENSREGELN 415

Vorwort

Als im Jahre 1953 mein erstes »populärwissenschaftliches« Buch erschien, schrieb ich dazu das folgende Vorwort:

»Wenn an einen Wissenschaftler das Ansinnen gestellt wird, ein gesamtes Wissens- und Forschungsgebiet, dessen Ergebnisse in Tausenden von Büchern und Schriften niedergelegt sind, in einem einzigen Buch zusammenzufassen – dann wird er dies zunächst als eine unmögliche Zumutung zurückweisen.

Wenn man aber andererseits in der Praxis täglich mit Menschen aller Schichten zusammenkommt, die sowohl Rat und Hilfe in ihren allgemeinen Lebensschwierigkeiten als auch geistige Führung in ihrem Streben nach persönlicher Vervollkommnung suchen – dann weiß man, wie dringend das Bedürfnis nach kurzgefaßten und allgemeinverständlichen Darstellungen dessen ist, was Forschung und Erfahrung zur besseren Bewältigung der Aufgabe des menschlichen Daseins beitragen können.

Von diesem dringenden Bedürfnis getrieben, wagte ich mich dann doch an die fast unmöglich erscheinende Aufgabe, ein so weit verzweigtes und teilweise sogar noch umstrittenes Gebiet wie die Menschenkunde derart zu verdichten und zu vereinfachen (konzentrieren und reduzieren heißt es wissenschaftlich), daß einerseits jedermann praktisch etwas damit anfangen kann und daß andererseits doch auch die ganze Weite und Tiefe des behandelten Themas spürbar bleibt. Wie schwer das ist, beweist die vorliegende Literatur deutlich genug, denn es besteht gerade in Deutschland immer noch eine allzu große Kluft zwischen den teuren, überaus gründlichen und für Laien kaum verständlichen wissenschaftlichen Werken einerseits und der Flut zwar billiger und leicht faßlicher, dafür aber meist sehr oberflächlicher oder gar irreführender populärer Veröffentlichungen andererseits. Diese Kluft zu überbrücken ist eine Hauptaufgabe dieses Buches.

Ein weiteres Problem besteht darin, daß die zahlreichen Bücher auf dem Gebiet der praktischen Lebensmotivation, die entweder amerikanischen Ursprungs sind oder sich an amerikanische Vorbilder anlehnen, der deutschen Mentalität zu wenig Rechnung tragen. Wir wollen nämlich nicht bloß wissen, *was* in irgendeiner Situation am besten zu tun ist, sondern vor allem auch, *warum*, das heißt auf Grund welcher Erkenntnisse und Erfahrungen gerade dies und nichts anderes getan werden sollte.

Eben dadurch unterscheidet sich ja auch das selbständige, auf der Gewinnung eigener Einsichten beruhende Lernen von der bloßen Nachahmung, bei der in unselbständiger, mehr oder weniger gedankenloser und unkritischer Weise einfach Fremdes übernommen wird. Daß aber auf die Dauer nur das Selbsterarbeitete, wirklich – wie man richtig sagt – in Fleisch und Blut Übergegangene standhält, während das bloß Angenommene oder gar Aufoktroyierte um so eher wieder abfällt, je schwereren Belastungsproben es unterworfen wird – das ist eine allgemeine Erfahrung.

Den praktischen Nutzen dieses Buches werden demnach wohl diejenigen Leser am besten erfahren können, die sich nicht von theoretischen Vorkenntnissen oder gar Vorurteilen belasten lassen, sondern einfach versuchen, das Dargelegte im täglichen Leben anzuwenden, um dadurch sich und anderen das Leben zu erleichtern.

Jedenfalls hoffe ich, wissenschaftlich fundierte Theorie und allgemein gültige Lebenspraxis so verbunden zu haben, daß der anspruchsvolle, vorgebildete Leser nicht enttäuschte wird und der lernbegierige Laie die erwartete Hilfe findet.«

In den seitdem vergangenen 35 Jahren kamen zehn weitere Bücher hinzu, von denen einige hohe Auflagen erreichten. Vieles, was damals noch als ungesicherte kühne Behauptung erschien, ist inzwischen allgemein bekannt und anerkannt. Und es gibt überhaupt keinen Bereich menschlicher Erkenntnis und Betätigung mehr, in den nicht auch die Psychologie Eingang gefunden hätte. Zur philosophischen und theologischen Weltanschauung auf der einen Seite, naturwissenschaftlichen und medizinischen Betrachtungsweisen auf der anderen Seite hat sich die psychologische Sicht als gleichwertige Disziplin, ja als besonders wichtiges Bindeglied hinzugesellt. Und auch zur Bewältigung der täglichen Lebensaufgaben ist die praxisorientierte Psychologie immer unentbehrlicher geworden. Diese Entwicklung erfüllt natürlich mit Befriedigung und Genugtuung.

Andererseits wird dennoch das Anliegen der praktischen Lebenshilfe von Jahr zu Jahr immer dringlicher. Und auch die beklagte Kluft zwischen wissenschaftlichen Werken und populären Veröffentlichungen wurde nicht etwa überbrückt, sondern eher noch vertieft. Außerdem verführt die allgemeine Unsicherheit und Unorientiertheit immer häufiger dazu, gerade mit raffinierten psychologischen Techniken »auf Dummenfang zu gehen«, so daß ein verantwortungsbewußter Psychologe sich verpflichtet fühlen sollte, solchem Unfug durch ebenso gründliche wie allgemeinverständliche Aufklärung entgegenzuwirken, indem er über die intellektuelle »personale«

Psychologie hinaus zur spirituell orientierten »transpersonalen« Psychologie gelangt.

Darüber hinaus besteht die Verpflichtung, die Erkenntnisse und Erfahrungen eines wechselvollen Lebens, das durch alle Höhen und Tiefen ging und schließlich ebenso zu äußerem Erfolg wie zu innerer Erfüllung geführt hat, so überzeugend auf die Gegenwart zu übertragen, daß möglichst viele Mitmenschen dadurch Ansporn und Wegweisung erhalten können.

Deswegen soll das Buch »Das Beste aus dem Leben machen« den Inhalt aller bisherigen Bücher zusammenfassen, aktualisieren und in die modernste Form bringen, um so die grundlegende Information für die Lebensmotivation durch die »Methode Dr. Endres« zu liefern.

Dr. Hans Endres

Einleitung

Was bedeutet überhaupt Lebensqualität?

Diese Frage beantworten wir am besten mit einigen Gegenfragen:

Sind Sie ganz gesund, glücklich und zufrieden?

Bereitet Ihnen Ihr Körper keinerlei Schwierigkeiten, und erfreuen Sie sich ungetrübten Wohlbefindens?

Sind Sie nicht nur äußerlich erfolgreich, sondern haben Sie auch Ihre innere Lebenserfüllung gefunden?

Bekommen und erreichen Sie alles, was Sie wünschen, und geschieht alles, was Sie wollen?

Leben Sie in Harmonie mit sich selbst und Ihrer Umwelt?

Haben Sie wirklich gute Freunde und keine Feinde?

Können Sie mit Ihren Mitmenschen nicht nur in Frieden leben, sondern auch in jeder Hinsicht erfreuliche Beziehungen pflegen?

Können Sie sich richtig freuen, von Herzen froh sein und mit »goldenem Humor« sowohl über sich selbst lachen als auch die Gemüter der anderen aufheitern?

Können Sie mit Ihrem klaren Denken und umfassenden Bewußtsein zielsichere Lebensweisung geben, ebenso aber auch mit echtem Mitgefühl und liebevollem Verständnis helfen, die gesteckten Ziele in der Tat zu erreichen?

Handeln Sie stets in vollem Einklang sowohl mit Ihrem eigenen Gewissen als auch mit den Gesetzen und Gepflogenheiten Ihres jeweiligen Lebenskreises?

Bewältigen Sie Ihre Arbeit ohne Streß sowohl zu Ihrer eigenen Zufriedenheit als auch zur Zufriedenheit Ihrer Vorgesetzten, Kunden oder Klienten?

Haben Sie keine Existenzangst mehr, und fürchten Sie sich auch nicht mehr vor irgendwelchem Unglück, ja nicht einmal vor dem Sterben?

Sind Ihre Ideale so unerschütterlich, daß sie durch nichts und niemand beeinträchtigt werden können?

Ist Ihre Glaubenskraft so stark, daß sie wahrhaft »Berge versetzen« kann, daß also das Wort »unmöglich« für Sie nicht mehr existiert?

Nachdem Sie diese Fragen gelesen haben, dürfte zweierlei ziemlich sicher sein:

Erstens, daß Sie alle gerne mit »ja« beantworten würden, daß Ihnen also alles als erstrebenswert erscheint.

Zweitens aber, daß Sie eben leider nicht alle mit »ja« beantworten können, daß es also offenbar sehr schwer ist, das Erstrebte in der Tat zu erreichen – also wirklich das Beste aus dem Leben zu machen.

Ganz und gar unmöglich ist es jedoch nicht, denn es hat schon immer Menschen gegeben und gibt sie sicherlich auch heute noch, deren Lebensqualität das individuelle Optimum erreicht hat. Infolgedessen ist nicht nur für sie selbst das Leben eine reine Freude geworden, sondern sie helfen auch ihren Mitmenschen nach Kräften, zu einem ebensolchen Leben zu gelangen.

In religiöser Sprache nennt man solche Menschen »Heilige« oder »Vollendete«. Man kann es aber auch streng wissenschaftlich ausdrücken: Es sind Menschen, die das generelle Entwicklungsziel der Gattung Mensch ihrem individuellen Vermögen gemäß erreichen konnten, indem sie ihre Veranlagung positiv entwickelt und somit die für sie bestmögliche Lebensqualität entfaltet haben. Und da wissenschaftlichen Prinzipien zufolge das jeweils erreichte Optimum grundsätzlich für jedes Exemplar dieser Art erreichbar ist, bedeuten auch für jeden heutigen Menschen die lebendigen Beispiele vollendeter Menschen im

Laufe der Menschheitsgeschichte die grundsätzliche Möglichkeit und damit die ständige Verpflichtung, sich in gleicher Weise zu entwickeln.

Für Menschen, deren Leben durch einen religiösen Glauben bestimmt wird, ist dies ohnehin selbstverständlich. Der Christ nennt es die »Nachfolge Christi« auf Grund der Weisung: »Ihr aber sollt vollkommen sein, wie euer himmlischer Vater vollkommen ist.« Der Buddhist nennt es die »Entfaltung der Buddhanatur«, die nach buddhistischer Lehre in jedem Menschen verborgen ist wie die vollendete Pflanze in jedem Samenkorn.

Doch auch für Menschen, die ihren »Kinderglauben« verloren haben und nur noch dem »kritischen Denken« wissenschaftlicher Erkenntnis vertrauen, besteht die gleiche Verpflichtung, und diese kann auch ihnen überzeugend klarwerden, wenn sie beim Forschen und Schlußfolgern nicht auf halbem Wege stehenbleiben, sondern wirklich folgerichtig zu Ende denken: ebendiesem Vollendungszustand, den die Griechen das »Wahr-Gut-Schöne« genannt haben, den individuellen Möglichkeiten und generellen Lebensbedingungen gemäß sich beständig anzunähern.

Diese generellen Lebensbedingungen und individuellen Möglichkeiten so deutlich zu beschreiben, daß jeder Leser das Instrumentarium der Lebenskunst zu beherrschen lernt – das ist die Aufgabe dieses Buches.

Wie weit Sie es dann in dieser »Lebenskunst« zur Meisterschaft bringen – das, lieber Leser, hängt wiederum davon ab, wie Sie mit den zur Verfügung stehenden Instrumenten umzugehen verstehen. Deswegen ist richtig zu leben nicht nur eine Wissenschaft, die man theoretisch erlernen kann, sondern auch eine Kunst, die man praktisch üben und betreiben muß.

Beginnen wir nun damit!

ERSTER TEIL:
AUFBAU
DER PERSÖNLICHKEIT

Kennen Sie Ihre wichtigste Lebensaufgabe? Das sind Sie selbst! Denn die Lebens- und Leistungsfähigkeit jedes Menschen hängt doch in erster Linie von der Entwicklung und Entfaltung seiner eigenen Persönlichkeit ab. Darum befassen wir uns nun zuerst mit der Struktur und Dynamik des Menschenwesens, den diversen Rhythmen und Gesetzmäßigkeiten seiner Entwicklung sowie den praktischen Entfaltungsmöglichkeiten seiner vier Grundkräfte. Wenn wir all dies richtig erkannt und konsequent realisiert haben, wird die fortschreitende Lebensbewältigung schließlich in souveräner Schicksalsmeisterung gipfeln.

I. Das moderne Menschenbild (Grundstruktur)

Viele Leistungen der modernen Technik verdanken wir nur der richtigen Erkenntnis von der Struktur der Materie in der Kernphysik. Ebenso kann auch der einzelne Mensch nur auf Grund einer richtigeren Erkenntnis von der Struktur des menschlichen Wesens, also gewissermaßen durch »Kernpsychologie«, zu ähnlichen Lebensleistungen gelangen.

»Erkenne dich selbst« ist daher eines der ältesten überlieferten Weisheitsworte, das schon vor Jahrtausenden zum ersten Mal ausgesprochen wurde und bis heute seine volle Gültigkeit behalten hat.

Wir müssen zunächst erkennen, daß der Mensch nicht nur das Haut- und Knochengestell oder der Fleischkloß ist, als der er uns äußerlich erscheint, sondern daß dies eben nur die Oberfläche und die Hülle des Menschen darstellt.

Es wird Ihnen sicherlich einleuchten, daß es nicht gleichgültig ist, ob Sie sich etwa für eine Art Affe oder gar einen Klumpen Materie halten oder ob Sie davon überzeugt sind, eine materialisierte Idee laut Plato oder ein verkörperter Gottesfunke laut Eckehard zu sein. Wer sich für einen »nackten Affen« hält, wie der so betitelte Bestseller es uns glaubhaft machen möchte, der wird sich auch nicht anders verhalten und sein Leben lang entweder ein »Affenmensch« bleiben oder gar in Unmenschlichkeit verfallen.

Dem jedoch steht die uralte Erkenntnis gegenüber: »Es ist der Geist, der sich den Körper baut.« Das heißt, der Mensch ist ein nicht bloß von Trieben getriebenes, sondern von geistigen Gesetzen gelenktes Wesen. Ja, es gibt sogar die biblische Offenbarung: »Gott hauchte dem Menschen seinen Geist ein und schuf ihn so zu seinem Ebenbilde« – womit der göttliche Ursprung des Menschen betont wird. Menschen, die dies ernst nehmen, werden sich natürlich bemühen, ihre Erkenntnis und ihren Glauben auch durch ihre Persönlichkeit und ihre Lebensführung zu rechtfertigen.

A. Das Gleichnis vom Wagen

Um dem Menschen eine richtige Vorstellung von sich selbst zu vermitteln und um die verschiedenen Aktionsbereiche des Menschenwesens zu verdeutlichen, gibt es ein altes Gleichnis, durch das man schon in frühesten Zeiten die Struktur des Menschen dem Verständnis nahezubringen versuchte: das *Gleichnis vom Wagen*. Der Wagen ist tatsächlich eines der ältesten Kulturwerkzeuge der Menschheit, und dessen verschiedene Teile werden nun mit dem Menschen verglichen.

1. Das *Wagengestell* bedeutet den *Körper*. Allein ist es völlig unnütz, steht im Schuppen und verstaubt, denn jeder Wagen bedarf, um brauchbar zu werden, der Antriebskräfte. Im alten Gleichnis waren das die Pferde. Heute können wir den Vergleich noch moderner und in bezug auf den Menschen noch treffender ausdrücken durch den Motor im Auto, der ja äußerlich unsichtbar von innen treibt und nicht von außen zieht. Was also ist ein Auto ohne Motor nütze? Es steht auf dem Autofriedhof und wird ausgeschlachtet.

Ebensowenig wert ist der unbelebte menschliche Körper. Man hat ausgerechnet, daß seine materielle Substanz

(Muskeln, Knochen, Fett, Nervenzellen, Spurenelemente usw.) insgesamt nur ein paar Mark wert sind. Sicherlich ist die *stoffliche* Substanz notwendig – um wieder zu unserem Gleichnis zurückzukommen –, wie das Autogestell notwendig ist, denn mit dem Motor allein kann man ja nicht fahren. Aber ohne Motor ist das Fahrgestell genauso unnütz wie unser Körper ohne Leben. Der Mensch ist deswegen immer wesentlich mehr als seine körperliche Erscheinungsform.

2. Das Zweite, das hinzukommen muß, sind die *Lebenskräfte,* die vitalen Energien, die den Körper erst brauchbar machen. Was Lebensenergie wirklich ist, das entzieht sich unserem Wissen auch heute noch. Wir können zwar genau beschreiben, wie eine Lebenszelle funktioniert, und die organische Chemie ermöglicht in vieler Hinsicht wahre Wunderwerke – aber noch nie ist es gelungen, die Vorgänge in der lebendigen Zelle nachzuvollziehen und somit Leben neu entstehen zu lassen. Obwohl das »Wasser des Lebens« also nach wie vor ein Geheimnis ist, verdanken wir ihm unsere natürliche Existenz.

Die Lebensenergien wirken sich nun sehr vielfältig im menschlichen Organismus aus. Ihr Hauptträger ist außer der einzelnen Zelle das vegetative Nervensystem, das die gesamten Lebensvorgänge unseres Organismus, wie Atmung, Blutkreislauf und Drüsentätigkeit, bewirkt.

Darüber hinaus umfassen die Lebensenergien aber auch das gesamte Gefühls- und Triebleben des Menschen bis zu dem, was wir die Gemütskräfte nennen. Sie reichen also von den primitivsten Gefühlsäußerungen – Affekten, Reaktionen und Emotionen – und den elementarsten Lebenstrieben – wie Hunger und Durst, Sexualität und Arterhaltung, Sicherung und Steigerung der Existenz – bis zu den höchsten Gemütsqualitäten wie Liebe, Mitleid, Güte, Dankbarkeit, Hilfsbereitschaft usw.

3. Schon die Gefühls- und Triebkräfte des Menschen sind bei aller Tierähnlichkeit, die sie vielfach aufweisen, doch wesentlich anders als beim Tier, worauf später noch im einzelnen eingegangen wird. Der grundsätzliche Unterschied zum Tier liegt jedoch im dritten Bereich, im *erkennenden Bewußtsein*. Bei dem Gleichnis vom Wagen wird dieses durch den *Wagenlenker* symbolisiert. Wir wissen, daß es nicht gutgehen kann, wenn die Pferde mit dem Wagen durchgehen oder wenn ein Auto etwa auf abschüssiger Straße sich selbständig macht.

Es bedarf einer Instanz, die dieses Gefährt, d. h. unseren Körper mit seinen Lebensenergien, richtig steuert. Die *Steuerfunktion* des Gesamtbewußtseins äußert sich in der verschiedensten Weise: als Verstand, Vernunft, Erkenntnisvermögen, Urteilskraft, Einsicht usw. bis zur tiefsten Schau und höchsten Weisheit. Mit all diesen Bereichen des menschlichen Wesens werden wir uns in den weiteren Kapiteln noch eingehend zu befassen haben.

4. Der wichtigste Bereich aber ist der vierte: in dem alten Gleichnis der *Herr des Wagens*, dem auch die Pferde und der Lenker (der früher ja ein Sklave war) gehören und der all das sich angeschafft hat, damit er es seinem Willen gemäß benutzen kann. Das eben ist die Frage: Wer ist denn in uns dieser souveräne Herr? Wer ist beim Menschen der »Herr im Haus«, d. h., was ist denn wirklich das Wesentliche und letztlich Bestimmende in uns? Was steht noch über dem erkennenden Bewußtsein und gibt diesem seine Zielrichtung und Bestimmung?

Nun, das bin ich selbst! Das ist meine *Individualität*, d. h. die Einmaligkeit und Einzigartigkeit meiner jetzigen Existenz. Haben Sie sich schon einmal klargemacht, daß jeder von uns ein *absolutes Original* ist? Nämlich unvergleichlich und unwiederholbar! Es gibt auf der ganzen Welt keine zwei völlig gleichen Menschen. Selbst eineiige

Zwillinge sind nur ähnlich, aber niemals gleich. Und es gab auch niemals ein Wesen genau wie ich und wird es niemals wieder geben. Jeder einzelne Mensch stellt demnach in der Tat einen unersetzlichen Wert dar und ist von einzigartiger Bedeutung wie etwa ein Kunstwerk eines großen Meisters, das nur einmal auf der Welt existiert und nur einmal geschaffen werden konnte. Darin liegt also die ganze Spannweite des Menschenwesens: Seine körperliche Substanz ist ein paar Mark wert – seine charakteristische Individualität ist von geradezu unschätzbarem Wert! Sehen Sie, auf dieser grundsätzlichen Erkenntnis beruht die *unbedingte Wertschätzung aller Menschen* als Angehörige der Gattung Mensch, unabhängig von ihren persönlichen Schwächen und Fehlern – so wie Gold immer Gold bleibt, ob man daraus nun wertvollen Schmuck oder geschmacklosen Kitsch herstellt. Darauf beruht ebenso die *unbedingte Achtung vor der Individualität des Einzelmenschen*, die uns verbietet, ihn zu schädigen oder gar zu vernichten, die uns vielmehr dazu verpflichtet, jedem die bestmögliche Entfaltung und Bestätigung seiner Individualität zu gewährleisten.

Merken Sie nun, welch ungeheure Bedeutung dieses moderne Menschenbild hat, wenn man es einmal wirklich ernst nimmt und beginnt, demgemäß zu handeln? Das aber können Sie persönlich ab heute schon tun! Sie brauchen nicht erst darauf zu warten, daß andere damit beginnen.

Wenn Sie heute schon anfangen, diesem Menschenbild gemäß zu leben, dann wird es Ihnen dadurch auch schon ab heute nicht nur selbst besser gehen, sondern es wird Ihnen zugleich auch ein wesentlicher Beitrag zum Wohle Ihrer Mitmenschen gelingen, indem Sie jeden besser verstehen können. Ist er doch wesensmäßig ein Mensch wie Sie, also von gleicher Art, so daß die persönlichen Unterschiede unwesentlich werden oder zumindest weniger wichtig erscheinen. Auf diese Weise bildet das richtige Verständnis der eigenen Wesensstruktur zugleich auch die Grundlage einer besseren Verständigung mit allen Mitmenschen.

Nun wissen Sie also, wer Sie in Wirklichkeit sind und was alles in Ihnen steckt. Wenn Sie künftig zu sich »ich« sagen, werden Sie sich nicht mehr mit Ihrer Haut verwechseln, denn Sie wissen ja jetzt, daß Ihr Körper nur die Hülle oder, besser gesagt, das Instrument Ihrer Individualität ist, das von gewaltigen Lebensenergien bewegt und von einer noch lange nicht voll ausgeschöpften Intelligenz gelenkt wird.

5. Die Worte »Ich bin« sind tatsächlich wie eine *Zauberformel*: Sie wecken alle konstruktiven Gedanken, die den Befehlen ihres Herrn gehorchen. Und die Gedanken wiederum mobilisieren sämtliche Lebenskräfte in der von Ihnen bestimmten Richtung *mit unbedingter Realisierungstendenz*.

Wenn Sie denken: »Ich bin krank, ich bin leidend, ich bin arm, ich bin unglücklich, ich bin schwach, ich bin elend, ich bin vom Schicksal verfolgt« – dann sind das lauter zwingende Befehle an die Lebenskräfte, in Ihnen selbst und in Ihrer Umwelt dementsprechend zu wirken und nicht zu ruhen, bis Sie wirklich so geworden sind, wie Sie es von sich meinen oder tatsächlich passiert ist, was Sie erwarten. Darum denken oder sagen Sie so etwas nie wieder!

Wenn Sie künftig einen Satz mit »Ich bin« verbinden, darf dieser nur lauten: »Ich bin gesund, ich bin froh, ich bin reich, ich bin glücklich, ich bin stark, ich bin wohlauf, ich bin mit meinem Schicksal im Bunde« usw. Was mit »Ich bin« verknüpft wird, darf also nur positive Aussagen enthalten, denn vergessen Sie niemals mehr: Früher oder später geschieht oder entwickelt sich mit naturgesetzlicher Notwendigkeit alles, womit Sie sich identifizieren, d. h. womit Sie Ihr Ich verbinden!

Identifizieren Sie sich mit Krankheit und Leid, so werden Sie Krankheit und Leid erfahren. Identifizieren Sie sich aber mit Gesundheit und Freude, so werden Sie immer gesünder und freudevoller. Identifizieren Sie sich mit Armut und Unglück, so werden Sie mittellos und unglücklich bleiben, falls Sie es zu sein meinen. Identifizieren Sie sich aber mit Reichtum und Glück, so müssen Sie um so rascher und unverlierbarer reich und glücklich werden, je restloser und unerschütterlicher die Identifizierung gelingt. Wohlgemerkt bedeutet Reichtum keineswegs nur »viel Geld haben«, denn es gibt auch einen inneren Reichtum, der noch viel wertvoller und vor allem wertbeständiger ist.

Man kann daher das Sprichwort: »Sage mir, mit wem du umgehst, und ich sage dir, wer du bist« ergänzen durch den Satz: »Sage mir, womit du dich identifizierst, und ich sage dir, wie es dir ergehen wird.«

Es gibt Menschen, die sich auf diese Weise sogar schmerzunempfindlich machen können. Wenn solchen Menschen z. B. ein Zahn weh tut, denken sie nicht: »Ich habe Zahnweh«, denn dadurch würden sie sich ja mit dem schmerzenden Zahn identifizieren. Sie denken vielmehr ganz fest: »Es ist ja nur der Zahn, der weh tut; ich selbst bin davon völlig unberührt.« So erreichen sie auf natürliche Weise das gleiche wie andere mit einer Schmerztablette: Die Tablette verhindert, daß der Schmerz an das Gehirn weitergeleitet wird – die Gedankenkraft bewirkt, daß der Schmerz vom Gehirn nicht akzeptiert wird.

Wenn Sie das bisher nicht schon selbst erfahren haben, wird es Ihnen allerdings kaum glaubhaft erscheinen. Doch alle weiteren Darlegungen werden Ihnen diese Tatsachen und Vorgänge immer näherbringen und immer verständlicher machen. Und wenn Sie erst einmal innerlich vollkommen überzeugt sind, dann ist die äußere Realisierung durch nichts und niemanden in der Welt mehr aufzuhalten!

B. Das Atommodell

Man kann das moderne Menschenbild auch auf andere Weise symbolisieren, wodurch der Vergleich zwischen Kernphysik und Kernpsychologie noch deutlicher wird. Die *Struktur des Atoms* ist nämlich genau auf die *Struktur des Menschen* zu übertragen, wenn man von der grundlegenden Einsicht ausgeht, daß der Mensch nicht eine Seele hat, sondern eine Seele ist, d. h. ein spirituelles Wesen, das sich in materieller Form verkörpert hat.

1. Dann entspricht dem Atomkern der seelische *Wesenskern* der verkörperten Individualität. Der Atomkern enthält die gewaltige Kernenergie und das universelle Ordnungsprinzip, das die umgebenden Elektronenbahnen reguliert. Analog dazu enthält der Wesenskern den Willen, die stärkste Energie, die auf Erden existiert, und die Ordnungsfaktoren des persönlichen Erlebens, der Intuition und des Gewissens.

Das, was jeder Mensch erlebt, ist ganz individuell, seiner Wesensart entsprechend. Das erlebt nur er so, und jeder andere erlebt selbst die gleichen Tatbestände oder Ereignisse anders. Haben Sie schon einmal gehört, wenn Zeugen eines Verkehrsunfalls berichten, wenn Schüler erzählen, was der Lehrer gesagt hat, wenn die Betrachter eines Films oder die Hörer eines Konzerts ihre Eindrücke schildern? Alle haben dasselbe gesehen, gehört und miter-

Die Struktur der verkörperten menschlichen Seele

Schwelle des Bewußtseins

I	**Konstitution** Sinnesfunktionen	**A**	Oberflächen- oder Wachbewußtsein
II	**Intelligenz** Denkfunktionen	**B**	Unter- oder Tiefen-(Traum)bewußtsein
III	**Emotionalbereich** Gefühlsfunktionen	**C**	Über- und Urbewußtsein
IV	**Antriebskräfte** elementare und sublimierte Triebfunktionen	**V**	**Wesenskern** Individualität mit Kernfunktionen

lebt, doch kein einziger erlebte es genauso wie die anderen. Unser *Erleben* ist demnach ebenso einmalig und einzigartig wie unsere Individualität.

Tiere werden durch ihre Instinkte sicher gelenkt (allerdings nur, solange sie nicht in Situationen geraten, für die keine Instinkte vorhanden sind). Beim Menschen sind diese Instinkte verkümmert, so daß er in überraschenden Situationen hilflos wäre, wenn er nicht *Intuition* zur Verfügung hätte. Während Instinkte zwingend ablaufende Reflexketten sind, stammt die Intuition zwar aus der gleichen Quelle einer übergeordneten Weisheit, muß aber nicht zwingend befolgt werden, sondern kann nur dann wirksam werden, wenn sie vom freien Willen aufgenommen wird. Der gleiche ohne rationale Überlegung geschehende Vorgang muß also exakterweise bei Mensch und Tier klar unterschieden werden: Das Tier muß instinktiv reagieren, der Mensch kann intuitiv handeln.

Dabei ist besonders darauf zu achten, daß Intuition weder mit einem gedanklichen Einfall noch mit einem gefühlsmäßigen Impuls verwechselt wird. Beides kann sich sogar für den Empfang der Intuition sehr störend auswirken, denn die Intuition ist unter Umständen den rationalen Überlegungen geradezu entgegengesetzt – und Gefühle sind meist unzuverlässig, während die Intuition absolut richtig ist. Sie ist eben eine reine Kernfunktion und infolgedessen völlig unabhängig von Kenntnissen und Erfahrungen, wie wir bei Kindern besonders deutlich beobachten können. Denn der »Schutzengel«, den sie offenbar haben, weil ihnen im Verhältnis zu ihrer extremen Gefährdung so auffallend wenig passiert, ist eben darin zu finden, daß sie ihrer Intuition unmittelbarer folgen als die meisten Erwachsenen. Da aber für jeden Menschen die Verfügbarkeit seiner Intuition praktisch lebensentscheidend ist, werden wir darauf noch mehrfach zurückkommen.

Das *Gewissen* ist jedem Menschen eingeboren als das »ganz gewisse Wissen« von der Bestimmung seiner Individualität, in der – modern ausgedrückt – gewissermaßen das ganze Leben »programmiert« ist. Weil also jeder Mensch sein individuelles Gewissen hat, gehören die Versuche der »Gewissensverbiegung« durch die verschiedenen Formen unvernünftiger Erziehung zu den Hauptursachen neurotischer Fehlentwicklungen. Auch wenn wir »Gewissenhaftigkeit« verlangen, meinen wir damit meistens, der andere solle das tun, was wir für richtig halten, während dieser Ausdruck eigentlich das Gegenteil bedeutet: Der andere solle seinem Gewissen folgen, auch wenn wir anderer Meinung sind.

Man darf keinem Menschen seine Gewissensentscheidung vorschreiben und ihn dadurch unter Gewissenszwang setzen oder in Gewissenskonflikte bringen. Man soll einem Menschen höchstens »ins Gewissen reden«, d. h. an sein Gewissen appellieren, daß es sich so entscheidet, wie auch wir es für richtig halten. Denn die Freiheit des Menschen ist notwendig verknüpft mit der freien Gewissensentscheidung. Ihr folgen dann erst die Willenskräfte und veranlassen das entsprechende Handeln. Damit werden wir uns in einem besonderen Kapitel befassen (vgl. III/D.1. »Was ist Wille wirklich?«, S. 117 f.).

Ein »gutes Gewissen« entsteht nur aus der Übereinstimmung der individuellen Wesensrichtung mit den Umweltanforderungen!

Wenn der Mensch etwa um augenblicklicher Vorteile willen, aus Schwäche oder aus Angst gegen sein Gewissen handelt, so wird er früher oder später durch entsprechende »Gewissensbisse« daran gemahnt, daß er dadurch letzten Endes nur sich selbst schadet. In der psychosomatischen Medizin ist bekannt, daß ein Mensch, der – freiwillig oder gezwungenermaßen – ständig sein eigenes Gewissen unterdrückt, schließlich krank wird und zugrunde geht.

Wenn wir von einem Menschen »Gewissenhaftigkeit« verlangen oder ihm gar »ins Gewissen reden«, dann darf das nicht nur für uns von Nutzen sein, sondern soll zugleich auch das Beste für den Betreffenden selbst beinhalten. Anderenfalls müssen unweigerlich Gewissenskonflikte entstehen.

Überlegen Sie bitte, ob Sie dazu neigen, gegen Ihr eigenes Gewissen zu entscheiden, und welches Motiv jeweils die Ursache ist:

a) Freiwillige (eigene) Gewissensbeeinträchtigungen, welcher Art? (Zum Beispiel in öffentlichen Verkehrsmitteln »schwarzfahren«.) Aus welchen Motiven? (Zum Beispiel Geiz oder auch Spaß am Überlisten der Kontrollen.)

b) Erzwungene Gewissensbeeinträchtigungen (durch andere), welcher Art? (Zum Beispiel »Notlügen« gebrauchen.) Aus welchen Motiven? (Zum Beispiel aus Bequemlichkeit oder Angst, Egoismus oder Rücksichtnahme.)

Veranlassen Sie Ihre Mitmenschen, gegen ihr Gewissen zu entscheiden? (Zum Beispiel als Eltern, Vorgesetzter, Geschäftsmann, Politiker usw.)

a) Scheinbar freiwillig durch eigenes Verhalten, Versprechungen, Suggestionen, Vorteile usw.

b) Unfreiwillig (bei Abhängigen) durch Gebote und Verbote, Gesetze, Vorschriften usw.

2. Der Wesenskern ist umgeben vom *Gemüt*. Dessen tiefste Schicht sind die Triebe, die wir besser *Antriebskräfte* nennen, weil wir und alle anderen Lebewesen von ihnen angetrieben werden. Man kann sie in zwei Grundtriebe zusammenfassen:

a) Der *Selbsterhaltungstrieb* oder das Streben nach *Existenzsicherung*, das sich in allen *Ängsten* auswirkt. Denn wir fürchten alles, was unsere Existenz beeinträchtigen oder gefährden könnte, und haben daher z. B. Angst vor dem Unbekannten, Unheimlichen, weil darin Gefahren lauern könnten. Die Angst als solche ist sogar nötig zum Schutze des Lebens, denn wir würden alle nicht mehr leben, wenn wir keine natürliche Todesangst hätten, die uns vor Tollkühnheit bewahrt und zur Vorsicht veranlaßt. Mut ist ja nicht etwa Freisein von Angst – das eben ist Leichtsinn –, sondern Mut ist die vernunftgelenkte, willensmäßige Überwindung der Angst. Nur die übersteigerte, unvernünftige Angst ist also verkehrt, denn sie kann uns das Leben nicht nur unnötig erschweren, sondern sogar lebensgefährlich werden, wenn man in sinnloser Panik blind ins Verderben rennt.

b) Der *Selbstüberhöhungstrieb*, das Streben nach *Existenzsteigerung*, dem all unsere Wünsche entspringen. Denn wir wünschen uns alles, von dem wir erwarten, daß unser Leben gesteigert oder bereichert wird, wenn wir es bekommen oder erreicht haben. Und da auf jede Höhe eine weitere Erhöhung folgt, sind unsere Wünsche unstillbar. Ja, sie überwiegen sogar die Ängste, denn ein Wunsch kann bekanntlich so stark werden, daß er die Angst vor Strafe und manchmal sogar den Selbsterhaltungstrieb außer Kraft setzt.

Von Ängsten und Wünschen werden wir ständig bewegt, und sie wirken dabei wie eine Waage: Je mehr die Ängste überwiegen, desto weniger wünschen wir. Sollten wir uns gar einmal in akuter Lebensgefahr befinden, so haben wir nur noch den einen Wunsch: lebend davonzukommen! Umgekehrt wachsen unsere Wünsche um so mehr, je gesicherter unsere Existenz erscheint, wie wir gerade heutzutage deutlich erleben.

Ein vernünftiger Mensch wird sich weder von Ängsten noch von Wünschen treiben lassen, sondern seine elementaren Antriebskräfte durch sublimierte, d. h. ver-

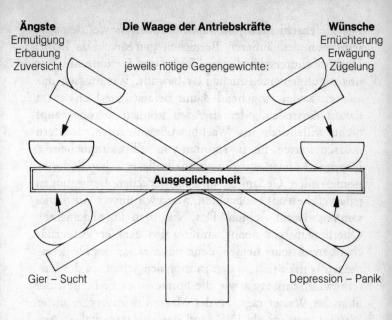

Ängste	Die Waage der Antriebskräfte	Wünsche
Ermutigung		Ernüchterung
Erbauung		Erwägung
Zuversicht	jeweils nötige Gegengewichte:	Zügelung

Ausgeglichenheit

Gier – Sucht

Depression – Panik

edelte Triebe überhöhen. Wir werden uns damit noch eingehender beschäftigen (siehe »Triebsublimierung« S. 323 ff.).

3. Die nächste Tiefenschicht im Gemüt ist der Emotionalbereich, d. h. unsere *Gefühle*, die all unser Denken und Tun nicht nur begleiten, sondern sogar weitgehend bestimmen. Wir können überhaupt nichts denken oder tun, ohne dabei auch etwas zu fühlen. Und von der Beschaffenheit dieser Gefühle hängt die Art und Weise unseres Denkens ebenso ab wie unsere körperliche Leistungsfähigkeit, unser Allgemeinbefinden und unsere Gesundheit. Weil richtige Gefühlspflege noch viel wichtiger ist als Körperpflege, werden wir in einem besonderen Kapitel ausführlich darauf eingehen (zur »Psychohygiene« vgl. S. 88 f.).

Die Tiefenschichten sind durch die *Schwelle des Bewußtseins* von den äußeren Bereichen getrennt. Das heißt: Unserer »unterschwelligen« Triebe und Gefühle sind wir uns im allgemeinen nicht klar bewußt. Wir müssen uns also entweder eingehend damit befassen und uns extra darauf einstellen, oder aber wir können sie überhaupt nicht willentlich ins Wachbewußtsein rufen, sondern müssen warten, bis sie spontan von selbst auftauchen.

Dagegen können wir die oberhalb dieser Schwelle funktionierenden Gedanken und körperlichen Bewegungen jederzeit bewußt beobachten, wenn wir unsere Aufmerksamkeit darauf richten. Das, was man im allgemeinen Oberbewußtsein nennt, müßte also exakter »Oberflächenbewußtsein« heißen, denn unser rationales Denkvermögen verhält sich zu den irrationalen Schichten des Unterbewußtseins etwa wie die Spitze eines Eisberges, die über das Wasser ragt, zu der Masse des Eisberges unter Wasser: weniger als 10%. Und das »supramentale« (Aurobindo) Überbewußtsein ist in diesem Vergleich das ganze Meer, in dem der Eisberg schwimmt.

4. Doch anders als beim Eisberg ist dem Menschen gerade diese Spitze besonders wichtig, denn wie etwa bei einer modernen Maschine das elektronische Steueraggregat im Verhältnis zur ganzen Anlage winzig erscheint und dennoch alle Funktionen bestimmt, so hängt auch beim Menschen das ordnungsgemäße Funktionieren des gesamten Organismus von der richtigen rationalen Steuerung ab, wie ja das Beispiel eines Idioten deutlich zeigt. Die vielfältigen *Denkfunktionen* (die ebenfalls in einem späteren Kapitel ausführlich besprochen werden) bezeichnen wir insgesamt als *Intelligenz*. Erst durch diese können wir latente Anlagen zu aktivierten Eigenschaften und Fähigkeiten machen, können wir analytische Kenntnisse und synthetische Erkenntnis gewinnen, ständig

fortschreitendes Wissen sammeln und schließlich sowohl die Ergebnisse unermüdlichen Forschens als auch die Offenbarung unergründlicher Weisheit lehrend und kündend unseren Mitmenschen mitteilen.

5. Als äußerster Ring umschließt dann unsere körperliche *Konstitution* das ganze komplizierte Gebilde. Der Körper ist nichts anderes als die »Haut der Seele«, denn genauso wie die körperliche Haut unseren Organismus nicht nur nach außen begrenzt, sondern auch die ständige Wechselwirkung sämtlicher Organe mit der Umwelt ermöglicht, so begrenzt unser Körper die Seele nach außen und bildet gleichzeitig das universelle Instrument, durch das sie mit der Umwelt in Verbindung treten kann. Es äußert sich daher einerseits alles Seelische im Körper sowohl durch bewußte Zweckbewegungen als auch durch unterbewußte Ausdrucksbewegungen – und es geschieht andererseits nichts Körperliches ohne das entsprechende seelische Äquivalent. Da dieses Gesetz der *psychophysischen Identität* für alle menschlichen Betätigungsgebiete von größter Bedeutung ist, werden uns seine vielfachen Konsequenzen in den weiteren Ausführungen noch häufig begegnen.

II. Die menschlichen Grundbedürfnisse (Psychodynamik)

Nachdem Sie die Konstruktion des Menschen kennengelernt haben, erfahren Sie nun, was jeder Mensch braucht, damit er auch voll und ganz als Mensch funktionieren kann.

A. Seinwollen = Geltungsstreben

Es ist das erste menschliche Grundbedürfnis, so sein und leben zu dürfen, wie man veranlagt und wozu man bestimmt ist, also der eigenen Individualität gemäß sich entwickeln und entfalten zu können. Alles, was mit dem Selbst zu tun hat, kommt in diesem Grundbedürfnis zum Ausdruck: Selbstgefühl – Selbstbewußtsein – Selbstachtung – Selbstsicherheit – Selbstvertrauen. Ebenso Selbsterhaltung, Selbstentfaltung und schließlich Selbsterfüllung. Schon beim kleinen Kind ist deutlich zu beobachten, wie es ständig bestrebt ist, sich selbst zu behaupten und seine Eigenart und Wesensbestimmung der Umgebung gegenüber durchzusetzen.

Auch auf die Resonanz der Umgebung bezieht sich das Grundbedürfnis des Seinwollens: Der Mensch möchte von Mitmenschen bestätigt und bejaht werden. Er strebt nach Geltung und Anerkennung, oft sogar noch mehr als nach Geld und Gut. Auch das zeigt sich schon bei den kleinsten Kindern: Nichts ist für sie wichtiger als die Aufmerksamkeit ihrer Umgebung. Wenn sonst nichts hilft, sind sie sogar bewußt unartig, nur um diese Aufmerksamkeit zu gewinnen. Und bei den Erwachsenen ändert sich daran nicht viel: Auch sie gehen oft seltsame Wege, um zu Ansehen und Bedeutung zu gelangen und ihre Wichtigkeit zu beweisen.

1. Demnach sollte die *Achtung vor der Persönlichkeit*, vor der Individualität jedes Menschen, oberstes Gesetz unseres Handelns sein.

Niemals dürfen wir einen Menschen – auch kein Kind – als bloßes Objekt für unsere eigenen Wünsche und Bestrebungen, Absichten und Forderungen benützen, sondern müssen ihn zugleich auch als *Subjekt*, als Eigenwesen erkennen und anerkennen. Wir müssen seine Veranlagung und sein Verhalten, seine Eigenarten und Gewohnheiten, seine Stärken und Schwächen sorgsam studieren und so zuerst unsererseits auf ihn eingehen, ehe wir etwas von ihm verlangen oder erbitten. Nur dann können wir erwarten, daß andere sich uns gegenüber ebenso aufmerksam und entgegenkommend verhalten.

Seien Sie immer dessen eingedenk, daß durch jede Art von Überheblichkeit, Dünkel und Einbildung das erste Grundbedürfnis am empfindlichsten beeinträchtigt wird. Wer seine vermeintliche oder tatsächliche Überlegenheit allzu deutlich zur Schau trägt, wer mit seinem Wissen und Können oder gar mit seinem Geld anderen zu imponieren versucht – der macht sich nicht nur besonders unbeliebt, sondern erschwert vor allem auch sich selbst das Leben in unvernünftigster Weise. Es ist kaum zu glauben, auf was alles Menschen sich etwas einbilden und wie allgemein der sinnlose Hochmut verbreitet ist, der die menschlichen Beziehungen so verhängnisvoll vergiftet. Der Satz »Hochmut kommt vor dem Fall« stimmt nach wie vor, denn solange man an dieser Gemütskrankheit leidet, kann man niemals auf die Dauer erfolgreich oder gar glücklich sein.

Natürlich sind Unterwürfigkeit und Duckmäuserei ebenso verkehrt und dem Grundbedürfnis des Seinwollens entgegenwirkend. Wo immer ein solches menschenunwürdiges Verhalten entweder verlangt oder geübt wird, werden nicht nur die mitmenschlichen Beziehungen gestört, sondern auch die beteiligten Menschen in ihrem ersten Grundbedürfnis geschädigt.

2. Die für erfolgreiche Lebensbewältigung grundlegende *Selbsteinschätzung* kann nur gewonnen werden, wenn das Seinwollen von Kindesbeinen an sich ungestört entwickelt, indem es weder unterdrückt noch überbetont wird. Doch infolge verkehrter Erziehung und gestörter mitmenschlicher Beziehungen leiden heute die meisten Menschen an *Selbstunterschätzung*.

Sie sind wie ein wurzelschwacher Baum oder ein Haus ohne Fundament: Der kleinste Windstoß wirft sie um. Solche Menschen verfallen bei der geringsten Schwierigkeit in Entmutigung und Resignation oder verkrampften Starrsinn. Ihr ständiges Minderwertigkeitsgefühl erschwert die einfachsten Leistungen, weil sie dauernd gegen ihre Unsicherheit und Ängstlichkeit und ihr Mißtrauen auch sich selbst gegenüber ankämpfen müssen.

Diese schwere innere Belastung macht zarte Naturen labil und überängstlich, gehemmt und verkrampft, unselbständig, lebensuntüchtig und schließlich körperlich und seelisch krank. Robuste Naturen werden dadurch umgekehrt unehrlich und heuchlerisch, großsprecherisch und schikanös, ja sogar tyrannisch und gewalttätig. Denn man muß äußerlich besonders kräftig auf den Tisch hauen, um die innere Schwäche zu verdecken. Und man muß die Menschen um so mehr seine Macht fühlen lassen, je weniger man sich selbst zutraut. Der Psychologe spricht da von Überkompensation.

Sie alle aber leiden in ihrem Gemüt an »Unterernährung«,

weil sie schon als Kinder Steine anstatt Brot bekommen haben: »Das verstehst du nicht – das kannst du nicht – dafür bist du viel zu dumm – an dir ist Hopfen und Malz verloren – aus dir wird nie etwas Rechtes – du landest mal im Gefängnis« – wer erinnert sich nicht an solche und ähnliche Erziehungssprüche oder gebraucht sie vielleicht sogar selbst noch? Und was bekommen auch wir Erwachsenen zu hören: »Wie kann man sich nur so blödsinnig anstellen – haben Sie denn keinen Funken Vernunft mehr im Gehirn? – das lassen Sie besser, dazu sind Sie völlig ungeeignet – bleiben Sie gefälligst auf dem Boden der Realität – so unausgegorene Gedanken wie Sie habe ich früher auch mal im Kopf gehabt – das geht nicht – das gibt es nicht – das ist unmöglich« usw. Wir werden so lange kritisiert, angezweifelt, herabgesetzt, entmutigt, unterdrückt, bis wir schließlich selbst an uns zu zweifeln beginnen und uns für genauso minderwertig halten, wie die anderen uns erscheinen lassen: Wir haben den bekannten *Minderwertigkeitskomplex* bekommen.

Darum haben wir alle ein *starkes Gegengewicht* nötig, damit die Waage unserer Selbsteinschätzung ins rechte Gleichgewicht kommt: Stärkung unseres Selbstbewußtseins, Hebung unseres Selbstwertgefühls, Bestätigung unseres Selbstvertrauens, Bekräftigung unserer Selbstsicherheit. Wie das geschieht, werden Sie in den weiteren Kapiteln erfahren.

Es gibt allerdings auch Menschen, die an *Selbstüberschätzung* leiden. Da wurde z. B. jemand als einziges Kind reicher Eltern, die noch nichts von modernen Erziehungsprinzipien gehört haben, maßlos verwöhnt, behielt immer recht und war als Pascha gewohnt, nur Wünsche zu äußern und Befehle zu erteilen. Dieser Bedauernswerte wird sich dann im Leben ebenso schwertun wie der sich selbst Unterschätzende, denn er wird durch seine

Überheblichkeit und Dünkelhaftigkeit, Herrschsucht und Intoleranz die Mitmenschen sich zu Feinden anstatt zu Freunden machen. Er wird keinerlei Widerspruch vertragen und bei der geringsten Schwierigkeit Tobsuchtsanfälle bekommen oder vielleicht sogar versuchen, sie mit gewalttätigen und kriminellen Mitteln zu beseitigen. Selbstüberschätzung führt letzten Endes mit Sicherheit entweder ins Krankenhaus, weil man sich selbst ständig überforderte und Unmögliches gewaltsam durchzusetzen versuchte, oder ins Gefängnis, weil man für sich Sonderrechte in Anspruch nahm und gegen allgemeingültige Gesetze verstieß.

Also muß hier die Waage der Selbsteinschätzung auf der anderen Seite beschwert werden: unbedingte Ehrlichkeit sich selbst gegenüber sowie realistisches Erkennen und Abwägen der eigenen Stärken und Schwächen. Bekanntlich ist aber Selbsterkenntnis nur der erste Schritt zur Besserung, so daß auch noch die ständige Bereitschaft zu konsequenter Arbeit an sich selbst dazu gehört, um ebenso vorhandene Schwächen allmählich auszubügeln wie veranlagte Stärken mit unermüdlicher Konsequenz und Ausdauer auszubauen.

Beides gilt aber nicht nur für die geschilderten Extreme, sondern für jeden einzelnen von uns. Denn die *richtige Selbsteinschätzung* funktioniert so genau wie eine Goldwaage. Wir schwanken ständig zwischen Über- und Unterbewertung unserer eigenen Person, zwischen Hochstimmung und Tiefpunkten, zwischen Angriff und Verteidigung, Aktion und Reaktion. Wir müssen immer wieder diese Waage ins Gleichgewicht bringen, indem wir das jeweils nötige Gegengewicht auflegen: überzeugtes Selbstbewußtsein ebenso wie ehrliche Selbstkritik – unerschütterliches Selbstvertrauen ebenso wie realistische Selbstbeurteilung – ruhige Selbstsicherheit ebenso wie sorgfältige Selbstprüfung.

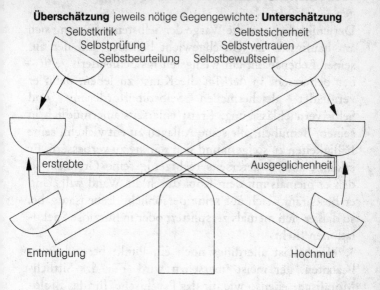

Die Waage der Selbsteinschätzung

Überschätzung jeweils nötige Gegengewichte: **Unterschätzung**

Selbstkritik   Selbstsicherheit
Selbstprüfung   Selbstvertrauen
Selbstbeurteilung   Selbstbewußtsein

erstrebte   Ausgeglichenheit

Entmutigung   Hochmut

Versuchen Sie doch künftig bei sich selbst genau dasselbe, was Sie bei einem schleudernden Auto tun müssen: *gegensteuern.* Das heißt, wenn andere uns zu wenig bestätigen oder wir an uns selbst zu zweifeln beginnen und infolgedessen nach »links« in Untätigkeit und Resignation abzugleiten drohen, müssen wir das Steuer nach »rechts« herumreißen – also um so mehr unser eigenes Selbstbewußtsein aktivieren, Mut und Zuversicht entwickeln und unbeirrbar vorwärtsschreiten. Ebenso aber müssen wir umgekehrt, wenn wir allzusehr nach »rechts« in Überaktivität und Hektik oder gar Überheblichkeit und Selbstgefälligkeit geraten, unsere Gedanken und Impulse in die entgegengesetzte Richtung nach »links« lenken – uns zu nachhaltiger Beruhigung, vertiefter Besinnung und noch schärferer Wachsamkeit uns selbst gegenüber zwingen.

Derjenige, bei dem die Waage der Selbsteinschätzung sich am häufigsten im Gleichgewicht befindet und der auf seiner Lebensbahn am wenigsten ins Schleudern gerät – der beherrscht in der Tat die Kunst zu leben, denn er vermeidet gleichermaßen Selbstüberforderung und Selbstvernachlässigung. Er ist einerseits unermüdlich in seinem Bemühen, alle seine Anlagen zu entwickeln, seine Fähigkeiten zu steigern und sich ständig zu verbessern. Er erkennt aber andererseits rechtzeitig seine Grenzen, so daß er niemals mit dem Kopf durch die Wand will. Und er beschränkt sich auf seine persönliche Lebensaufgabe, so daß er sich niemals zersplittert oder in nutzlose Spekulationen flieht.

3. Hierbei ist allerdings noch ein Punkt besonders zu beachten, der meist übersehen wird. Für das Sittlich-Moralische ebenso wie für das Psychische, für das Biologische ebenso wie für das Physikalische gibt es ein *allgemeingültiges Gesetz*:

Alles Geschehen vollzieht sich zwar zwischen den beiden entgegengesetzten Polen von Aktivität und Passivität, Dynamik und Statik, Spannung und Lösung usw. (chinesisch »Yang« und »Yin«, indisch »Raja« und »Tamas«), dabei wirkt aber *jedes Extrem gleich negativ bzw. zerstörend* (Übersteigerung ebenso wie Unterlassung, Wucherung ebenso wie Schwund, Erstarrung ebenso wie Auflösung, Verkrampfung ebenso wie Erschlaffung usw.).

Positiv bzw. aufbauend und erhaltend ist nur das *ausgewogene Gleichgewicht der Polaritäten* (chin. »Tao«, ind. »Sattwa«), der »goldene Mittelweg« oder die Balance zwischen den Extremen, so daß das Symbol der *Waage* in der Tat am besten diese universelle Gesetzmäßigkeit veranschaulicht.

Um zu einer realistischen Selbsteinschätzung zu gelangen, dürfen wir uns nicht mit der üblichen dualistischen Gegensätzlichkeit von + und − (gut und böse, richtig und falsch, hell und dunkel, gesund und krank, erwünscht und unerwünscht usw.) begnügen, sondern müssen beide Seiten nochmals unterteilen in die negative Tendenz nach außen den Extremen zu und die positive Tendenz nach innen der Mitte zu, so daß wir zu der folgenden *vierfachen Einteilung* gelangen, wie sie durch die Tabelle »*Überfunktion − Steigerung − Minderung − Unterfunktion*« auf S. 47 verdeutlicht wird.

Selbstverständlich ist diese Tabelle weder vollständig noch endgültig formuliert, sondern nur eine willkürliche Zusammenstellung von Beispielen praktischer Anwendung des genannten Grundprinzips, die von jedem individuell modifiziert werden kann. Erweitern Sie diese Tabelle ständig, indem Sie künftig alle Gegensätze, mit denen Sie konfrontiert werden, in der gezeigten Weise unterteilen!

Die Gefahr liegt immer auf beiden Seiten beim Abrutschen über den Strich in das eine oder andere negative Extrem. Anzustreben ist die Ergänzung der individuellen Veranlagung und Prägung durch den jeweils anderen Pol bzw. die fortschreitende Schwerpunktverlagerung der generellen positiven Mitte zu. Alles Übel bedeutet im Grunde eine »Gleichgewichtsstörung«, während Vollkommenheit gewissermaßen einen souveränen »Balanceakt« darstellt.

Wenn Sie diese bzw. die von Ihnen selbst modifizierte und erweiterte Tabelle zur Selbstbeurteilung benützen wollen, unterstreichen Sie nach eingehender und möglichst ehrlicher Prüfung das für Sie zur Zeit Zutreffendste. Dabei kann auch Gegensätzliches gleichzeitig unterstrichen werden, denn so wie in unserem Organismus zugleich ein Organ an Überfunktion und ein anderes an Unterfunktion leiden kann, ist auch im Gemüt ein zwiespältiges Verhalten bzw. Reagieren durchaus möglich. Die jeweilige Entwicklungstendenz kennzeichnen Sie mit einer Pfeilspitze – also z. B.:

diktatorisch | führend | ausführend | unterwürfig ←————

(Typ des »Radfahrers« – nach unten tretend, nach oben buckelnd –, der sich bessern will)

dickfellig | robust ←———— | empfindsam | empfindlich ←————

(in bezug auf die anderen)   (in bezug auf sich selbst)

Der anzustrebende Idealzustand wäre: überhaupt keine Extreme mehr und ausbalancierte Polaritäten in der Mitte – also z. B.:

ungläubig | kritisch ————→ | gläubig ←———— | abergläubisch

Zwang | Ordnung ————→ | Freiheit ←———— | Willkür

B. Habenwollen = Besitzstreben

1. Jeder Mensch will nicht nur etwas sein, sondern auch etwas haben. Das Streben nach *Besitz und Eigentum* ist schon bei den kleinsten Kindern oft bereits sehr ausgeprägt zu finden: »Will ich auch haben« gehört zu den ersten Ausdrücken, die der kleine Mensch erlernt. Und auch für uns Erwachsene bleibt dieses Bestreben ein

Alle Extreme sind verkehrt!
Richtig ist immer die Balance/Synthese positiver Polaritäten:

$$-\qquad\qquad+\ \rightarrow\ 0\ \leftarrow\ +\qquad\qquad-$$

Überfunktion	Steigerung	Minderung	Unterfunktion
Überfluß	Fülle	Mäßigung	Mangel
heiß	warm	kühl	kalt
bitter	herb	mild	fad
grob	rauh	fein	verletzlich
hastig	rasch	langsam	schleppend
ungeduldig	zielstrebig	abwartend	lahm
kopflos	spontan	überlegt	unentschlossen
hektisch	lebhaft	bedächtig	träge
chaotisch	intuitiv	induktiv	schematisch
inkonsequent	flexibel	konsequent	fixiert
unberechenbar	sprunghaft	ausdauernd	hartnäckig
starrköpfig	eigenwillig	beeinflußbar	labil
empfindlich	empfindsam	robust	dickfellig
Hybris	Lockerung	Zügelung	Frustration
Sucht	Lust	Unlust	Ekel
Manie	Leichtlebigkeit	Lebensschwere	Depression
Aggression	Selbstbehauptung	Selbstbeschränkung	Resignation
tollkühn	mutig	vorsichtig	feige
Verschwendung	Großzügigkeit	Sparsamkeit	Geiz
raffen	nehmen	geben	aufgeben
Habgier	haben wollen	gönnen	aufopfern
vorlaut	offenherzig	zurückhaltend	schüchtern
frech	ehrlich	diplomatisch	verlogen
mißtrauisch	kritisch	gläubig	vertrauensselig
ehrgeizig	strebsam	bequem	faul
zersplittert	vielseitig	spezialisiert	einseitig
oberflächlich	überschauend	gründlich	pedantisch
selbstherrlich	unabhängig	angepaßt	abhängig
diktatorisch	führend	ausführend	unterwürfig
autoritär	willensstark	leicht lenkbar	willenlos
Zwang	Ordnung	Freiheit	Willkür
intellektuell	mental	emotional	triebhaft
illusionär	theoretisch	praxisbezogen	impulsiv
extravagant	anspruchsvoll	bedürfnislos	verkommen
geschniegelt	gepflegt	lästig	schlampig
humorlos	ernst	lustig	lächerlich
geschwätzig	unterhaltsam	schweigsam	langweilig
Außenseiter	Individuum	Kollektiv	Masse
isoliert	introvertiert	extravertiert	absorbiert
Leidenschaft	Zuneigung	Abneigung	Haß
revolutionär	fortschrittlich	konservativ	reaktionär
starr	hart	weich	schlapp
verkrampft	gespannt	gelöst	erschlafft
stur	eigenwillig	gehorsam	hörig
Erregung	Bewegung	Ruhe	Untätigkeit
Gewalt	Durchsetzung	Anpassung	Verzicht
Überforderung	Förderung	Störung	Zerstörung

Hauptmotiv unseres Handelns, denn jeder Mensch braucht etwas, worüber er *frei verfügen* kann.

Zum Haben gehört jedoch nicht nur materieller Besitz, sondern auch der *Raum*, der mir gehört, über den ich allein verfügen kann, wo ich mich ungestört so verhalten kann, wie es mir jeweils zumute ist, wo ich auf niemanden Rücksicht zu nehmen brauche und den ich mir nach eigenem Geschmack einrichten kann, wo ich also tatsächlich »bei mir zu Hause« bin.

Man nennt diesen Raum den »Lebensraum«, weil er wirklich lebensnotwendig für die Persönlichkeitsentwicklung jedes Menschen ist. Man kann ihn auch »Spielraum« nennen. Das bedeutet den Raum, in dem man nach Belieben spielen, d. h. tun kann, wozu man gerade Lust hat. Diesen Spielraum braucht nicht nur das Kind, sondern auch der erwachsene Mensch, um seine Individualität voll entfalten zu können.

2. Doch wie unterscheidet man dieses berechtigte und lebensnotwendige Habenwollen von unberechtigter Habgier? Natürlich nicht so, wie es die meisten Menschen tun: »Bei mir ist es berechtigtes Habenwollen, beim anderen böse Habgier.« Wir brauchen vielmehr einen möglichst objektiven Maßstab, denn Bedürfnisse sind durchaus subjektiv, so daß man niemals allen Menschen vorschreiben kann, welche Bedürfnisse sie berechtigterweise haben dürfen. Ein objektiver Maßstab muß jedoch allgemeingültig sein.

Vielleicht können Sie folgende Regel als allgemeingültig und auch für Sie selbst verbindlich anerkennen: »*Man darf so viel haben wollen, wie man ohne Schädigung seiner Mitmenschen oder seiner selbst erlangen kann.*«

Alles, was man auf Kosten anderer haben will oder was einem selbst zum Schaden gereicht, ist Habgier. Maßvoll bleiben, d. h. verständig Nutzen und Schaden abwägen, führt daher zu dauerndem Wohlstand, der niemanden benachteiligt. Unvernünftiges Übermaß und maßlose Habsucht bewirken dagegen immer nur Ausbeutung anderer und schließlich Selbstzerstörung.

Der uralte Leitsatz von Geben und Nehmen – und zwar in dieser Reihenfolge – hat nach wie vor seine volle Gültigkeit. Geben ist nicht nur »seliger denn nehmen«, sondern vor allem auch klüger, denn wenn jeder zuerst oder mehr nehmen will, als er zu geben bereit ist, muß das in letzter Konsequenz zu Betrug und Raub, Mord und Krieg führen, wie es die Menschheitsgeschichte deutlich genug beweist.

3. Auch die Beeinträchtigung des Habenwollens bewirkt nämlich einen Gemütsschaden, der dann wiederum verschiedenartige neurotische Fehlhaltungen verursacht. Das bedeutet praktisch: Wenn z. B. jemand von seiner Kindheit an kein eigenes Zimmer, ja oft noch nicht einmal ein eigenes Bett oder eigene Spielsachen haben durfte und niemals für sich sein oder über irgend etwas frei verfügen konnte – dann leidet er an *Gemütsverarmung*, die schlimmer ist als materielle Armut. Denn selbst in sehr beengten Verhältnissen kann man bei vernünftiger Erziehung und gegenseitiger Hilfeleistung über jenes Mindestmaß an Eigentum und Lebensraum verfügen, das für die psychophysische Gesunderhaltung notwendig ist. Ja, man kann dann sogar innerlich zufriedener und glücklicher sein als jemand, der im Überfluß lebt, also mehr hat, als er braucht, bzw. nichts Rechtes damit anzufangen weiß.

Gemütsverarmung führt dagegen mit Sicherheit zu lebenserschwerenden Fehlhaltungen. So bedeutet *Geiz* das verkrampfte Festhaltenwollen aus der panischen Angst heraus, nicht genug zu haben. Es hat schon pathologische Fälle dieser Neurose gegeben, die tödlich endeten, indem der davon Betroffene buchstäblich verhungerte und gleichzeitig viel Geld in irgendeinem Versteck aufbewahrte.

Auch die scheinbar entgegengesetzte Fehlhaltung der *Verschwendungssucht* stammt in Wirklichkeit aus der gleichen Wurzel: Wenn jemand noch niemals gelernt hat, mit Geld und Gut richtig umzugehen, so bleibt er innerlich verarmt, auch wenn er äußerlich reich wird. Man sagt dann sehr richtig: »Das Geld zerrinnt ihm zwischen den Fingern.« Er kann es nicht halten und »wirft es zum Fenster hinaus«. Die vielfachen Berichte von plötzlichen Lotto- und Toto-Gewinnen, die ebenso rasch wieder verlorengingen, wie sie gewonnen wurden, beweisen diesen Tatbestand deutlich genug.

Die folgenschwerste Fehlhaltung ist jedoch *Mißgunst und Verbitterung*, ja vielleicht sogar Haß und Todfeindschaft gegen alle Besitzenden, denn daraus entstehen ja ständig die schlimmsten Untaten im kleinen und im großen. Wir sollten daher lieber nicht in pharisäerhafter Selbstgerechtigkeit von »radikalem Gesindel« und »asozialen Elementen« sprechen und nicht bloß in hilfloser Schwäche nach der Polizei rufen. Wir sollten uns vielmehr, eingedenk der bitteren Tatsache, daß hier Menschen zuerst einmal in ihrem zweiten Grundbedürfnis geschädigt wurden, Gedanken darüber machen, wie man dieses Übel wirksamer an der Wurzel packen könnte. Und dann sollten wir uns vor allem bemühen, selbst niemanden mehr in seinem berechtigten Besitzstreben zu beeinträchtigen, indem wir uns strikt nach dem Grundsatz von Geben und Nehmen richten.

Diesem Grundsatz gemäß darf man alles unbesorgt haben wollen, dessen Wert man richtig einschätzen kann und dessen angemessenen Preis man infolgedessen auch zu zahlen bereit ist. Wenn man miteinander handelt, bietet man ja auch diesen Preis zuerst – und man ist handelseinig, wenn der andere ihn akzeptiert. Der Preis kann natürlich auch in einer Dienstleistung, in einem Geschenk oder in einem besonderen Verhalten bestehen, wodurch man eine Gegengabe, einen Gegendienst oder eine entsprechende Verhaltensweise veranlassen will.

Diese ganzen Zusammenhänge, auf denen ja nicht nur die gesamte Wirtschaft, sondern auch das menschliche Zusammenleben überhaupt beruhen, verdienen unsere größte Aufmerksamkeit. Sie bedeuten eigentlich eine ständige Herausforderung an jeden von uns, das eigene Habenwollen streng zu prüfen und das Habenwollen der Mitmenschen wohlwollend zu akzeptieren – nicht umgekehrt, wie es leider meistens der Fall ist!

Prüfen Sie möglichst ehrlich, ob Ihre eigenen Bedürfnisbefriedigungen immer Ihrem Beitrag zur Bedürfnisbefriedigung anderer entsprechen. Dabei ist das *Energie-Austausch-Gesetz* in Betracht zu ziehen: *Überfluß* auf der einen Seite entspricht stets *Mangel* auf der anderen Seite – und umgekehrt!

C. Mitteilenwollen = Kontaktstreben

Was nützt es dem Menschen, was er ist und was er hat, wenn er es niemandem mitteilen kann? Es könnte jemand etwa ein mächtiger Mann sein und einen riesigen Goldschatz besitzen – wenn er damit auf eine einsame Insel im Ozean verschlagen würde, hätte beides weder für ihn selbst noch für andere den geringsten Wert mehr. Denn mächtig ist man ja nur so lange, als man jemanden beherrschen kann, und Gold ist nur so lange etwas wert, als man dafür etwas kaufen oder eintauschen kann.

1. Nur durch Mitteilenkönnen und Mitgeteiltbekommen

gewinnen Sein und Haben Wert und Bedeutung. Darauf beruht die gesamte menschliche Kultur ebenso wie die Entwicklung des einzelnen.

Denn der Mensch entwickelt sich nicht instinktmäßig von selbst wie das Tier, sondern muß das, wozu er veranlagt ist, erst lernen – also mitgeteilt bekommen –, um es zu können. Wenn man einen Säugling völlig sich selbst überläßt, lernt er infolgedessen weder stehen noch gehen noch sprechen und wird so völlig idiotisch erscheinen, obwohl er ganz normal veranlagt ist.

Der Mensch braucht den Mitmenschen, um wirklich Mensch werden und Mensch bleiben zu können.

Durch den ständigen Austausch untereinander wird auch das Sein und Haben am besten reguliert, so daß Übertreibungen abgebaut und Unterentwicklungen ausgeglichen werden können. Denn Überfluß und Mangel sind im Grunde nur die Folge nicht richtig geregelten Austausches. Je enger der persönliche Kontakt unter den einzelnen Menschen und je besser demgemäß die gegenseitige Austauschmöglichkeit von Gütern und Gedanken ist, desto reibungsloser, vernünftiger und rücksichtsvoller werden die menschlichen Beziehungen sein. Und desto vollkommener wird auch die Persönlichkeitsreifung des einzelnen vonstatten gehen, indem jeder durch den anderen sowohl sich abschleifen als auch sich ergänzen kann.

Weil der ständige mitmenschliche Kontakt in jeder Hinsicht lebensnotwendig für den Menschen ist, bedeutet jede Art von Kontaktstörung geradezu eine tödliche Gefahr sowohl für den einzelnen als auch für die Gesamtheit. Wenn nämlich das Mitteilenwollen nicht ausreichend befriedigt wird, führt dies zwangsläufig zu immer schlimmeren menschlichen Entartungserscheinungen und schließlich zu Unmenschlichkeit.

2. Wir bezeichnen diesen Verlust des persönlichen Kon-

taktes auch als *Vermassung*. Denn eine Masse nennen wir eine Menge Menschen, die vielleicht bei irgendeiner Massenveranstaltung dicht gedrängt Kopf an Kopf nebeneinander stehen, ohne daß einer den anderen persönlich kennt. Das aber ist völlig unnatürlich, denn Masse als beziehungsloses Nebeneinander gibt es sonst nur in der unbelebten Materie (etwa ein Haufen Sand), niemals aber im Lebendigen. Eine Wiese oder ein Wald sind nicht etwa ein Haufen Gräser oder Bäume, sondern ein lückenlos gegliederter Organismus, in dem nur das zusammenwächst, was zusammengehört und in direkter Beziehung zueinander steht. Nur tote Bäume sind eine Masse Bretter, und totes Gras ist eine Masse Heu.

Noch deutlicher ist dieser direkte Kontakt in der Tierwelt: Man denke an die Wunder der Ameisen- und Bienenstaaten mit den vollkommensten Informations- und Kommunikationssystemen, die wir kennen. Oder haben Sie schon einmal einen fliegenden Vogelschwarm beobachtet? Am eindrucksvollsten ist hier wohl eine »fliegende Wolke« aus Tausenden von Staren, die buchstäblich in kunstvollsten Flugfiguren am Himmel entlangtanzt. Diese dicht gedrängt fliegenden Vögel müssen alle untereinander in einer so direkten Verbindung stehen, daß sie in Bruchteilen von Sekunden genau die gleichen Flugbewegungen machen, sonst würden sie zusammenstoßen und herunterfallen.

Wer sich einmal etwas eingehender mit Biologie befaßt, kommt aus dem Staunen überhaupt nicht mehr heraus über all die wunderbaren Kontakte bei Pflanzen und Tieren. Um wieviel mehr sollte daher eigentlich die Gattung Mensch als die »Krone der Schöpfung« solche engen persönlichen Kontakte entwickelt und ständig weiter ausgestaltet haben. Statt dessen ist bei uns genau das Gegenteil geschehen: Diese Kontakte sind immer mehr verkümmert, so daß die persönliche Entfremdung untereinander rapide zunimmt, obwohl wir die besten Verkehrsmittel und die vollkommenste Nachrichtentechnik haben.

So ist es möglich geworden, daß etwa ein Mensch in der oben erwähnten Masse eingezwängt und von vier anderen Menschen, die er überhaupt nicht kennt, körperlich bedrängt wird: Von beiden Seiten bekommt er die Ellenbogen in die Rippen gedrückt, von hinten drückt ihm einer ins Kreuz und von vorne auf den Bauch. Kein Tier würde sich etwas Derartiges gefallen lassen!

Dies aber ist symptomatisch dafür, wie sehr der einzelne in der Masse das Bewußtsein seiner Individualität und jeglichen Antrieb zur Selbstbehauptung verliert. Je mehr er in der Masse untergeht, desto mehr vergißt er das menschenwürdige Verhalten. Die Massen auf dem Fußballplatz oder beim Popkonzert sind noch relativ harmlose Beispiele dafür: Wenn sich ein Mensch allein so aufführen würde, wie er es in der Zuschauermenge beim Fußball hemmungslos tut, dann würde man ihn wahrscheinlich zur Beobachtung in die psychiatrische Klinik einweisen. Das gleiche geschähe, wenn einer allein beim Miterleben eines Popkonzertes im Fernsehen die Wohnungseinrichtung demolieren würde, wie es schon häufig mit der Einrichtung von Konzertsälen passiert ist, wenn die in Ekstase geratene Masse jede Selbstkontrolle verloren hatte.

Die gleiche, schon sehr viel weniger harmlose Erscheinung zeigt sich, wenn eine Massendemonstration »außer Kontrolle gerät« oder wenn Massenhysterie zu Lynchjustiz und sonstigen blutigen Exzessen führt. Und in den Massenvernichtungskriegen ist dieser Entartungsprozeß schließlich lebensbedrohend für die ganze Menschheit geworden.

Ebenso katastrophal wirkt sich die fortschreitende Kontaktstörung aber auch für jeden Einzelmenschen aus. Schon die Familie, in der jeder Mensch eigentlich seine ersten und engsten mitmenschlichen Kontakte erleben sollte, kann diese Lebensnotwendigkeit heute vielfach nicht mehr bieten. Schule und Berufsausbildung in der Industrie- und Leistungsgesellschaft setzen das kontaktlose Nebeneinanderherleben fort. Und schließlich landet man als irgendein »Rädchen im Getriebe« oder eine bedeutungslose »Nummer« in einem der gigantischen Massenbetriebe, die nicht nur unser Wirtschaftsleben, sondern auch unser Privatleben immer mehr bestimmen.

Von Amts wegen sind wir alle nur noch solche Nummern: Wir existieren da nicht als Menschen, d. h. als einmalige und einzigartige Individuen, sondern nur als eines von Millionen Aktenzeichen. Die riesenhaft aufgeblähte Bürokratie, unter der wir alle leiden, ist nur durch diesen wachsenden Verlust persönlicher Kontakte überhaupt entstanden: Sie ist Ausdruck des extremen Mißtrauens und Sicherungsstrebens, das zwangsläufig entstehen muß, wenn die Menschen bei ihrer geschäftlichen, rechtlichen und sonstigen öffentlichkeitsbezogenen Tätigkeit sich nicht mehr persönlich begegnen können.

Aber noch viel tiefer in den privaten Bereich hinein wirkt sich diese lebensbedrohende Entwicklung aus. Die armen Menschen in der Großstadt sind davon ganz besonders betroffen. Sie wohnen etwa in einer der supermodernen »Wohnmaschinen«, in denen vielfach Tausende von Menschen unter einem Dach leben, ohne sich jemals persönlich zu Gesicht bekommen zu haben. Immer wieder liest oder hört man Berichte von Alleinstehenden, deren Tod man erst nach Tagen oder gar Wochen bemerkte, weil sie keinerlei Kontakt mit ihren Mitbewohnern mehr hatten. Und für wie viele verzweifelte Menschen ist die letzte Station vor dem Selbstmord ein Anruf bei der Telefonseelsorge, weil sie ebenfalls keinen einzigen Menschen so gut kennen, daß sie mit ihm ihre persönliche Not besprechen könnten.

Selbst in der Freizeit und beim Vergnügen ergeben sich kaum mehr engere persönliche Kontakte: Auch da haben wir es mehr und mehr nur noch mit Massenveranstaltungen wie Massentourismus, Showgeschäft und Vergnügungsindustrie zu tun. Besonders charakteristisch dafür ist die Entwicklung des Tanzes: Alle ursprünglichen Tänze waren Gemeinschaftstänze, die in Gruppen getanzt wurden. Dann kamen die klassischen Gesellschaftstänze und heutigen Turniertänze, die alle Paartänze sind und teilweise sogar wieder als Formationstänze gemeinschaftlich getanzt werden. Sämtliche Modetänze aber sind pure Einzeltänze, die praktisch keine Figuren mehr haben und die jeder für sich allein tanzen kann. Also sogar hier beim ältesten und allgemeinsten Ausdruck menschlicher Lebensfreude die fortschreitende Isolierung!

Am verhängnisvollsten aber wirkt sich die Kontaktstörung gerade in dem Bereich aus, der doch naturgemäß den intensivsten mitmenschlichen Kontakt bedeuten sollte: im Bereich der Liebesbeziehungen. Viele junge Menschen haben nicht einmal im Elternhaus echte Liebe erfahren und wissen daher überhaupt nicht, was das ist. Deswegen verwechseln sie Sex mit Liebe und erleben dann anstatt eines besonders engen persönlichen Kontakts wiederum nur einen »Massenartikel«. Denn pure Sexualität ist bekanntlich auch ohne jede persönliche Beziehung möglich: Man benützt sich dann gegenseitig sozusagen als Gebrauchsgegenstand, den man wegwirft, wenn man ihn nicht mehr gebrauchen kann oder will. Prostitution und Gruppensex, Vergewaltigung und Sexualverbrechen sind bestimmt das extreme Gegenteil mitmenschlichen Kontaktes im allgemeinen und beglückender Liebesbeziehung im besonderen!

Wenn man dann vom Sex enttäuscht ist und verzweifelt nach Liebe sucht, bringt man den persönlichen Kontakt gar nicht mehr allein fertig und ist auch dabei auf fremde Hilfe angewiesen. Deswegen schießen die Heiratsinstitute und Beratungsstellen wie Pilze aus dem Boden, gibt es in allen Zeitungen und Zeitschriften viele Seiten voller Heiratsanzeigen und Kontaktgesuchen, braucht man schließlich sogar den Computer, um den passenden Partner herauszusuchen, den man selbst nicht mehr finden kann. Wahrhaftig eine traurige Bilanz menschlichen Versagens gerade in diesem zentralen Bereich der menschlichen Existenz! Um dieser allgemeinen Hilflosigkeit und Begriffsverwirrung zu begegnen, beschäftigt sich der *dritte Teil* dieses Buches eingehend mit der ganzen *Liebesproblematik*, denn hier liegt sicherlich die tiefere Ursache aller mitmenschlichen Probleme überhaupt und ebenso der eigentliche Schlüssel zur Lebenskunst.

Doch führen wir die Schilderung der allgemeinen Isolierung zu Ende mit der Betrachtung dessen, was Ihnen passiert, wenn Sie krank geworden sind oder einen Unfall gehabt haben. Sie werden dann nicht etwa endlich als Mensch, als Persönlichkeit behandelt, sondern Sie kommen vom Regen in die Traufe: Sie werden ein »Fall«. Der Arzt, von dem unter Umständen Ihr Leben abhängt, interessiert sich nämlich für Ihre Person überhaupt nicht – dafür hat er ja auch gar keine Zeit –, sondern nur für Ihre Krankheit oder Verletzung. Und auch eine persönliche Betreuung ist infolge des katastrophalen Mangels an Pflegepersonal kaum mehr möglich, so daß gerade die modernsten Krankenhäuser die ganze Betreuung immer mehr mechanisieren und automatisieren, damit aber auch immer unpersönlicher werden. Sicherlich gibt es in der psychosomatischen Medizin schon vielversprechende Ansätze, um diesen Teufelskreis zu durchbrechen. Doch leider sind es erst einige wenige, und außerdem noch viel zu teuere, so daß sie gegenüber der Flut von Neurosen und psychogenen Erkrankungen, von Alkoholismus und Drogensucht, die eben auf Grund der geschilderten Lebensumstände rapide anwächst, nicht mehr bewirken können als ein Tropfen auf den heißen Stein.

Wenn der einzelne lange genug in der Isolierung gelebt und sich von allen Mitmenschen verlassen gefühlt hat, dann führt die *Vereinsamung* zur *Verhärtung*, d. h. man wird hartherzig und ein krasser Egoist, gemeinschaftsfeindlich und *asozial*. Ein Zeitkritiker hat das einmal kraß ausgedrückt: »Das sind keine Menschen mehr, sondern lebende Betonbunker mit Schießscharten, aus denen sie sofort das Feuer eröffnen, sobald sich ihnen jemand nähert.« Dies ist tatsächlich der Zustand vieler Zeitgenossen, die im Gemüt meterdicke Wände zwischen sich und ihren Mitmenschen aufgebaut haben und deren Hilflosigkeit und Enttäuschung sich in fortgesetzter Aggression äußert. Asoziales Verhalten ist heute eine allgemeine Zeiterscheinung geworden, unter der wir alle gleichermaßen leiden, ob es sich um zunehmende Ansprüche bei nachlassender Leistungsbereitschaft oder um immer raffiniertere »legale« Betrugsmethoden handelt.

Damit wird bereits deutlich, daß die Grenze zwischen asozialem und kriminellem Verhalten fließend ist. Die Verhärtung wird leicht zur *Verrohung*, wofür die tägliche »Schlacht auf der Straße« ein besonders trauriges Beispiel ist, denn da verhalten sich ganz normale Staatsbürger teils kraß asozial, teils sogar *kriminell*.

Verkehrspsychologen haben sich eingehend mit der merkwürdigen Erscheinung befaßt, daß offenbar durch die »Blechkiste« ein besonders starker Isolierungseffekt den Mitmenschen gegenüber hervorgerufen wird. Denn würden Sie jemals, wenn Sie zu Fuß gehen und jemand schneller geht, deswegen zu rennen anfangen, um ihn triumphierend überholen zu können? Oder wenn man sich zu Fuß aus Versehen anrempelt, dann entschuldigt man sich höflich – im Auto aber wird schon bei der geringsten vermeintlichen Behinderung wüst geschimpft und »der Vogel gezeigt«. Und wer würde gar zu Fuß achtlos an einem Verletzten vorbeigehen? Viele Autofahrer begehen nicht nur Fahrerflucht, sondern fahren sogar an Schwerverletzten vorüber, ohne sich um sie zu kümmern.

Noch unverständlicher ist die Tatsache, daß in Kriegen und Revolutionen die scheußlichsten Greueltaten von Menschen begangen werden, die vorher brave Bürger waren und nachher wieder brave Bürger werden. Wir sehen, daß wohl in jedem von uns der Hang zur Kriminalität vorhanden ist und alsbald auch zum Vorschein kommt, wenn eben die mitmenschlichen Kontakte nachlassen oder gestört sind. Darum nimmt gerade in unserer Wohlstandsgesellschaft die Kriminalität in derart erschreckendem Maße zu, daß schon aus den geringsten Anlässen bedenkenlos gemordet wird und man in mancher Großstadt nachts seines Lebens nicht mehr sicher ist. Wir mußten uns mit den Folgen der Beeinträchtigung des dritten Grundbedürfnisses so ausführlich befassen, weil diese – wie Sie nun hoffentlich selbst begriffen haben – sowohl für den Einzelmenschen durch unaufhaltsames Abgleiten in Unmenschlichkeit als auch für die Gesamtmenschheit durch ebenso unaufhaltsame Massenvernichtungskriege unbedingt tödlich wirken – wenn nicht durch *intensivste und konsequenteste Kontaktpflege* auf allen Gebieten menschlicher Betätigung und in allen Bereichen menschlicher Existenz die tödliche Gefahr abgewendet werden kann. Darum ist der ganze *zweite Teil* des Buches den *mitmenschlichen Beziehungen* gewidmet (vgl. S. 277 ff.).

Sie sollten sich aber jetzt schon überlegen, wie Sie die Kontaktpflege in Ihrem persönlichen Leben sofort verbessern können. Machen Sie einmal eine Liste von allen Menschen, mit denen Sie enge persönliche Beziehungen verwandtschaftlicher, kameradschaftlicher oder freundschaftlicher Art pflegen. Sind es nicht auch bei Ihnen zu wenige?

Bedauern Sie nicht auch, daß einige sehr erfreuliche Beziehungen zu sympathischen Menschen mangels Kontaktpflege wieder »eingeschlafen« sind? Oder daß mit ganz bestimmten Menschen immer noch nicht der gewünschte persönliche Kontakt hergestellt werden konnte?

Schreiben Sie jetzt die Namen dieser Personen auf und planen Sie gleich, wann und wie Sie diese Kontakte wiederbeleben, intensiver pflegen oder anbahnen wollen (durch Telefongespräch, Brief, Einladung, Besuch usw.)!

D. Wissenwollen = Informationsstreben

1. Der Wissensdrang ist ein jedem Menschen angeborenes Grundbedürfnis, denn bekanntlich entwickelt sich mangels funktionierender Instinkte selbst das, wozu wir veranlagt sind (Stehen-, Gehen-, Sprechenkönnen usw.), nicht automatisch, so daß wir es mehr oder weniger mühsam lernen müssen. Und auch die veranlagte Intelligenz bleibt völlig unentwickelt, wenn sie nicht durch ständiges Lernen aktiviert und durch konsequentes Üben zu praktischen Intelligenzleistungen gebracht wird.

Darum regt sich schon bei jedem normalen Kind außer der primitiven Neugier ein unstillbarer Drang zum Forschen und Entdecken, demzufolge zuerst die Spielsachen kaputtgemacht werden, um zu sehen, »was drin ist« oder »wie es funktioniert«, und später mit unermüdlichem Eifer Wälder und Höhlen, Neubauten und Ruinen untersucht werden. Und dieser *unstillbare Wissensdrang* setzt sich bei den Erwachsenen fort einerseits in der Jagd nach Sensationen und im Hang zum Aberglauben (weil man auch das noch wissen möchte, was man gar nicht wissen kann), andererseits aber auch in den Ergebnissen aller Wissenschaften, die unser Leben bestimmen und immer mehr sogar die Welt verändern.

Der Mensch, der sich normal entwickelt, lernt vom ersten bis zum letzten Tage seines Lebens – und umgekehrt: Wenn jemand aufhört zu lernen, hat er damit aufgehört, sich als Mensch zu entwickeln, d. h., er verfällt in Stumpfsinn oder Blasiertheit und wird zum gedankenlosen »Gewohnheitstier«. Demgegenüber zeichnet sich der vollentwickelte Mensch dadurch aus, daß er ständig bemüht bleibt, nicht nur seine Kenntnisse zu vermehren, sondern diese zu wesentlicher Erkenntnis zu steigern und all sein Wissen zu gereifter Weisheit zu veredeln (worüber später noch Genaueres zu sagen sein wird).

Sämtliche allgemeinen Nachrichtenmittel verdanken diesem vierten Grundbedürfnis ihr Entstehen und ihre immer noch anwachsende Bedeutung. Es ist nur schade, daß bei diesen Nachrichtenmitteln noch so wenig unterschieden wird zwischen der Befriedigung des primitiven Sensationsbedürfnisses und dem Ansprechen echten Wissensdranges. Andererseits ist die Literatur, die dem Forschen und höheren Erkenntnisstreben dient, nämlich Fachliteratur und wissenschaftliche Werke, gerade bei uns in Deutschland meist so trocken und schwerverständlich geschrieben, daß der »Normalverbraucher« damit nicht viel anfangen kann und bald die Lust daran verliert. Infolgedessen werden tatsächlich den Wissenshungrigen auf die eine oder andere Weise nur »Steine anstatt Brot« geboten.

2. Noch schlimmer sind natürlich alle Versuche, Menschen dadurch künstlich zu verdummen, daß man ihr Wissenwollen überhaupt nicht befriedigt. Dem alten Satz »Wissen ist Macht« entspricht auch die Umkehrung »Unwissen ist Ohnmacht«. Und deswegen wird überall da, wo man Menschen leicht beherrschen will, Wissen ganz oder teilweise vorenthalten, etwa durch Beschränkung von Bildungs- und Ausbildungsmöglichkeiten. Und von geradezu verheerender Wirkung ist »vergiftete Nahrung« in Form von gefälschten oder gefärbten, unvollständigen oder unwahren Informationen, die wir heute fast überall in Politik und Wirtschaft, Werbung und Weltanschauung vorgesetzt bekommen.

Doch selbst da, wo man in demokratischer und verantwortungsbewußter Weise sich bemüht, das Wissensbedürfnis möglichst vollständig und wahrheitsgetreu zu befriedigen, ist die Gefahr zunehmender *Verdummung* eines der schwierigsten Probleme unserer Zivilisation geworden. Denn das, was man heute überhaupt wissen kann, ist bereits so gewaltig geworden, daß selbst das größte Genie nicht mehr alles wissen kann. Infolgedessen geht es nur noch um die richtige *Wissensauswahl*. Und eben da entsteht eine doppelte Gefahr.

Die eine ist die Gefahr der *Überspezialisierung*. Weil jedes einzelne Spezialgebiet bereits ein ungeheures Wissen verlangt, um es wirklich zu beherrschen, wächst die Versuchung, sich mit diesem Spezialwissen allein zu begnügen und dafür totale Unwissenheit auf allen anderen Gebieten in Kauf zu nehmen.

Wenn auch solche »Scheuklappen« einerseits recht zweckmäßig sein mögen, um in bravem Trott auf eingefahrenen Geleisen irgendeinen Karren zu ziehen, das heißt die spezialisierte Tätigkeit auszuüben, so bedeuten sie jedoch andererseits die Blockierung jedes inneren Fortschreitens und äußeren Weiterkommens.

Wie sagt doch Goethe: »Hast du die Teile in der Hand, fehlt leider nur das geistige Band.« Die gefürchtete »Betriebsblindheit« ist ebenfalls eine unvermeidliche Folge solch einseitiger Festgefahrenheit, die jede geistige Beweglichkeit und Schöpferkraft – Kreativität sagt man heute dazu – auf die Dauer erstickt und infolgedessen eine besonders gefährliche Form der Verdummung bedeutet, was der drastische Ausdruck »Fachidiot« ja sehr deutlich macht. Ein kluger Mann hat es auch so formuliert: »Man weiß von immer weniger immer mehr, bis man zuletzt von nichts alles weiß!«

Die andere Gefahr ist das weitverbreitete *Punktwissen*, das leider gerade durch die bereits erwähnten Massenmedien besonders begünstigt wird. Man erfährt da zwar von allem etwas, bekommt aber keinerlei gründliche Kenntnisse vermittelt, von wirklich tiefgründiger Erkenntnis ganz zu schweigen. Die Überfülle dessen, was auf allen Wissensgebieten heute geboten wird, verführt leicht dazu, vor dieser Fülle zu kapitulieren. Anstatt sich eine wirklich gediegene Wissensgrundlage zu erwerben und täglich dazuzulernen, begnügt man sich dann mit einem mehr oder weniger dünnen »Wissensfirnis«. Oder – um ein anderes Bild zu gebrauchen – man benützt das ganze Baumaterial zum Aufbau einer täuschenden »Fassade« anstatt eines soliden und nützlichen Gebildes.

Doch wie eine halbe Wahrheit schlimmer ist als eine ganze Lüge, weil dabei die Lüge durch die Teilwahrheit getarnt wird und daher schwerer zu durchschauen ist, so wirkt sich auch das Punktwissen verhängnisvoller aus als völlige Unwissenheit. Der Unwissende ist erstens dankbar für ernsthafte Wissensvermittlung und zweitens kaum

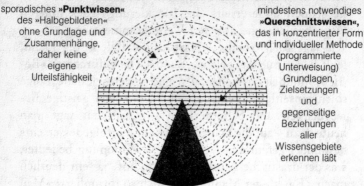

ständig sich erweiterndes **Gesamtwissen**

sporadisches **»Punktwissen«**
des »Halbgebildeten«
ohne Grundlage und
Zusammenhänge,
daher keine
eigene
Urteilsfähigkeit

mindestens notwendiges
»Querschnittswissen«,
das in konzentrierter Form
und individueller Methode
(programmierte
Unterweisung)
Grundlagen,
Zielsetzungen
und
gegenseitige
Beziehungen
aller
Wissensgebiete
erkennen läßt

kompaktes **Fachwissen** des Spezialisten, erkauft durch sonstige
totale Unwissenheit (»Fachidiot«)

anfällig für raffinierte Propaganda, weil er ihren Raffinessen intellektuell nicht zu folgen vermag. Gerade der mit »unverdauten Wissensbrocken« Vollgestopfte aber wird davon am meisten beeindruckt, weil er sich einerseits davon faszinieren läßt, andererseits aber doch nicht imstande ist, sich sein eigenes Urteil zu bilden und so das Richtige vom Falschen, das Wahre vom Unwahren sicher unterscheiden zu können. Es gibt keinen Blödsinn, der absurd genug wäre, um nicht sofort verbreitet werden zu können. Und selbst die abstrusesten Hirngespinste finden scharenweise Anhänger, wenn sie nur geschickt genug verbrämt werden. Diese Art Verdummung formulierte jener kluge Mann so: »Man weiß von immer mehr immer weniger, bis man schließlich von allem nichts weiß.«

3. Wir müssen lernen, die Einseitigkeit und Engstirnigkeit des Nur-Spezialisten zu überwinden, indem wir jede Gelegenheit benützen, um unser Allgemeinwissen zu er-

weitern und insbesondere auch die größeren Zusammenhänge zu erkennen, in die unser eigenes Wissensgebiet mündet. Man nennt diesen beliebig zu erweiternden Überblick über alle Wissensgebiete auch *Querschnittswissen*. Denn ohne uns mit Einzelheiten zu belasten, die den Spezialisten vorbehalten bleiben, begnügen wir uns mit dem jeweils *Wesentlichen*, das zum *Erkennen der Grundlagen, Zielsetzungen und gegenseitigen Beziehungen* ausreicht.

Nur auf der Basis eines solchen gemeinsamen Querschnittswissens können Spezialisten überhaupt zusammenarbeiten. Nur durch diese generelle Orientierung werden wir auch in unserem speziellen Sachgebiet bzw. in unserer vorherrschenden Interessenrichtung ständig die notwendigen neuen Anregungen bekommen bzw. vertiefte Einsichten gewinnen und so nicht in die eben beschriebenen Formen der Verdummung verfallen. Denn wir können den Turm unseres Spezialgebietes nur dann gefahrlos immer höher bauen, wenn zugleich das Fundament des Allgemeinwissens entsprechend vertieft und erweitert wird.

Durch diese ständige konsequente Wissenserweiterung begegnen wir ebenso der Gefahr des verwirrenden Punktwissens, indem wir nicht einfach wahllos alles Gebotene aufnehmen, sondern streng systematisch vorgehen.

Ausgehend von dem bereits Gelernten und Erfahrenen müssen wir einen genauen *Weiterbildungsplan* aufstellen. Vergegenwärtigen Sie sich nochmals (auf einem besonderen Blatt) Ihren gesamten Ausbildungsgang (mit Zeugnissen, Prüfungsergebnissen, evtl. Eignungstests, aktivierten Spezialbegabungen, Lehrgängen usw.) – und ziehen Sie Bilanz:

a) Ihre jetzige Tätigkeit entspricht Ihrer Meinung nach tatsächlich Ihrem Intelligenz- und Bildungsgrad, so daß

Sie damit voll befriedigt sind (vielleicht aber im Privatleben um so unbefriedigter).

b) Sie fühlen sich zwar unter Ihrem Niveau beschäftigt, haben aber resigniert und tun nichts mehr für Ihr berufliches Weiterkommen (dafür haben Sie Ihre ganze Energie auf ein privates Hobby verlagert).

c) Sie streben eine Ihnen gemäße Tätigkeit an und sind dabei, sich entsprechend weiterzubilden.

Aus jedem dieser Fälle ergeben sich die entsprechenden Nah- und Fernziele:

Nahziele sind alle Wissensbereicherungen, die auf Grund der gebotenen Möglichkeiten jeweils sofort realisierbar sind: Lektüre, Rundfunk und Fernsehen, Fernlehrgänge, Volkshochschule, Diskussionsabende, Vorträge, Seminare usw.

Fernziele sind die idealen Erfüllungen des Erwarteten und Erhofften: etwa das Abitur nachholen und ein Studium beginnen, Berufswechsel oder zumindest den eigenen Anlagen und Fähigkeiten besser entsprechende Berufsausübung, Fremdsprachen erlernen und Studienreisen unternehmen, ein Instrument spielen oder eine andere Kunstfertigkeit beherrschen usw.

Selbst wenn man zunächst noch keine Möglichkeit zur Realisierung der Fernziele sieht, darf man sie doch nie aus den Augen verlieren und muß ständig daran denken. Je genauer man vorausplant, je intensiver man sich innerlich darauf einstellt und je zuversichtlicher man an die schließliche Erfüllung glaubt – desto größer ist die Chance, daß irgendwelche glücklichen Umstände eintreten, die das zunächst unmöglich Erscheinende schließlich doch noch ermöglichen.

Bei der systematischen Weiterbildung ist aber auch das *eigene Fassungsvermögen* zu berücksichtigen. Man darf sich nicht zuviel auf einmal zumuten, um dann um so rascher zu ermüden. Man soll immer nur so viel in sich aufnehmen, wie man jeweils gut verarbeiten kann, dafür aber um so ausdauernder bleiben und niemals nachlässig werden. Außerdem kommt es nicht so sehr auf die Quantität des aufgenommenen Wissens an als vielmehr auf die *Qualität*. Das bedeutet, daß die sorgfältige Auswahl wichtiger ist als eine vielleicht imponierende, im Grunde aber nutzlose Anhäufung. Man sollte sich in allen Wissensgebieten auf das eben gekennzeichnete Querschnittswissen beschränken und sich nicht unnötig zersplittern. Beherzigen Sie aber in jedem Falle den Leitsatz: *Jeder Tag, an dem Sie nicht mindestens eine Kleinigkeit hinzugelernt haben, ist ein verlorener Tag!*

Wenn Sie ganz sichergehen wollen, kontrollieren Sie mittels einer allabendlich auszufüllenden Liste Ihren täglichen Lernerfolg. Auf Grund des eigenen Wissens kann man dann auch das Wissenwollen anderer besser befriedigen. Viele Menschen erscheinen deswegen wortkarg und verschlossen, weil sie ihrem eigenen Wissen nicht trauen und daher Angst haben, sich zu blamieren. Der Wissende aber kann sich frei und offen äußern, kann seine Meinung einleuchtend begründen und die Meinung anderer besser verstehen. Er kann interessant und spannend berichten und ausführlich Antwort geben, wenn er gefragt wird.

Die Kunst der richtigen *Wissensvermittlung* besteht darin, auf den anderen einzugehen, an sein vorhandenes Wissen und seine Vorstellungswelt anzuknüpfen, dann herauszufinden, was ihn am meisten interessiert und wo er am leichtesten ansprechbar ist. Erst wenn er so einerseits die Genugtuung hat, selbst auch etwas zu wissen, und andererseits gespannt darauf ist, mehr zu erfahren – erst dann ist die richtige Beziehung hergestellt, in der ein wirklich fruchtbarer und befriedigender Wissensaustausch stattfinden kann.

E. Wirkenwollen = Aktionsstreben

1. Wußten Sie schon, daß der einfache Betätigungsdrang für jeden Menschen wichtiger ist als die Nahrung? Man hat das experimentell bewiesen, indem Menschen sich in eine schalldichte Dunkelzelle einsperren ließen, wo ihnen jegliche Betätigungsmöglichkeit genommen war. Während die Rekorde der Hungerkünstler bei mehreren Wochen liegen, konnten die meisten Menschen nur wenige Tage in der Dunkelzelle aushalten, sonst wären sie verrückt geworden. Darum ist ja auch Dunkelhaft die schwerste Strafverschärfung, die es gibt.

Die Arbeit als solche ist keineswegs eine Strafe, sondern geradezu ein menschliches Grundbedürfnis. Dies allerdings nur, wenn auch die Arbeitsbedingungen menschenwürdig sind, indem in irgendeiner Weise die Realisierung des Wirkenwollens ermöglicht wird. Zwangsarbeit ist allerdings eine Strafe. Aber nicht die Arbeit, sondern der Zwang wird dabei als Strafe empfunden, weil der Mensch ein zur Freiheit veranlagtes Wesen ist und sich infolgedessen gegen jeden Zwang zumindest innerlich wehrt.

Dies ist auch die Erklärung für all die Unzufriedenheit selbst bei hochbezahlter Arbeit: Wenn der Mensch durch menschenunwürdige Arbeitsbedingungen in seinem Wirkenwollen beeinträchtigt wird, dann kann er noch so hoch bezahlt werden und ist trotzdem unzufrieden, weil er von seiner Arbeit unbefriedigt bleibt.

Darum merken wir uns grundsätzlich: Irgend etwas widerstrebend tun zu müssen, sei es unter dem Zwang äußerer Gewalt, sei es auch nur unter dem Zwang der Verhältnisse, bedeutet kein Wirkenkönnen und wird von jedem Menschen innerlich abgelehnt, selbst wenn er sich scheinbar ins Unvermeidliche fügt oder sich gar selbst etwa aus anerzogenem Pflichtbewußtsein dazu zwingt. Unter diesen Umständen wird ein Mensch niemals seine volle Leistungsfähigkeit einsetzen und nur so viel tun, wie er muß. Denn den größten Teil seiner Willenskraft verbraucht er dann für die Überwindung seines inneren Widerstandes, so daß für die effektive Leistung nicht mehr viel übrigbleibt. Es ist etwa so, wie wenn man mit angezogener Handbremse fährt (zum »Widerwillen« vgl. S. 121 f.).

Daraus ergibt sich das unbedingt gültige Leistungsgesetz: Unter Zwang leistet man nur soviel, wie man muß (geringstmöglicher Einsatz) – soviel, wie man wirklich kann, leistet man immer nur freiwillig (größtmöglicher Einsatz). Höchstleistungen können auf die Dauer niemals erzwungen, sondern nur durch gesteigertes eigenes Interesse hervorgerufen werden. *Größtmögliche Freiwilligkeit* ist somit die erste Grundbedingung zur Befriedigung des Wirkenwollens.

2. Aber auch das rein mechanische, völlig gedankenlose Ausführen irgendwelcher Handgriffe, die jahrelang unverändert bleiben, bedeutet kein Wirkenkönnen. Dadurch wird der Mensch ebenfalls in seinem fünften Grundbedürfnis geschädigt und wehrt sich unterbewußt dagegen, selbst wenn er bewußt sich damit abfindet, sei es aus Bequemlichkeit, sei es aus materiellen Erwägungen, etwa bei hochbezahltem Akkord. Als Mensch bleibt er dabei unbefriedigt und unentwickelt und muß auf die Dauer physisch und psychisch zu Schaden kommen. Er wird nämlich schließlich genauso abgestumpft und denkunfähig wie seine stumpfsinnige und gedankenlose Arbeit.

Man bezeichnet diese Schädigung des Wirkenwollens als *Frustration*, die den Menschen nicht nur im Gemüt und Intellekt verkümmern läßt, sondern auch den körperlichen Organismus durch die dauernde einseitige Beanspruchung bei gleichzeitigem Brachliegen aller anderen

Fähigkeiten schließlich krank macht, wie viele typische Berufskrankheiten beweisen.

Ganz allmählich beginnt man das auch zu erkennen, so daß man wohl sagen kann: Wie der Beginn des Maschinenzeitalters eine gewaltige Umwälzung der menschlichen Verhältnisse mit sich gebracht hat, so stehen wir heute wieder am Vorabend einer ähnlichen Umwälzung in umgekehrter Richtung, nämlich von der Maschine wieder zum Menschen. Gerade durch den vernünftigen Einsatz der Automaten könnten wir von allen menschenunwürdigen Arbeiten befreit werden und zu unseren eigentlichen, wesensgemäßen Aufgaben hinfinden.

Doch was ist dem Menschen wesensgemäß? Weder bloßer Befehlsempfänger noch Arbeitsautomat zu sein – also weder bloß stur nach Anweisung oder Vorschrift zu arbeiten noch auf die Dauer eine gedankenlose Tätigkeit auszuüben.

Der entwickelte Mensch wird vielmehr über alles, was er gesagt bekommt, *selbst nachdenken* – und sogar über das, was er nicht gesagt bekommt, aber selbst sieht und beobachtet, sich seine eigenen Gedanken machen.

Und er wird diese Gedanken bei richtiger Gelegenheit an der richtigen Stelle und in der richtigen Weise zum Ausdruck bringen. Jeder dieser Punkte ist gleich wichtig, denn zur Unzeit, am falschen Ort und in verkehrter Weise – etwa als Vorwürfe, gehässige Kritik oder Geschimpfe – zum Ausdruck gebracht, können die besten Gedanken nur negativ wirken.

Die gereifte Persönlichkeit wird ständig bestrebt sein, sich ihr *eigenes* Urteil zu bilden und *eigene Initiative* zu entwickeln. Sie wird aber auch, wenn sie irgendeine Tätigkeit gut beherrscht, sich nicht auf ihren Lorbeeren ausruhen, sondern immer wieder etwas Neues *dazulernen* und so ständig bemüht sein, möglichst vielseitig, ja universell zu werden. Denn durch beides, selbständige Einstellung zur Arbeit und ständige Weiterbildung bzw. Vervollkommnung der eigenen Persönlichkeit, wird nicht nur unmittelbar das Wirkenwollen auch bei der Arbeit befriedigt, sondern auch indirekt eine immer bessere Wirkungsmöglichkeit angebahnt: Wer sich aus der stumpfen Masse heraushebt, wird nicht lange auf eine entsprechende Verbesserung seiner Position oder Situation zu warten brauchen. Somit ist *größtmögliche Selbständigkeit* die zweite Grundbedingung zur Befriedigung des Wirkenwollens.

3. Doch zur vollen Entfaltung des Wirkenwollens bedarf es noch weiterer Grundbedingungen. Wenn jemand um sein Existenzminimum kämpfen muß, so daß er noch nicht einmal weiß, wovon er am nächsten Tag leben soll, dann wird er kaum mehr als das jeweils Notwendige tun, um sein Leben zu fristen. Wir brauchen *Sicherheit*, um uns voll auswirken zu wollen und zu können.

Dies ist die Voraussetzung für das Entstehen der menschlichen Kultur überhaupt, die ja gerade das biologisch Überflüssige, d. h. nicht unbedingt zum Leben Nötige, wohl aber das Leben Bereichernde, Verschönende und für uns Menschen lebenswert Machende bedeutet. Als die ersten Menschen ihre primitiven Waffen und Werkzeuge zu verzieren anfingen, mußten sie sich zuerst gesättigt und sicher fühlen und dann das Bedürfnis haben, sich noch weiter zu betätigen. Ebenso konnten die Höhlenmalereien, jene großartigen Zeugnisse menschlicher Frühkultur, erst dann entstehen, als die Höhlen nicht mehr bloß Zufluchtsstätten waren, sondern die Menschen darin wohnen und sich wohl fühlen wollten. Und so wird auch heute das Streben nach Existenzsteigerung erst in dem Maße wirksam, als das vordringliche Streben nach Existenzsicherung befriedigt ist.

Auch das *Verhalten* eines Menschen kann entweder durch Zuverlässigkeit, Konsequenz, Selbstdisziplin, Bewältigung von Schwierigkeiten usw. Sicherheit vermitteln oder umgekehrt durch Unzuverlässigkeit, Unberechenbarkeit, Launenhaftigkeit, häufiges Versagen usw. uns verunsichern. Jeder, der in irgendeiner Weise das Wirkenwollen fördern will oder soll, muß auch persönliche Sicherheit ausstrahlen, um dadurch seine Kinder, Schüler, Zöglinge, Lehrlinge, Mitarbeiter usw. zu entsprechend gesteigerter Wirksamkeit anzuregen.

Somit ist *größtmögliche Sicherheit* die dritte Grundbedingung zur Befriedigung des Wirkenwollens.

4. Doch kein Mensch wird auf die Dauer freiwillig etwas tun oder sich gar bis zur Erschöpfung anstrengen, wenn er dabei nicht in irgendeiner Weise erfolgreich sein kann. Dieses notwendige *Erfolgserlebnis* kann sowohl in einer ideellen Steigerung des Persönlichkeitswertes als auch in einer materiellen Vermehrung des Eigentums oder in beiden zusammen bestehen. Damit ist der Kreis geschlossen, denn dies bedeutet Befriedigung der ersten beiden Grundbedürfnisse Sein- und Habenwollen.

Daß hierbei das Seinwollen stets den Vorrang hat, beweisen die vielen Hobbysammler wertloser Dinge ebenso wie alle echten Amateursportler, denn diese Leute haben nicht nur keinen materiellen Gewinn, sondern geben sogar teilweise sehr viel Geld aus nur um der persönlichen Geltung und Befriedigung willen.

Wenn wir mit unseren Mitmenschen gut auskommen wollen, sollten wir nie vergessen, ihre Erfolge zu bestätigen oder noch besser ihnen selbst zu immer neuen Erfolgen zu verhelfen, dann werden sie ihrerseits nicht nur unseren eigenen Erfolgen nicht mehr im Wege stehen, sondern ebenfalls bemüht sein, uns in unserem Erfolgsstreben zu unterstützen.

Somit ist das *größtmögliche Erfolgserlebnis* die vierte Grundbedingung zur Befriedigung des Wirkenwollens.

Insgesamt ist die Beachtung und Befriedigung aller menschlichen Grundbedürfnisse nicht nur im Privatleben, sondern vor allem auch im Arbeitsprozeß sozusagen der *»Universalschlüssel«*, der sowohl die Herzen erschließt als auch den Leistungswillen weckt, der ebenso die positive Lebensgestaltung des einzelnen wie die erfreuliche Entfaltung der mitmenschlichen Beziehungen in der Allgemeinheit bewirkt.

Prüfen Sie einmal genau an Hand einer detaillierten Liste, ob in Ihrem Lebens- und Tätigkeitsbereich die vier genannten Grundbedingungen für das Wirkenwollen (Freiwilligkeit, Selbständigkeit, Sicherheit, Erfolgserlebnis) in ausreichendem Maße gegeben sind und wie sie noch verbessert werden können!

III. Entfaltung der menschlichen Grundkräfte

Nachdem Sie nun wissen, was der Mensch alles braucht, um sich richtig zu entwickeln, erfahren Sie weiterhin, was Sie selbst dazu beitragen können, indem Sie alle in Ihnen veranlagten Kräfte und Fähigkeiten zur vollen Entfaltung bringen.

A. Wirken = Körperbeherrschung

1. Wirken bedeutet hier, mit unserem Körper all das in die Tat umsetzen zu können, was wir fühlen, denken und wollen. Dazu aber muß dieses Instrument einwandfrei funktionieren und entsprechend sorgfältig gepflegt werden. Doch leider ist unser ganzes Bildungssystem weitgehend auf dem Irrtum aufgebaut, daß nach der Kindheit, spätestens aber nach der Pubertät systematische Leibesübung überflüssig oder zumindest nebensächlich geworden sei.

Wir schwärmen zwar noch gelegentlich von dem klassischen Ideal »Ein gesunder Geist in einem gesunden Körper«, aber wir tun praktisch kaum etwas zu seiner Verwirklichung. Oder wir verfallen ins entgegengesetzte Extrem eines rigorosen Leistungssports (den es im klassischen Griechenland niemals gegeben hat!), der nur einzelne Körperfunktionen auf Kosten der harmonischen Entfaltung des ganzen Organismus und vielfach sogar auf Kosten der Gesundheit einseitig überentwickelt und überbeansprucht. Auch Geräteturnen und manche Arten von Gymnastik können sich schädlich auswirken, wenn sie einseitig betrieben werden, indem nur Wert auf große Kraftleistungen bzw. auf die Ausbildung spezieller Muskelpartien gelegt wird.

Überhaupt darf der Ausdruck Leibesübung niemals dahingehend mißverstanden werden, als ob es sich dabei vorwiegend um Muskeltraining und die Entwicklung eines athletischen Körpers handelte. Vielmehr kommt es dabei einzig und allein auf eine allseitige und gleichmäßige Ausbildung der ganzen Leiblichkeit an (von der die Muskeln ja nur einen Teil bilden), und zwar in einer harmonisch abgestimmten Wechselwirkung von Beruhigung und Stärkung des Nervensystems, Lockerung und Kräftigung der Bewegungsabläufe, Erleichterung und allmählichen Steigerung aller organischen Vorgänge mit dem Ziel der *allgemeinen Körperbeherrschung*.

Eigentlich brauchen wir dazu gar nichts anderes zu tun, als uns die bewundernswerte Funktionstüchtigkeit der kindlichen Leiblichkeit zu bewahren. Durch seine unglaubliche Wendigkeit, Weichheit und Geschicklichkeit meistert der kindliche Körper dauernd spielend Situationen, in denen sich Erwachsene wahrscheinlich alle Knochen brechen würden. Das wundervolle Zusammenspiel aller Organfunktionen und Bewegungsabläufe ist noch durch keinerlei Verkrampfung oder Einseitigkeit gestört, und der ursprüngliche Energieüberschuß ist noch nicht durch verkehrte Ansichten oder Gewohnheiten gehemmt oder fehlgeleitet.

Deswegen vollbringt das gesunde Kind ohne Übermüdung Dauerleistungen, die für einen Erwachsenen ohne Spezialtraining unmöglich geworden sind. Man mache nur einmal mit lebhaften Kindern einen zweistündigen Spaziergang und beobachte, wie sie dabei nicht nur fast dauernd rennen und springen, sondern auch den Weg durch ständiges Vor- und Zurück-, Hinundher- und Zickzacklaufen mindestens fünfmal machen, so daß ihre Leistung mindestens einem zehnstündigen Dauerlauf gleichkommt! Kurz, der gesunde, unverbildete kindliche Organismus ist ein wahres Wunder an fast unbegrenzter Leistungsfähigkeit und unerschöpflichen Kraftreserven.

Es besteht aber bei vernunftgemäßer Lebens- und Arbeitsweise in Kenntnis und Befolgung der Natur- und Geistgesetze keinerlei Grund dafür, daß diese Leistungsfähigkeit und Unverwüstlichkeit nicht bis ins höchste Alter hinein erhalten bleiben kann – das beweisen genügend 70-, ja 80jährige, deren Leibesinstrument noch vollkommen einwandfrei funktioniert und die immer noch Leistungen vollbringen, die denen jugendlicher Menschen kaum nachstehen.

Daß heute so viele Menschen unter vorzeitigen bzw. überhaupt nicht notwendigen Alterserscheinungen leiden, ist im Grunde nur durch unvernünftige Lebens- und Arbeitsbedingungen und ständige Verletzung der Lebensgesetze verursacht, wozu vor allem auch die sträfliche Mißhandlung oder Vernachlässigung unserer Leiblichkeit gehört. Schon frühzeitig wird so das Nervensystem durch Überbeanspruchung und dauernde Reize schwer geschädigt, werden durch falsche Ernährung, unzureichende bzw. verkehrte Atmung, Unterdrückung oder Übersteigerung der vitalen Kräfte usw. vielfach Fehlfunktionen unseres Organismus geradezu zwangsläufig herbeigeführt. Außerdem wird durch künstliche Versteifung und Verkrampfung, Deformierung und Verkümmerung der Körper weiter systematisch ruiniert, so daß Gelenkentzündungen, Verkalkung, Verkümmerungen, Bandscheibenschäden, Arthritis usw. die unausbleiblichen Folgen sind. Und bei all dem wundert man sich dann noch, wenn der gemarterte Leib frühzeitig den Dienst versagt und schließlich völlig zusammenbricht.

Wer das Glück hat, diesen Anruf noch als junger, verhältnismäßig unverbildeter und ungeschädigter Mensch zu lesen, der braucht eigentlich nicht viel mehr zu tun, als durch einige Minuten konzentrierter und systematischer täglicher Leibesübungen seine allgemeine körperliche Leistungsfähigkeit zu erhalten und die beruflichen oder konstitutionellen (d. h. durch Körperbau und Temperament bedingten) Einseitigkeiten besonders auszugleichen. Wer dagegen schon älter ist und wessen Körper nicht mehr voll funktionstüchtig ist, der sollte sich schleunigst mit modernen Heil- und Regenerationsverfahren befassen, denn es gibt da so viele erstaunliche Möglichkeiten, daß auch in den schwierigsten Fällen noch geholfen werden kann (siehe Literaturverzeichnis).

Jedenfalls ist für die tägliche Leibesübung keinerlei Kraftanstrengung nötig, ja es kommt eigentlich umgekehrt gerade darauf an, sämtliche Leistungen mit immer weniger Anstrengung fertigzubringen, indem man unter geschickter Ausnützung der natürlichen Hebelwirkung und des harmonischen Ineinandergreifens der verschiedenen Bewegungsabläufe jene spielerische Leichtigkeit erreicht, die keinerlei Muskelkater mehr aufkommen läßt. Es handelt sich hier hauptsächlich um tänzerische und rhythmische Gymnastik sowie spezielles Atem- und Entspannungstraining (z. B. das Fitneß-Programm im Kassetten-Set der METHODE DR. ENDRES, siehe Nachwort).

2. Um eine solche – im Unterschied zu dem von selbst richtig funktionierenden kindlichen Organismus – bewußt geübte, vollkommene Körperbeherrschung zu erreichen, muß man allerdings auch einiges über die Art und Wirksamkeit der verschiedenen *Bewegungsabläufe* wissen. Und zwar können wir vier Arten von Bewegungen unterscheiden: wachbewußte Bewegungen – entweder als gemütsbedingte Ausdrucksbewegungen oder als

verstandesbedingte Zweckbewegungen –, traumbewußte und unbewußte Bewegungen.

a) *Unbewußte Bewegungen* sind die reinen Körperreflexe in Beantwortung von einfachen Reizen, die weder in die oberbewußte noch in die unterbewußte Schicht vordringen (also weder sensorisch wahrgenommen noch sensitiv empfunden werden), sondern schon vorher in gewissen Ganglien des Rückenmarks gewissermaßen »kurzgeschlossen« werden und so die entsprechenden unwillkürlichen (also ohne Zwischenschaltung der Willensfunktionen ablaufenden) Bewegungsaktionen auslösen (z. B. Lidschlag). Solche Reflexe sind auch in Bewußtlosigkeit noch möglich, solange keine allgemeine Lähmung bzw. Sperrung des Nervensystems eingetreten ist.

b) *Traumbewußte Bewegungen* sind die unter Ausschluß des Wachbewußtseins in Beantwortung äußerer Einwirkungen oder innerer Vorstellungen ausgeführten Bewegungen, die vom zentralen Persönlichkeitskern über das Tiefenbewußtsein gesteuert werden. Dabei wird der Bewegungsapparat der unbewußten Automatismen hauptsächlich durch das vegetative Nervensystem (sensitiv-impulsiv) aktiviert: Traumbewegungen, Bewegungen in Narkose oder schwerem Rausch, in somnambulen oder medialen Trance-Zuständen usw.

Am umfassendsten und damit auch am differenziertesten und kompliziertesten (beide Vorstufen miteinschließend) sind die *wachbewußten Bewegungen*, d. h. die komplexe Beantwortung vollbewußt aufgefaßter Vorgänge, und zwar in zwei polaren Richtungen: als vorwiegend von der unterbewußten Schicht der Gemütskräfte getragene sinnvolle Ausdrucksbewegungen oder als vorwiegend von der oberbewußten Schicht der Verstandestätigkeit bestimmte absichtliche Zweckbewegungen.

c) *Ausdrucksbewegungen* entstehen folgendermaßen:

Die Einwirkung der Außen-, Innen- oder Überwelt (des Gegenständlichen, Emotionalen oder Ideellen) werden vorwiegend erlebnismäßig als *Empfindungen* aufgenommen. Dann werden durch die im Gemüt bzw. in den Schichten des Unterbewußtseins sich vollziehende Umsetzung die entsprechenden Willensfunktionen aktiviert. So werden mittels der jeweiligen körperlichen Automatismen sinnvolle, die zugrundeliegenden Empfindungen wesenhaft spiegelnde Bewegungsgestaltungen hervorgebracht (sogen. Körpersprache).

d) *Zweckbewegungen* entstehen folgendermaßen: Die gleichen Einwirkungen werden vorwiegend verstandesmäßig als *Wahrnehmungen* aufgenommen. Dann werden über die im Intellekt bzw. in den Schichten des Oberbewußtseins sich vollziehende Verarbeitung Willensfunktionen und Automatismen aktiviert. So werden ganz präzise, den im Denkprozeß gefaßten Absichten genau entsprechende Bewegungen bzw. Leistungen hervorgerufen. Fassen wir die letzten vier Bewegungstypen nochmals zusammen:

Ausdrucksbewegungen werden durch erlebnismäßige Empfindungen und unwillkürliche Reflexe hervorgerufen und haben den Sinn, die innewohnenden Gefühle und Stimmungen äußerlich kundzutun. Zweckbewegungen sind das Resultat verstandesmäßiger Wahrnehmung und entsprechender willensmäßiger Entschlüsse mit dem Ziel, die im Denkprozeß gefaßten Absichten in die Tat umzusetzen.

Allerdings kann man diese Bewegungsarten nur theoretisch deutlich unterscheiden. Praktisch sind alle unsere Bewegungen eine Kombination von beidem, wobei die eine oder andere Komponente jeweils überwiegt.

Jede Ausdrucksbewegung von ausgelassenen Freudensprüngen oder hemmungslosen Schmerzgebärden bis zur vollendeten künstlerischen Tanzpantomime ist mit einer mehr oder weniger großen Zahl von Zweckbewegungen verbunden und auch niemals ganz frei von bewußten Absichten wie Entspannung, Mitteilung, Genuß, pädagogischer oder therapeutischer Wirkung.

Jede Zweckbewegung vom Verscheuchen einer Fliege bis zu den höchsten sportlichen Leistungen oder routiniertesten handwerklichen Kunstgriffen ist stets zugleich auch mitgeprägt von der charakteristischen Ausdrucksweise der betreffenden Persönlichkeit (man nennt das den persönlichen Stil) und mehr oder weniger »affektgeladen«.

Es ist daher ein untrügliches Kennzeichen für die innere Reife und das äußere Können eines Menschen, in welchem Maße seine Bewegungen eine harmonische Ausgeglichenheit von Zweck und Ausdruck verkörpern.

Jedes Zuviel an Verstand und bewußter Absicht macht die Bewegungen eckig und ungeschickt, gehemmt oder verkrampft. Dies ist zum Beispiel immer beim Erlernen eines neuen Bewegungsablaufes so lange der Fall, bis die Bewegung ins Unterbewußtsein eingegangen ist und man sie nicht mehr bewußt steuern muß. Im Volksmund sagt man dann sehr richtig: »Man kann es im Schlaf.«

Jedes Zuviel an Gemüt und unkontrollierter Gefühlsäußerung macht die Bewegung übertrieben und lächerlich, wie etwa überlautes Lachen oder »Krokodilstränen«, wildes Gestikulieren oder »Sturmschritt«. Völlig unbeherrschte Bewegungen wirken sogar peinlich, wie etwa das Verhalten Betrunkener oder Drogensüchtiger. Und von krankhaften Bewegungen, etwa bei Nervenleiden, Schwachsinn und ähnlichem, fühlen wir uns ganz besonders unangenehm berührt.

Unsere vornehmsten, spezifisch menschlichen Äußerungs- und Verständigungsmittel, Sprache und Schrift, sind zugleich ausdrucksvollste Zweckbewegung und zweckmäßigste Ausdrucksbewegung. Denn beim Sprechen wird gleichermaßen der Sinn der Worte verstandesmäßig aufgenommen wie der Klang der Stimme gefühlsmäßig empfunden. Und ebenso dient das Schreiben zwar dem Zweck der bewußten Mitteilung, ist aber zugleich ein besonders charakteristischer unterbewußter Ausdruck der Persönlichkeit, den man daher graphologisch deuten kann.

So kann schließlich unsere gesamte Leiblichkeit zur vollendeten Sprache emotionaler Empfindung und rationaler Zielsetzung werden. Dann ergeben Schönheit und Zweckmäßigkeit, zarte Empfänglichkeit und kraftvolle Aktivität vereint das edle Menschenbild, das uns als klassisches Ideal überliefert ist und das in zeitgemäßer Form wieder erstehen soll.

3. Aus dem Gesagten dürfte noch deutlicher geworden sein, daß zu dem Wissen um die theoretischen Zusammenhänge die *ständige praktische Übung* hinzukommen muß und unerläßlich ist, um die erwähnte Jugendlichkeit bis ins höchste Alter zu erreichen. Dabei ist besonders wichtig, daß nicht nur das geübt wird, was man ohnehin schon kann bzw. was einem leichtfällt (und was daher verständlicherweise am meisten Spaß macht), sondern vor allem auch das, was schwerer fällt und zunächst Mühe macht. Nur dadurch werden ja die notwendige allseitige Ausbildung und ein möglichst ausgeglichenes Zusammenwirken aller Leibesfunktionen erreicht.

Dazu gehört – wie schon erwähnt – auch der *ständige Ausgleich* vorhandener oder erworbener Einseitigkeiten durch systematische Ergänzungs- bzw. Ausgleichsübungen. Wer eine vorwiegend sitzende Beschäftigung hat, darf sich nicht bloß im Sitzen oder Liegen erholen, sondern braucht kräftige Bewegung und Muskelstärkung. Wer vorwiegend körperlich arbeitet, darf in seiner Freizeit nicht bloß im Garten arbeiten, Fußball spielen oder radfahren, sondern braucht gründliches Ausruhen und sitzenden Ausgleich, der durchaus auch mit Kunstgenuß und intellektueller Fortbildung verbunden sein kann, ja sogar soll. Wer hauptsächlich intellektuell arbeitet, darf sich nicht bloß bei Dingen erholen, die wiederum vorwiegend das Denken beanspruchen, wie Schach- oder Skatspielen, Lesen, Vorträge hören usw., sondern muß hauptsächlich das Gehirn entlasten und außerdem die körperliche Leistungsfähigkeit pflegen.

Ebenso bedarf der von Natur aus Phlegmatische, Bequeme und Schwerbewegliche einer besonderen Übung in raschen, viel Bewegungen und gute Reaktionsfähigkeit erfordernden Tätigkeiten (also etwa Tischtennis und alle Rasenspiele). Umgekehrt soll der nervös, zappelig und überaktiv Veranlagte besonders beruhigende, viel Geduld und Ausdauer bei verhältnismäßig wenig Bewegung erfordernde Ausgleichsübungen wählen (also etwa Angeln, Schießen bzw. Bogenschießen, Minigolf).

Darüber hinaus gibt es universelle, für jeden einigermaßen normalen und gesunden Menschen geeignete Leibesübungen wie Wandern, Schwimmen, Wassersport, Ski- und Eislaufen, Radfahren, Reiten, Tanzen, Kegeln usw. – die, sofern sie wirklich nur als Leibesübungen, nicht als Leistungssport betrieben werden, in mehrfacher Weise regenerierend wirken und jung erhalten.

Wer sich so ständig bemüht, alles Ungesunde und Krankmachende nach Möglichkeit zu meiden bzw. immer wieder rasch und gründlich zu überwinden, der wird sich in der Tat jener »großen Gesundheit« (Nietzsche) erfreuen dürfen, die ein verläßlich funktionierendes Leibesinstrument gewährleistet, weil die uns innewohnende »Leibesvernunft« unbeeinträchtigt von intellektueller Vergewaltigung, emotionaler Übersteigerung und animalischer

Triebhaftigkeit sich frei entfalten kann. Nur so erreicht der Mensch jene *Zielsicherheit des Wirkens*, die sein Wollen, Denken und Fühlen zusammenfaßt und krönt in einem wahrhaft menschenwürdigen, sowohl materiell erfolgreichen als auch ideell hochwertigen Handeln.

Umgekehrt ist jedes leibliche Wirken nur dann sinnvoll und im Einklang mit der Lebensgesetzlichkeit, wenn es den drei anderen menschlichen Grundkräften entspricht bzw. von ihnen gespeist wird. Darum bezieht sich ja auch der Wahlspruch, den der Turnvater Jahn für die richtige, den ganzen Menschen umfassende Leibesübung prägte, auf alle vier Grundkräfte: »Frisch (in der wirkenden Leiblichkeit) – fromm (im fühlenden Gemüt) – fröhlich (in der denkenden Seele) – frei (im wollenden Geiste)«. Und demgemäß wollen wir nun auch den Zusammenhang der Grundkräfte untereinander und zur menschlichen Gesamtpersönlichkeit weiter klären.

B. Fühlen = Gemütsbeherrschung

1. Daß all unser Denken und Tun stets von Gefühlen begleitet ist, zeigt sich beim Kind noch am deutlichsten. Doch wenn man auch als Erwachsener gelernt hat, die Skala der Gefühlsausdrücke stark zu verengen und seine Gemütswallungen in der Brust zu verschließen, so sollten deswegen die Gefühle selbst keineswegs geringer geworden sein, denn von unterdrückten Gefühlen wird man krank, und Gefühlskälte ist ein Charakterfehler.

Zwischen den beiden Extremen kindlicher Hemmungslosigkeit und krankhafter Gemütsverhärtung die ausgewogene Mitte zu finden, ist die Aufgabe richtiger Erziehung und Selbsterziehung. Allerdings keine einfache, denn gerade hier spielen Rasse und Volkscharakter, Temperament und Typus, Stand und Alter eine wesentliche Rolle, so daß für den einen erfreulich und schicklich erscheint, was der andere für ganz unmöglich hält. Man denke einerseits an das »ewige Lächeln« der Japaner und Chinesen und an das »Keep Smiling« der Amerikaner – andererseits an die temperamentvoll gestikulierende, jede Gefühlsregung mit theatralischen Gesten untermalende und daher für unser Empfinden oft geradezu ins Groteske gesteigerte Ausdrucksweise der Südländer. Ebenso vergleiche man die steife Zurückhaltung des Hamburgers mit der sprühenden Lebhaftigkeit des Rheinländers, die »Schnauze« des Berliners mit der Schweigsamkeit des Ostpreußen usw.

Schon diese wenigen Beispiele zeigen, daß man hinsichtlich der Gefühlsäußerung keine allgemeingültigen Vorschriften machen kann. Wohl aber gilt für die Pflege des Gefühlslebens an sich eine Grundregel, deren Kenntnis und Befolgung mit zur rechten Lebenskunst gehört. Wir haben sie schon erwähnt: *Man soll Gefühle nicht unterdrücken, wohl aber beherrschen.*

Die besonders unter Männern vielfach vertretene Meinung, es sei »unmännlich«, Gefühle nicht nur zu zeigen, sondern überhaupt zu haben, ist ein verhängnisvoller Irrtum, der in unserem gesamten Berufs- und Staatsleben zu einer in vieler Hinsicht lebenserschwerenden Verrohung geführt hat.

2. Noch wichtiger aber ist die Tatsache, daß vor allem auch unsere *Gesundheit* von unseren Gefühlen abhängt. So gibt es ganz bestimmte Erkrankungen, die direkt durch Gefühle verursacht werden. Zum Beispiel ist der *Ärger* eine solche Krankheitsursache, denn wir wissen heute, daß alles, was mit Ärger zusammenhängt, zunächst einmal auf die Leber wirkt. Und da von der Leber die

Galle abhängig ist, verursacht dauernder Ärger eine Schädigung der Galle.

Interessanterweise muß man das früher schon gewußt haben, als unsere Sprache sich gebildet hat, denn wenn man sich ärgert, sagt man: »Mir ist eine Laus über die Leber gekrabbelt« – also Leberreizung. Und wenn die Leber weiter gereizt wird, tritt eine Galle-Überproduktion ein: »Mir läuft die Galle über.« Das stimmt also wörtlich. Wenn diese Überproduktion anhält, wird sie chronisch, und man bekommt Gelbsucht. Dann hat man sich »die Gelbsucht an den Hals geärgert«.

So ist es eine der wirksamsten Maßnahmen zur Gesunderhaltung, wenn man es fertigbringt, sich nicht mehr zu ärgern. Das kann man trainieren, denn Gemütstraining ist ebenso möglich und wichtig wie körperliches Training. Man kann sich das Ärgern genauso abgewöhnen, wie man sich etwa das Rauchen abgewöhnen kann. Sie werden gleich noch mehr darüber erfahren.

Eine ebenso weit verbreitete psychische Krankheitsursache ist die *Aufregung*. Diese wirkt nämlich auf den Magen. Das kommt daher, daß der Magen direkt unter der Hauptantenne unseres vegetativen Nervensystems, dem sogenannten Sonnengeflecht, liegt. Deswegen kann nicht nur jede Erregung, sondern schon jede starke Gefühlsregung entsprechende Magenstörungen hervorrufen. Dann sagt man: »Das schlägt mir auf den Magen« oder: »Es verschlägt mir den Appetit.«

Daß es uns vor Aufregung schlecht werden kann oder wir sogar brechen müssen, wenn wir uns ekeln, ist ebenfalls bekannt. Stärken wir also in uns und allen Menschen unseres Lebenskreises das Bewußtsein, daß unser Organismus nicht nur alles verarbeiten muß, was wir körperlich essen und trinken, sondern auch alles, was wir an Gemütseindrücken aufnehmen. Deswegen ist es für den

Gesamtorganismus genauso schädlich oder sogar noch schädlicher, wenn wir uns das Gemüt verderben, wie wenn wir uns den Magen verderben.

Weiterhin sagen wir: »Daran habe ich zu schlucken« oder: »Das muß ich herunterschlucken«, wenn wir dauernd *kritisiert* oder *ungerecht behandelt* werden, ohne uns zur Wehr setzen zu können. Das bleibt uns dann »schwer im Magen liegen«. Wenn das lange genug geschieht, wirkt es sich tatsächlich auch im Körper aus: Die Magenschleimhaut wird dann entsprechend gereizt, und es entstehen Magengeschwüre. Oder die Aufregung überträgt sich auf den Stoffwechsel, und wir bekommen Verdauungsstörungen. Bekanntlich kann man sich aus panischer Angst sogar »in die Hosen machen«, und vor Schreck kann man ohnmächtig werden oder sogar einen Schlaganfall bekommen.

Besonders schlimm wirkt sich natürlich alles aus, was uns »auf die Nerven fällt«, denn das Funktionieren unseres gesamten Organismus hängt ja von den Nerven ab. Nervosität, Hetze, Wutausbrüche ebenso wie resigniertes »In-sich-Hineinfressen«, ständige Sorgen und Depressionen ebenso wie plötzliche Schocks und jegliche Art von »Nervenkitzel« verursachen daher die verschiedensten Kreislaufstörungen und Herzbeschwerden, Allergien, vegetative Dystonie und dergleichen mehr.

Nun werden Sie auch verstehen, warum man von »Kränkung« spricht, wenn man negative Gefühle hervorruft. *Kränken* bedeutet eben tatsächlich krank machen. Darum werden ja auch schwere Kränkungen, wie Beleidigung, Beschimpfung, Verleumdung, üble Nachrede, bereits bestraft. Doch all die kleinen Sticheleien, Boshaftigkeiten und persönlichen Spitzen, mit denen wir alle noch allzuoft unsere Rede »würzen«, wirken auf die Dauer genauso schlimm.

Wir können wesentlich zur allgemeinen Gesundheitspflege beitragen, wenn wir unsere Worte noch sorgfältiger wählen. Denn die Kränkungen einer »spitzen Zunge« können wirklich ebensoviel, ja noch mehr Unheil anrichten wie die Tätlichkeiten einer »lockeren Hand«!

Nehmen Sie sich vor, künftig von niemandem mehr in dessen Abwesenheit etwas Negatives zu sagen, was Sie ihm nicht schon vorher selbst gesagt haben. Und wenn Sie meinen, jemandem etwas Unangenehmes sagen zu müssen, dann tun Sie das bitte genauso schonend, vorsichtig und verständnisvoll, wie Sie selbst erwarten, von anderen angesprochen zu werden.

Eine weitverbreitete Ursache des Gekränktseins ist auch der *Neid*. Tatsächlich ist er aber eine völlig unnütze Selbstquälerei, denn solange man neidisch ist, benimmt man sich genauso unvernünftig wie ein Kind, das gekränkt in der Ecke steht und nicht mehr mitspielen will. Dadurch schaden wir nur uns selbst, denn die mißgünstigen Gefühle und Gedanken vergiften unser Gemüt und lähmen so die eigene Initiative und Schaffenskraft.

Klugerweise sollten Sie von Ihrem heute erreichten Standpunkt aus häufiger nach »unten« blicken zu den Leuten, denen es schlechter geht und die noch nicht so viel erreicht haben wie Sie. Seien Sie dankbar für das bereits Erreichte und helfen Sie den anderen nach Kräften, ebensoweit zu gelangen – dann haben Sie gar keine Zeit mehr, neidisch zu werden.

Aber auch, wenn Sie sich nach »oben« orientieren, sollten Sie das künftig nur noch mit Gefühlen der Bewunderung und Anerkennung tun. Informieren Sie sich dabei möglichst genau über die Mittel und Wege, Umstände und Verhaltensweisen, durch die jene Menschen nach oben gekommen sind. Und diesen Weg nach oben versuchen Sie dann auch zu beschreiten, wenn Sie ihn mit Ihrem

Gewissen vereinbaren können. In diesem Falle werden Sie so viel zu lernen und zu arbeiten haben, daß für Neid und Mißgunst keinerlei Platz mehr bleibt. Sollte jemand aber tatsächlich nur auf »krummen Wegen« nach oben gelangt sein, so brauchen Sie ihn erst recht nicht zu beneiden, denn wie sehr er dadurch letzten Endes nur sich selber schadet, das wird in diesem Buch noch mehrfach erklärt werden.

3. Wenn man alle diese Zusammenhänge kennt, dann sieht man ein, daß zur Gesunderhaltung die körperliche Hygiene keineswegs genügt. Wir bedürfen vielmehr ebenso dringend der *Psychohygiene* – was man am besten mit »Gemütsreinigung« übersetzt.

Wir müssen uns angewöhnen, negative Gefühle genauso unangenehm zu empfinden wie körperlichen Schmutz und ihnen gegenüber das gleiche Reinigungsbedürfnis zu entwickeln. Körperlich sind wir alle bestrebt, uns erstens überhaupt so wenig wie möglich zu beschmutzen und zweitens, wenn wir uns etwa bei der Arbeit unvermeidlicherweise schmutzig gemacht haben, uns so rasch und gründlich wie möglich wieder zu säubern.

Genau das müssen wir auch im Gemüt tun: Erstens schon von vornherein so wenig wie möglich negative Gefühle entwickeln und zweitens immer, wenn wir uns geärgert und aufgeregt haben, mißmutig und mißgünstig oder sonstwie mißgestimmt sind, uns möglichst schnell und nachhaltig innerlich davon befreien.

Machen Sie sich folgende Liste, die Sie *jeden Abend* ausfüllen, wobei Sie die Ursachen der negativen Gefühle möglichst genau beschreiben (siehe rechts oben):

Wenn Sie diese Liste monatlich auswerten, werden Sie feststellen, daß es immer die gleichen Menschen und Dinge, Situationen und Verhaltensweisen sind, die Ihre negativen Gefühle auslösen (denn der eigentlich ursächli-

geärgert enttäuscht	worüber:	aufgeregt gehetzt	wovon:	gekränkt beleidigt	wodurch:
Datum					
Datum					
		usw.			

che Faktor sind immer *Sie selbst*!). Es sind im Grunde nur einige wenige, immer wiederkehrende Hauptpunkte, die Sie energisch angehen müssen.

Dies geschieht durch eine zweite Liste, die ebenfalls jeden Abend möglichst sorgfältig auszufüllen ist:

erfreut, beglückt	worüber:	Ruhe bewahrt, gelassen reagiert	worauf:	bestätigt, befriedigt	wodurch:
Datum					
		usw.			

Zunächst wird wahrscheinlich die erste Liste umfangreicher sein, und das Ausfüllen wird weniger Überlegung erfordern. Und eben in der möglichst raschen *Umpolung* besteht das Gemütstraining: Achten Sie schon während des ganzen Tages darauf, daß die abendliche Bilanz immer positiver ausfällt, indem die erste Liste laufend abnimmt und die zweite entsprechend zunimmt. Wie bei jedem sportlichen Training wird auch hier der Dauererfolg von der Intensität und Ausdauer Ihrer Bemühung abhängen.

Negatives bekämpft man nämlich nicht direkt, weil man ihm dadurch nur Energie zuführen würde. Man verwendet vielmehr alle Energie auf die *Verstärkung des Positiven*, dann vergeht das Negative schließlich von selbst!

Nun fragen Sie natürlich mit Recht: Aber wie macht man das? Welche Gemütswaschmittel gibt es denn?

a) Da ist zunächst einmal die gewaltige, wunderbare *Natur*. Für viele Menschen bedeutet sie die »große Mutter«, zu der sie immer flüchten können, wo sie Trost und Hilfe finden und wieder zur Ruhe kommen. Vielleicht gehören auch Sie zu diesen Menschen, die sich an Blumen erfreuen und einen Garten pflegen, die gerne wandern, durch Felder und Wälder streifen oder im hohen Gras einer Wiese liegen und in den blauen Himmel schauen.

Vielleicht kennen auch Sie das Hochgefühl des Gipfelstürmers, wenn er, unendlich erhaben über das Gewimmel und Getümmel weit unten in der Tiefe, in ungestörter Einsamkeit die klare Höhenluft atmet. Oder Sie haben selbst schon die faszinierende Wirkung verspürt, wenn im berauschenden Rhythmus Woge um Woge ans Ufer rollt, wie wenn die Erde selbst darin atmen würde.

Und nicht nur die Dichter besingen den romantischen Vollmond und das sternenbesäte Firmament, Sonnenaufgänge und -untergänge, die Blütenbäume im Frühling und die winterlichen Schneekristalle: Jeder empfindsame Mensch wird davon mehr oder weniger stark berührt und positiv gestimmt.

b) Ebenso gemütswirksam wie Naturgeschehen und Naturerscheinungen ist jede Art von echter *Kunst*. Seit es Menschen gibt, haben sie durch bildnerische Darstellung in Farben und Formen, durch Schnitzen und Töpfern, Stein- und Metallbearbeitung, durch Instrumentalmusik und Gesang, Dichtung und Rollenspiel versucht, sowohl sich selbst zu erfreuen und positiv zu stimmen als auch den Mitmenschen Freude zu bereiten und sie in harmonische Stimmung zu versetzen.

Das Betrachten von schönen Bildern und Kunstgegenständen, ganz besonders aber das Anhören von musikalischen Darbietungen – wobei jeder Mensch seine Lieblingsinstrumente und Lieblingsmelodien hat und unstrittig die menschliche Stimme das eindrucksvollste Instrument darstellt –: das alles wirkt unmittelbar auf unser Gemüt und beeinflußt unsere Gefühle so stark, daß sogar Gemütskranke dadurch geheilt werden können (Musiktherapie).

Noch wirkungsvoller als der aufnehmende Kunstgenuß ist natürlich die eigene musische Betätigung, denn durch nichts kann man sich besser positiv stimmen und negative Anwandlungen neutralisieren. Wie viele bedeutende Kunstwerke sind sogar aus Kummer und Leid, aus Enttäuschungen und schmerzlichen Erfahrungen heraus entstanden, indem schöpferische Menschen all das durch ihr künstlerisches Schaffen aktiv zu überwinden und so Negatives in Positives zu verwandeln vermochten.

Auch die rhythmische Bewegung ist ein hervorragendes Mittel allgemeiner Harmonisierung, und deswegen wurde und wird getanzt, solange und wo immer es Menschen gibt. Selbst wenn Sie sich keine andere künstlerische Betätigung zutrauen oder meinen leisten zu können, sollten Sie wenigstens fleißig tanzen, denn je mehr Sie dabei körperlich ins Schwitzen geraten, desto wirksamer ist die damit verbundene »Gemütsreinigung«!

c) Das universellste »Reinigungsmittel« ist jedoch die *Religion* im weitesten Sinne, denn wir können jederzeit mit so schmerzlichen oder schwierigen Lebenserfahrungen konfrontiert werden, daß weder Natur noch Kunst darüber hinwegzuhelfen vermögen. Es gibt tatsächlich so schweres Leid, so hoffnungslose Resignation oder verzweifelte Depression, daß nur ein ganz fester innerer Halt uns dann noch retten kann. Woran wir glauben, ist deswegen weniger wichtig, als daß wir überhaupt an irgend etwas so unerschütterlich glauben, daß wir uns daran wieder aufrichten und damit auch dem Schlimmsten siegreich begegnen können.

Sei es unser eigenes Gewissen, unsere einmalige und einzigartige Individualität mit ihren wunderbaren Seelenkräften, seien es allgemein gültige Werte und moralische Gesetze oder höhere Mächte und Intelligenzen, die folgerichtigerweise einem höchsten Wesen zugeordnet sind: Wie auch immer ich das benenne, was ich verehre und dem ich mich anvertraue, dessen Führung ich anerkenne und dessen Weisungen ich befolge – wichtig ist allein, daß ich dadurch innerlich gesunde, meine negativen Anwandlungen überwinde und meine Seelenruhe wiederfinde!

Fassen wir zusammen: unsere tägliche »Gemütsreinigung« ist die notwendige Ergänzung unserer Körperpflege und besteht darin, daß wir uns möglichst gründlich von negativen Gefühlen befreien, indem wir unsere positiven Gefühle sorgfältig pflegen und ständig verstärken. Dies geschieht dadurch, daß wir uns dauernd gemütswirksame positive Eindrücke verschaffen durch Natur- und Kunstgenuß und sorgfältige Auswahl der Bücher und Filme, Rundfunk- und Fernsehsendungen, die wir uns »zu Gemüte führen«, und indem wir alle negativen Eindrücke möglichst meiden, also nicht unbedingt sämtliche Unglücksfälle, Verbrechen und Schandtaten in der Zeitung genauestens studieren oder uns sogar »Revolverblätter« kaufen und einen Kriminalroman nach dem anderen verschlingen. Es ist erstaunlich, in welch unsinniger Weise sonst recht kluge Menschen, die auch viel für ihre körperliche Gesundheit tun, sich durch solche dauernde Gemütsvergiftung schwer schädigen!

Achten wir daher in Zukunft noch viel sorgfältiger als bisher sowohl auf die Gefühle, die wir in unser Gemüt aufnehmen, als auch auf diejenigen, die wir selbst erzeugen und ausstrahlen. Dann wird unser seelisch-geistiges Kraftfeld nicht nur weniger Störungen ausgesetzt sein, sondern auch selbst viel stärker und positiver sich auswirken können, weil weniger Energie zur Abwehr des Negativen verbraucht wird.

Auf diese Weise gewinnen wir allmählich eine solch unerschütterliche Gelassenheit und sichere *Beherrschtheit des Fühlens,* daß unsere ruhevolle Ausgeglichenheit uns befähigt, unsere Empfindsamkeit ständig zu steigern, ohne empfindlich und nervös zu werden, immer besser unseren Ausdruck zu beherrschen, ohne gefühllos und phlegmatisch zu werden, reine Sinnenfreude und sublime Genußfähigkeit zu gewinnen, ohne sinnlich und leichtsinnig zu werden und dadurch uns und anderen zu schaden. Gerade an dieser Fähigkeit erweist sich ja die »hohe Schule« der Lebenskunst, die den Meister vom Anfänger sicher unterscheidet.

C. Denken = Bewußtseinsbeherrschung

1. Wie unser Wirken von einem starken, aber beherrschten Fühlen seine Dynamik und Durchschlagskraft bekommt, so bekommt das Gemüt wiederum die nötige Festigkeit und Stetigkeit durch die *Ordnungskraft des Denkens.* Wenn wir hinsichtlich konsequenter Leibesübung und sorgsamer Gemütspflege weitgehend eine folgenschwere Unterbewertung und Unkenntnis und entsprechende Vernachlässigung feststellen mußten, so ist zumindest in unserer gegenwärtigen Epoche bezüglich

des intellektuellen Bereiches eine weitverbreitete Überschätzung festzustellen. Dies führt bei vielfach bestehender Unkenntnis über die tatsächlichen Zusammenhänge zu Übertreibungen der Denkschulung im allgemeinen und einseitiger Forcierung spezieller Denkfunktionen im besonderen, die sich auf Lebenshaltung und Gesundheitszustand nicht weniger verhängnisvoll auswirken als die erwähnte Leibesvernachlässigung und Gemütsverrohung.

Demgegenüber brauchen wir im Hinblick auf erfolgreiche Lebenskunst weniger die Bedeutung des Denkens an sich hervorzuheben, als vielmehr auf die Gesetzmäßigkeiten und speziellen Bedingtheiten der verschiedenen Denkfunktionen im einzelnen hinzuweisen, damit bei der Ausbildung des Denkvermögens nicht mehr aus Unkenntnis schließlich das Gegenteil des Beabsichtigten erreicht wird.

a) Die erste und *grundlegende Denkfunktion*, kraft derer schon der Säugling sich in der Welt orientiert und die den Grad der Intelligenz bis ins höchste Alter bestimmt, ist das *Auffassungsvermögen*. Durch dieses macht sich der Mensch alles zu eigen, was an Materiellem oder Ideellem an ihn herantritt. Nun besteht aber schon diese grundlegende Denkleistung eigentlich aus dem Zusammenwirken von drei physisch, psychisch und intellektuell bedingten Faktoren: Wahrnehmung – Beobachtung – Verständnis. Machen wir uns das an einem einfachen Beispiel klar: Wenn ich wissen will, wieviel Uhr es ist, so muß ich zunächst die Uhr *wahrnehmen*, also einen Gegenstand ins Auge fassen, von dem ich erfahrungsgemäß weiß, daß er als Zeitanzeiger gebraucht wird. Dann muß ich durch konzentrierte *Beobachtung* den genauen Zeigerstand oder – bei Zeitangabe mittels Leuchtzeichen – die aufeinanderfolgenden Zahlen zweifelsfrei ermitteln. Schließlich muß die genaue Beobachtung so lange fortgesetzt werden, bis sie zum entsprechenden *Verständnis* führt, das heißt im Falle der Uhr, uns verstehen läßt, daß zum Beispiel ein langer Zeiger auf vier Strichen nach zwei und ein kurzer Zeiger auf einem Strich nach sieben eben vierzehn Minuten nach sieben Uhr bedeutet.

Die Auffassung kann also bereits durch einen Mangel an physischer Wahrnehmungsfähigkeit gestört sein: etwa bei Kurzsichtigkeit, Farbenblindheit usw. oder durch behindernde äußere Umstände wie Nebel, Dunkelheit usw.

Oder es kann bei gesunden und ungestörten Sinnesfunktionen an der psychischen Konzentrationsfähigkeit mangeln, so daß keine exakte Beobachtung zustande kommt (wie oft sehen wir zum Beispiel auf eine Uhr, ohne auf den genauen Zeigerstand zu achten. Fragen Sie einmal jemand, der gerade auf die Uhr gesehen hat, nach der genauen Uhrzeit: In 99 von 100 Fällen wird der Betreffende nochmals auf die Uhr schauen!).

Und schließlich kann man sich noch so lange und eingehend auf eine Beobachtung konzentrieren, ohne daß die entscheidende intellektuelle Leistung des Verständnisses sich einstellt (die der Psychologe mit »Aha-Erlebnis« bezeichnet und der Volksmund treffend kennzeichnet mit »der Groschen fällt«), weil das Beobachtete in keinen sinnvollen Zusammenhang gebracht werden kann oder das jeweilige intellektuelle Fassungsvermögen überhaupt übersteigt.

Wenn wir das Auffassungsvermögen schulen wollen, müssen wir von Kindheit an zunächst einerseits die Sinne schärfen, wozu Spiel und Sport vielfache Gelegenheit geben, und andererseits ihre Überanstrengung und Schädigung verhüten (also nicht lange bei künstlichem Licht lesen oder »mit der Nase auf dem Papier« schreiben, durch andauernden Lärm das Gehör abstumpfen usw.).

Dann sollte ständig zu möglichst genauer Beobachtung angeregt werden, indem man das Kind und sich selbst dazu erzieht, nicht »blind und stur« durch die Gegend zu laufen, sondern auf möglichst viele Einzelheiten zu achten, stets die Augen offen und die Ohren gespitzt zu halten, so daß man Geschehenes nachträglich genau beschreiben und Gehörtes lückenlos nacherzählen kann. Auch bei einem Spaziergang sollte man sich angewöhnen, möglichst wenig an noch so unscheinbaren Dingen oder Vorgängen sich entgehen zu lassen. Schließlich kann noch die Schnelligkeit und Gründlichkeit des Verständnisses von Anfang an geschult und ständig geübt werden. Für all dies gibt es heute außer den altgewohnten Spielen eine Menge spezieller Lernspiele, sowohl für Kinder als auch für Erwachsene, so daß für ebenso nützliche wie vergnügliche Denkschulung jede Möglichkeit besteht.

b) Neben der Auffassung ist das *Gedächtnis* bzw. das *Erinnerungs*vermögen eine besonders wichtige Denkfunktion, denn ohne diese könnten wir keine Erfahrungen sammeln und nichts lernen, wären also überhaupt nicht entwicklungsfähig. Unser Gedächtnis wird von frühester Jugend an besonders stark beansprucht, und es wird ihm oft zuviel zugemutet, wodurch frühzeitige Ausfallserscheinungen oder ein allgemeines Nachlassen verursacht werden. Das kann man vermeiden, wenn man die verschiedenen Arten der Gedächtnisfunktion – das eidetische (bildhafte) oder logische (folgerichtige), konkrete (gegenständliche) oder abstrakte (begriffliche), statische (auf Dinge bezogene) oder dynamische (auf Vorgänge bezogene) Gedächtnis – zunächst einmal kennenlernt und dann prüft, welche davon im eigenen Denken am wirksamsten sind.

Ebenso muß man wissen, wie über Ultrakurz-, Kurzzeit- und Langzeit-Gedächtnis überhaupt etwas ins Gedächtnis eingeht und unter welchen Umständen es wieder vergessen wird. Zwischen dem bewußten Gedächtnis und der unterbewußten Erinnerung besteht eine ständige Wechselwirkung wie zwischen Einatmung und Ausatmung. In der Erinnerung sind lückenlos alle Augenblicke unserer irdischen Existenz enthalten und sogar Erinnerungselemente an die Gesamtentwicklung des Lebens auf der Erde (die wir ja als Embryo nachvollziehen) vorhanden. Wenn wir uns an etwas erinnern oder uns etwas einfällt, bedeutet das also genau gesagt: Es steigt etwas aus diesem unendlichen Reservoir von Eindrücken, die wir alle in uns tragen, ohne etwas davon zu wissen, in unser Gedächtnis auf, so daß wir es dann auch wissen und bewußt darüber verfügen können.

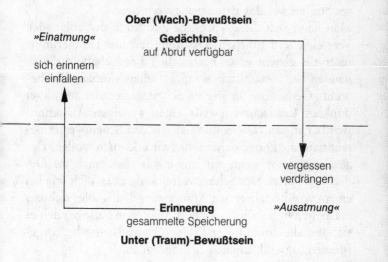

Wenn wir etwas vergessen, vollzieht sich der umgekehrte Vorgang: Das Gewußte geht nicht etwa verloren, sondern es sinkt in das Erinnerungsreservoir hinunter, wo es sozusagen auf Abruf bereit steht. Von dort können wir es dann willentlich wieder hervorholen, wenn es gebraucht wird, indem wir uns so lange besinnen, bis es im Gedächtnis erscheint. Wenn Sie sich schon einmal verzweifelt irgendwelche Namen oder sonstige wichtige Daten ins Gedächtnis zu rufen versuchten, so daß sie Ihnen schon »auf der Zunge lagen« und doch nicht klar erkennbar wurden – dann wissen Sie, daß das bewußte Sicherinnern mit einigen Schwierigkeiten verknüpft sein kann.

Wenn umgekehrt, etwa auf Grund eines starken Eindrucks, unangenehme Erinnerungen sogar gegen Ihren Willen wieder aufgetaucht sind und sich nicht mehr aus Ihrem Gedächtnis vertreiben ließen, obwohl Sie sie sehr gerne wieder losgeworden wären, dann wissen Sie auch, daß die Kunst des Vergessenkönnens mindestens ebenso wichtig ist wie das Erinnerungsvermögen.

Man kann sich diese Vorgänge gut durch den folgenden Vergleich verdeutlichen: Das unterbewußte Erinnerungsreservoir gleicht einer nächtlichen Landschaft, die vorhanden ist, obwohl wir sie nicht sehen können. Das bewußte Gedächtnis ist wie ein Scheinwerfer, der aus dieser dunklen Landschaft jeweils einen winzigen Ausschnitt sichtbar macht. Dabei können wir den Scheinwerfer bewußt auf die Dinge richten, die wir erkennen wollen. Das geschieht also, wenn wir uns etwas absichtlich ins Gedächtnis rufen. Der Scheinwerfer kann aber auch wie bei einem vorüberfahrenden Auto zwangsläufig alles sichtbar machen, auf das sein Licht fällt. In diesem Falle handelt es sich um alle durch unser Erleben zwangsläufig hervorgerufenen, unwillkürlichen Erinnerungen.

Von den vielen praktischen Konsequenzen, die sich aus dieser Erkenntnis ergeben, interessiert uns hier die Nutzanwendung auf den *Lernvorgang* ganz besonders, denn wir wollen ja alle wissen, wie wir leichter und besser lernen können.

Zunächst dürfte jetzt wohl klar sein, daß alles, was man widerwillig lernen muß – etwa über Hausaufgaben »schwitzen« oder trockenen Wissensstoff »büffeln« –, praktisch nutzlos ist. Denn weil unser Unterbewußtsein die Unlustgefühle, mit denen dieses Lernen verknüpft war, möglichst schnell wieder vergessen will, wird dabei auch das oberbewußt Gelernte gleich mit vergessen. Wir haben also die ganze Mühe umsonst aufgewandt.

Wenn wir dagegen umgekehrt etwas mit eigenem Interesse lernen und das Lernen uns sogar Spaß macht, dann lernen wir nicht nur sehr viel schneller, sondern behalten das Gelernte auch wesentlich besser im Gedächtnis. Also weniger Mühe und dennoch größerer Effekt.

Im Gegensatz zu den althergebrachten Lehr- und Lernmethoden wissen wir daher heute, daß es die schlechteste Methode ist, nur den Verstand zu gebrauchen. Man lernt deswegen in der modernen Pädagogik kaum mehr etwas auswendig, das heißt, man prägt sich nichts mehr bloß mechanisch ein, man lernt es vielmehr sozusagen »inwendig«, indem man durch möglichst lebhafte Sinneseindrücke einprägsame bildhafte Vorstellungen erzeugt: *Audio-visuelle Methode* nennt man das. Gleichzeitig läßt man möglichst viel selber tun, aus eigener Kraft und mit eigenen Mitteln sich erarbeiten. Dies nennt man *programmierte Unterweisung*.

Durch beides wird außer dem Verstand auch das Gemüt aktiviert, und man vermittelt ständig neue anspornende Erfolgserlebnisse, die das Lernen erfreulich und befriedigend machen. Das nämlich ist für wirksames Lernen noch wichtiger als die bloße Wissensvermittlung durch Information: es ist die notwendige Willensaktivierung durch Motivation. Denn nur diese kann aus der Theorie zur Praxis führen, kann Gedanken zur Tat werden lassen.

Schließlich kann man sogar unter Ausschluß des Wachbewußtseins direkt durch das Traumbewußtsein lernen. Über die sogenannte Schlaflernmethode wird auf S. 183 f. berichtet.

Die neueste Errungenschaft auf diesem Gebiet ist die Methode Loszanow, auch »Superlearning« genannt, denn sie verbindet unter- und oberbewußtes Lernen in optimaler Weise: Zunächst muß man lernen, sich im Liegen total zu entspannen und in diesem Zustand auch während der Aufnahme des Lehrstoffes (z. B. einer Fremdsprache) zu verbleiben (s. S. 170 f.). Erst wenn das sicher funktioniert, kommt als zweiter Schritt die Atemkontrolle, indem ein ruhiges, gleichmäßiges Mittelmaß eingeübt wird, das dauernd beibehalten werden kann (s. S. 161 ff.). Erleichtert wird dies durch rhythmische Musik im Atemtakt, die den ganzen Lernvorgang leise begleitet.

Erst wenn all diese psychophysischen Voraussetzungen klappen, setzt das eigentliche Lernen ein, indem der zu lernende Text in so kleine Lernschritte zerlegt wird, daß diese genau mit einem Atemzug übereinstimmen.

Nach der Phase des Aufnehmens im Unterbewußtsein folgt die Phase der Wiederholung im Oberbewußtsein durch ein Frage- und Antwortspiel, in dem nur die vorher vermittelten Ausdrücke vorkommen. Die Schlußphase besteht in leichter körperlicher Bewegung, möglichst in frischer Luft. Und dann beginnt das Ganze von vorne.

Am Abend sollte auf alles Ablenkende und auch auf Alkohol verzichtet werden, und je früher man ins Bett geht, desto besser können die Erfahrungen des Tages im Schlaf nachwirken (s. S. 188 ff.).

Wenn diese Methode 1–2 Wochen streng durchgeführt und in einem zweiten gleichartigen Zyklus wiederholt wird, kann man z. B. eine Fremdsprache tatsächlich fließend sprechen!

Es leuchtet ein, daß solchen Möglichkeiten gegenüber die

bisherigen Lehr- und Lernmethoden völlig veraltet sind und es daher nur noch eine Frage der Zeit ist, bis auch die offiziellen Schulbehörden nicht mehr daran vorübergehen können.

c) Ebenso wichtig wie das Gedächtnis ist das *konkret-gegenständliche Denken* bzw. das *Vorstellungsvermögen*, wodurch wir uns einerseits praktisch in der Welt orientieren können, andererseits die vielfältigen Sinneseindrücke theoretisch zu ordnen vermögen. Daß zum Beispiel ein perspektivisches Sehen möglich ist, gehört zu den Auswirkungen dieser Funktion ebenso wie die Fähigkeit, Linien in Fläche und Flächenhaftes in Räumliches zu übertragen, also mehrdimensional zu denken.

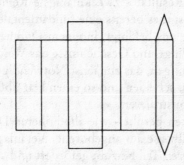

Als Beispiel eine kleine Prüfung Ihres Vorstellungsvermögens, lieber Leser: Was für ein räumliches Gebilde ergibt bei richtigem Zusammenfalten die hier abgebildete Fläche?

Bekanntlich ist diese Fähigkeit in der kindlichen Entwicklung nicht von vornherein verfügbar (siehe Kinderzeichnungen) und geht bei gewissen Gehirnschäden oder -erkrankungen wieder verloren. Es müssen also zunächst die physischen Voraussetzungen gewährleistet sein, dann aber kann durch psychologisch richtige Übung eine ständige Steigerung erreicht werden. Hierzu sollte man sich angewöhnen, alles Gedanklich-Begriffliche sich auch immer möglichst plastisch-bildhaft vorzustellen und vor allem beim Erklären durch Skizzen zu verdeutlichen. Umgekehrt sollte alles Gegenständliche in klare Gedankenformen (Strukturen) und alles Geschehen in gesetzmäßige Abläufe (Rhythmen und Perioden) übertragen werden.

2. Auf den genannten drei Grundfunktionen bauen die sogenannten *höheren Denkfunktionen* auf. Dazu gehört zunächst

a) die *Dispositionsfähigkeit,* die uns instand setzt, irgendeine komplexe Tätigkeit in eine Reihe von einzelnen Handlungen zu zerlegen und die zur Erreichung des beabsichtigten Resultates zweckmäßigste Reihenfolge festzulegen. Es ist dies bereits eine fundamentale Ordnungsfunktion, die uns befähigt, in einem Durcheinander verschiedener Dinge und Geschehnisse das Wesentliche vom weniger Wichtigen, das zunächst Notwendige vom später Möglichen zu scheiden und so einen klar überschaubaren Ablauf zu konstruieren.

Diese Fähigkeit beruht – wie alle höheren Denkfunktionen – nur teilweise auf angeborener Veranlagung, so daß sie zum anderen Teil bewußt gefördert und ständig geübt werden muß, um wirklich verfügbar zu bleiben. Je mehr man einen Menschen von Jugend auf am selbständigen Disponieren hindert, indem man ihn nur Befehle befolgen oder genau vorgeschriebene Arbeiten ausführen läßt und ihm so die Möglichkeit zur eigenen Entscheidung über die richtige Einteilung und Zweckmäßigkeit seines Handelns nimmt, desto abhängiger und unsicherer, unzufriedener und unzuverlässiger muß er werden.

Darum achte man bei allen Anweisungen und Aufträgen sorgsam darauf, daß möglichst viel Spielraum für die eigene Initiative des Ausführenden gelassen wird – und nehme im Anfang lieber auch Fehler, Zeitverlust und unnötige Wege in Kauf, bis der Lernende eben durch Erfahrung klug geworden ist. Nur auf diese Weise kann man es erreichen, schließlich selbständig denkende Mitarbeiter anstatt gedankenlos funktionierender Automaten zu bekommen oder aus trägen, sich nur passiv verhaltenden Schülern wirklich lebenstüchtige, aktiv handelnde Menschen zu machen.

Und auch uns selbst sollen wir dazu erziehen, immer weniger gedankenlos in den Tag hineinzuleben und immer sorgfältiger zu disponieren. Allerdings muß man sich sehr davor hüten, dabei allzu schematisch vorzugehen und allzu unbeweglich zu werden, so daß der geringste Zwischenfall das ganze schöne Konzept über den Haufen wirft und dann die ganze Aktivität in hilflose Untätigkeit umschlägt. Ordnen und Einteilen ist zwar sehr gut und notwendig, doch muß dabei immer noch genügend Elastizität für plötzliche Entscheidungen und Entschlüsse gewahrt sein, und es müssen immer mehrere verschiedenartige Möglichkeiten offenbleiben, um allem Unvorhergesehenen auch sofort wirksam begegnen zu können (siehe dazu Kapitel VI/C »Planung«, S. 244 ff.).

b) Die nächsthöhere Denkfunktion, das *Kombinationsvermögen*, gibt uns in direkter Weiterentwicklung der Dispositionsfähigkeit die Möglichkeit, auch die Folgen einer Handlung oder eines Geschehens zu bedenken, noch ehe sie tatsächlich eingetreten sind. Dadurch können wir tatsächlich in die Zukunft schauen bzw. aus den Ursachen die Folgen erschließen und so unser gegenwärtiges Tun entsprechend einrichten. Auf dieser Fähigkeit beruht alles menschliche Planen, wodurch wir ein gestecktes Ziel in folgerichtigem, schrittweisem Bemühen erreichen oder einer drohenden Gefahr wirksam begegnen können.

Wer irgend etwas erreichen will – ob er seinen Tag einteilt, ein Haus baut oder gar in seiner Lebensaufgabe weiterzukommen sucht –: Er muß sich einen übersichtlichen und genauen Plan machen, der möglichst umfassend und weitblickend sein soll und in dem nichts Wesentliches übersehen werden dürfte. Allerdings reicht auch der beste Plan nur so weit, wie die innere Schau des Planenden reicht, so daß Pläne eben Pläne bleiben müssen und niemals zum Dogma oder zwingenden Gebot gemacht werden dürfen.

Jeder Plan muß sich sowohl nach den gestellten Aufgaben als auch nach den jeweils gegebenen objektiven Mitteln und subjektiven Fähigkeiten richten. Er muß daher trotz der unveränderlichen Zielsetzung auch dem ständigen Wechsel der gebotenen Möglichkeiten und unumgänglichen Notwendigkeiten Rechnung tragen. Der erfolgreiche Lebenskünstler verhält sich wie der gute Schachspieler: Er sucht zwar möglichst viele Züge und Gegenzüge, d. h. eigene Handlungen und deren mögliche Folgen, vorauszuberechnen – doch er läßt sich auch durch einen völlig unerwarteten Zug, also etwa einen plötzlichen Schicksalsschlag, nicht verblüffen, sondern wird daraufhin eben eine ganz neue Kombination aufstellen und unter Umständen sogar nochmals von vorn zu denken anfangen (siehe Kapitel VI »Lebensmotivation«, S. 236 ff.).

c) Die höhere Denkfunktion, die den Menschen grundsätzlich vom Tier unterscheidet (denn konkret gegenständlich denken können auch Tiere), ist das *Abstraktionsvermögen* bzw. das *analytische Denken*. Dadurch können wir Begriffe bilden, d. h. der uns umgebenden gegenständlichen Welt eine gedankliche Ordnung aufprägen, indem wir von den unmittelbaren Sinneseindrücken absehen (d. h. »abstrahieren«) und dafür unwirkliche, aber allgemeingültige Zeichen setzen.

Wenn wir also zum Beispiel den Begriff »Baum« bilden, so paßt dieser für alles, was wir als Baum bezeichnen, weil in ihm nur die charakteristischen Hauptmerkmale aller vorkommenden Bäume zusammengefaßt sind, niemals aber ein einzelner wirklicher Baum dadurch beschrieben werden kann (denn es gibt auf der Welt ja keinen »Baum«, sondern nur bestimmte Buchen, Tannen, Apfelbäume usw. von jeweils einzigartigem Wuchs und Aussehen, die man dementsprechend genau und individuell beschreiben müßte, um sie in ihrer wirklichen Form erfassen zu können).

Indem man die realen Gegenstände in lauter Eigenschaften und Merkmale zerlegt (eben »analysiert«), kann man nicht nur die Welt gedanklich ordnen, sondern sogar an den so gebildeten reinen Gedankenformen die materiellen Erscheinungen korrigieren, Sinnestäuschungen erkennen und bisher überhaupt noch nicht Vorhandenes neu schaffen (also etwa das Rad erfinden, das in der Natur nirgends vorkommt, oder eine geometrische Figur erdenken, die ebenfalls keiner Naturgegebenheit entspricht, die aber in der Technik oder Kunst in materielle Formen übertragen werden kann und nun ihrerseits die Natur ergänzt bzw. umgestaltet). Dieses begriffliche Denkvermögen ist noch keineswegs erschöpft, vielmehr stehen wir hier gerade heute am Beginn ganz neuer, bisher für undenkbar gehaltener Entwicklungsmöglichkeiten (siehe Literaturverzeichnis). Es leuchtet ein, daß der Mensch durch die ständige Steigerung dieser Fähigkeit des abstrakten Denkvermögens nicht nur in hohem Maße zum Herrn über Natur und Kreatur geworden ist, sondern auch in seinem persönlichen Leben um so besser zurechtkommen wird, je klarer er die subjektiven Gegebenheiten und Möglichkeiten verstandesmäßig analysieren und so die zugrundeliegende objektive Gesetzmäßigkeit erkennen kann. Allerdings wird dies nur dann der Fall sein, wenn die Menschheit bzw. der Einzelmensch nicht bei dieser Denkfunktion stehenbleibt, wie es leider vielfach geschieht, weshalb trotz allen Fortschritts der theoretischen Erkenntnis wir in der praktischen Lebensmeisterung noch so weit zurück sind und bei aller Beherrschung der Natur durch die Mittel der Technik in der eigenen Selbstbeherrschung und den Mitteln der persönlichen Lebensführung oft noch kläglich versagen.

d) Wir müssen daher vom Verstand zur Vernunft, vom Wissen zur Weisheit fortschreiten, indem wir die höchste Denkform, die zusammenfassende Urteilskraft, immer weiter entwickeln und steigern. Diese Urteilskraft beruht auf dem *synthetischen* (d. h. nach dem Zergliedern wieder verbindenden) Denken, also auf der Fähigkeit, Erkenntnisse und Erfahrungen gegeneinander abzuwägen, aus dem Geschehen Schlußfolgerungen zu ziehen und entsprechende Entschlüsse zu fassen.

Wenn wir von dieser höchsten Fähigkeit des menschlichen Denkens nicht nur redeten, sondern sie tatsächlich im täglichen Leben anwendeten, dann würden wir alle nicht mehr derart unvernünftig und unsinnig leben und handeln, wie dies vielfach noch geschieht. Darum sollten wir uns angewöhnen, allen Dingen wirklich auf den Grund zu gehen und unsere Gedanken wirklich zu Ende zu denken, uns nicht nur mit Halbwahrheiten zu begnügen und uns in der Tat aus gründlichen Erwägungen und folgerichtigen Schlüssen ein eigenes Urteil zu bilden und dann auch unbeirrbar danach zu handeln. Dann werden wir uns nicht mehr von jeder Massensuggestion beeinflussen, von jeder Mode an der Nase herumführen und von jedem geschickten »Drahtzieher« zum Narren halten lassen. Wir werden vielmehr als wahrhaft selbständige Persönlichkeiten den uns sowohl von unserem individuellen Gewissen als auch von unserer universellen Verantwortung vorgezeichneten Weg beschreiten und uns durch nichts mehr davon abbringen lassen.

Dazu genügen allerdings die bisher beschriebenen rationalen Denkfunktionen des sogenannten Oberbewußtseins keineswegs. Wir müssen vielmehr unser Gesamtbewußtsein noch gewaltig erweitern, indem wir zunächst einsehen, daß jenes Oberbewußtsein in Wirklichkeit nur das »Zwischenbewußtsein« ist, in dem sowohl das Unterbewußte als auch das Überbewußte gespiegelt bzw. in verstandesmäßig faßbare Gedankenformen transformiert wird.

3. Das *Unterbewußtsein* umfaßt sämtliche Triebe und Gefühle, also den Bereich des Vitalen und Vegetativen, der sich zum Rationalen etwa so verhält wie die unsichtbare Masse eines Eisbergs zu seiner über das Wasser herausragenden Spitze, d. h. ca. 90% zu 10%.

Hauptausdruck des Unterbewußtseins sind Träume und Suggestionen. Mit den Träumen werden wir uns in dem Kapitel »Lebensrhythmen« näher befassen. Die lebenspraktische Bedeutung der *Suggestion* soll nun hier kurz erläutert werden. Alles, was sich nicht als bloße Theorie im Kopf abspielt, sondern den ganzen Organismus betrifft, geht als Suggestion ins Unterbewußtsein ein und wirkt von da aus aktiv entweder auf uns selbst oder auf andere. Man nennt dies Selbstsuggestion und Fremdsuggestion.

Was wir lange und intensiv genug entweder uns selbst einreden oder von anderen eingeredet bekommen, das wirkt unweigerlich suggestiv: Wir werden unwillkürlich in unserem Verhalten davon bestimmt – und zwar gerade um so mehr, je weniger wir uns dessen klar bewußt sind. Man nennt die suggestive Beeinflussung auch *Manipulation,* der wir heute praktisch auf Schritt und Tritt unterliegen. Denn fast pausenlos stürmen optische und akustische Eindrücke auf uns ein: Bücher, Zeitungen, Zeitschriften, Kino, Rundfunk, Fernsehen, Bild- und Lichtreklame, künstlerische Darbietungen, Werbeveranstaltungen, politische Demonstrationen und dergleichen mehr. Dadurch werden viele unbegründete Ängste hervorgerufen: etwa Angst vor Krieg und Revolution, vor Bazillen und Krankheiten, vor Verbrechen und Verlusten, vor Unglücksfällen und Katastrophen. Oder aber es werden unsinnig anwachsende Wünsche und Bedürfnisse geweckt, die uns nie zur Ruhe kommen lassen, so daß wir immer hektischer und gehetzter reagieren und dennoch anstatt glücklicher immer unzufriedener werden.

Daß eine besonders starke negative Suggestion unter Umständen sogar tödlich wirken kann, beweist die folgende tragische Begebenheit: Ein Bahnarbeiter wurde versehentlich in einem Kühlwagen eingeschlossen und mußte eine ganze Nacht darin zubringen. Als man ihn am Morgen fand, war er tot, also offenbar erfroren. Doch der Kühlapparat war überhaupt nicht eingeschaltet! Seine eigene intensive Vorstellung von der vermeintlich zunehmenden Kälte und die entsprechende Todesangst hatten genügt, um ihn zu töten. Und zwar durch Herzversagen. Selbst wenn die Wirkungen negativer Suggestionen Gott sei Dank nur selten derart folgenschwer sind, so wird doch dadurch eine zielbewußte und erfolgreiche Lebenserfüllung gehemmt, erschwert und oft völlig verhindert. Wir sollten uns daher angewöhnen, täglich unsere Motive, Entschlüsse und Handlungen sorgfältig daraufhin zu überprüfen, inwieweit wir dabei irgendwelchen negativen Suggestionen unterliegen. Auf diese Weise werden die Suggestionen gewissermaßen wie lichtscheues Gesindel vom Scheinwerfer des Wachbewußtseins erfaßt und entlarvt. Wenn wir sie uns erst voll bewußt gemacht haben, dann können wir sie auch durch klare Überlegung und vernünftige Einsicht weitgehend wirkungslos machen.

Noch wirkungsvoller ist es natürlich, wenn wir die Kraft der Suggestion selbst vom Negativen zum Positiven wenden und damit anstatt einer gefährlichen Lebenshemmung ein besonders wirksames Mittel der Lebensförderung gewinnen. Wir können dabei durch positive Selbstsuggestion die eigene Lebenskraft und Willensfähigkeit steigern und auch noch unsere ganze Umgebung positiv beeinflussen. Wir dürfen eben grundsätzlich nur noch bejahende Gedanken und aufrichtende Gefühle von uns ausgehen lassen.

Seit der französische Arzt Dr. Coué die entscheidende Bedeutung der gedanklichen Einstellung und gefühlsmäßigen Stimmung der Patienten für den Genesungsprozeß entdeckt hat, ist die Wirksamkeit der positiven Suggestion mehr und mehr erkannt und praktisch verwertet worden. Coué ließ seine Patienten nur den einen Satz »Mir geht es von Tag zu Tag immer besser und besser« ständig wiederholen, so daß sie gar nichts anderes mehr sagen und denken konnten und schließlich sogar noch im Schlaf davon verfolgt wurden. Das aber war gerade der Zweck der Übung: Das Unterbewußtsein war schließlich so erfüllt von der einzigen Vorstellung des Besserwerdens, daß für negative Gedanken und Gefühle der Angst und Sorge, der Entmutigung und des Zweifelns gar kein Platz mehr war. Und siehe da: Den Patienten ging es daraufhin in der Tat sehr viel besser, ihre Genesung machte raschere Fortschritte, und auch ihr physisches und psychisches Allgemeinbefinden besserte sich auffallend.

Offenbar gilt das aber nicht nur für die Genesung, sondern für jede Art von Besserung. Wenn Sie also Ihre Lebensverhältnisse verbessern wollen, versuchen Sie es auch einmal mit dieser Methode – und Sie werden den gleichen Erfolg erzielen.

Die allerneueste Entdeckung in dieser Hinsicht sind die sogenannten *unterschwelligen Suggestionen.* Das sind Suggestionen, die unter völliger Umgehung des Oberbewußtseins direkt auf das Unterbewußtsein einwirken. So hat man zum Beispiel sehr interessante Versuche im Kino gemacht: Während ein Film lief, blendete man mittels eines zweiten Apparates einen Reklametext ein, den man aber so schnell laufen ließ, daß er nicht gelesen werden konnte, sondern sich nur durch ein Flimmern bemerkbar machte. Trotzdem wurde er vom Unterbewußtsein wahrgenommen und war sogar noch wirksamer als der gleiche, bewußt gelesene Reklametext, den man in der üblichen Weise vor dem Hauptfilm betrachtet hatte. Dies konnte an dem gesteigerten Umsatz, der auf Grund der beiden Verfahren jeweils erzielt wurde, einwandfrei nachgewiesen werden. Da das Gehörte noch stärker im Unterbewußtsein wirkt als das Gesehene, hat man diese Methode auf Kassetten übertragen: Diese spielen nicht nur eine beruhigende und harmonisierende Melodie, sondern sie enthalten auch mit anderer Frequenz aufgenommene Texte, die bewußt nicht wahrgenommen werden können, wohl aber vom Unterbewußtsein registriert werden und so entsprechende unwillkürliche Handlungen und Verhaltensweisen hervorrufen. Infolgedessen arbeitet man auch in der modernen Werbung immer mehr mit Bildern und Texten, die keinerlei verstandesmäßig begreifbaren Sinn mehr haben, dafür aber um so stärker auf die Gefühle und Triebkräfte wirken. »Der Duft der großen weiten Welt – Der weiße Riese – Ixtra-Jumbo« – das alles ist verstandesmäßig kompletter Blödsinn. Aber eben deswegen, weil sich der Verstand gar nicht erst damit befaßt, dringen diese Sprüche sozusagen ungefiltert ins Unterbewußtsein ein und veranlassen die entsprechenden Reaktionen ohne jede Verstandeskontrolle.

Man kann dieses Verfahren aber auch positiv einsetzen, wenn man den Nachteilen einseitiger Verstandestätigkeit wirksam begegnen will: In den religiösen Übungen aller Religionen ebenso wie in den Veranstaltungen weltanschaulicher Bewegungen und in den Praktiken geistiger Schulungen richtet man unmittelbar gemütswirksame Direkt-Appelle an das Unterbewußtsein. Dadurch sollen lebensfeindlicher Rationalismus, zerstörende Kritik und lähmender Zweifel ausgeschaltet werden. Doch geschieht dabei gleichzeitig noch etwas anderes: Es werden die Tore zum Überbewußtsein geöffnet.

4. Damit kommen wir zu einer weiteren, besonders wichtigen Feststellung: wir verfügen nicht nur über das gewaltige Reservoir des Unterbewußtseins, sondern reichen auch noch in das praktisch grenzenlose *Überbewußtsein* hinein. Wenn wir vorhin das Oberbewußtsein mit der sichtbaren Spitze und das Unterbewußtsein mit der unsichtbaren Masse eines Eisbergs verglichen haben, so ist dann das Überbewußtsein mit dem ganzen Ozean vergleichbar, in dem der Eisberg schwimmt.

Aus diesem Überbewußtsein stammt die *Schöpfergabe* des Menschen, also seine höchste Fähigkeit, Ahnungen und Eingebungen, Offenbarungen und intuitive Weisungen aufnehmen und in schöpferisches Wirken umsetzen zu können. Nur dadurch ist es überhaupt möglich, Dinge, die es noch gar nicht gibt, zuerst zu erträumen, dann zu erdenken und schließlich zu erschaffen. Nur dadurch konnten Wissenschaft und Kunst, Religion und Kultur entstehen, konnten Erfindungen und Entdeckungen gemacht werden. Und nur dadurch stehen wir heute wieder am Beginn eines neuen Zeitalters, das alle bisherigen Menschheitsträume verwirklichen kann, wenn sich die Menschheit nicht vorher selbst vernichtet.

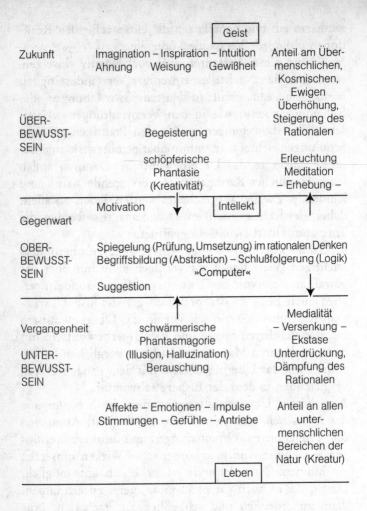

	Geist	
Zukunft	Imagination – Inspiration – Intuition	Anteil am Über-
	Ahnung Weisung Gewißheit	menschlichen,
		Kosmischen,
		Ewigen
ÜBER-		Überhöhung,
BEWUSST-	Begeisterung	Steigerung des
SEIN		Rationalen
	schöpferische	Erleuchtung
	Phantasie	Meditation
	(Kreativität)	– Erhebung –

Motivation	↓	Intellekt	↑
Gegenwart			

OBER-   Spiegelung (Prüfung, Umsetzung) im rationalen Denken
BEWUSST-   Begriffsbildung (Abstraktion) – Schlußfolgerung (Logik)
SEIN   »Computer«
   Suggestion

Vergangenheit	↑		↓
	schwärmerische		Medialität
	Phantasmagorie		– Versenkung –
	(Illusion, Halluzination)		Ekstase
UNTER-	Berauschung		Unterdrückung,
BEWUSST-			Dämpfung des
SEIN			Rationalen

Affekte – Emotionen – Impulse
Stimmungen – Gefühle – Antriebe

Anteil an allen unter-
menschlichen
Bereichen der
Natur (Kreatur)

	Leben	

Das Oberbewußtsein ist eigentlich ein Doppelspiegel, in dem sich von der einen Seite das Unterbewußtsein und von der anderen Seite das Überbewußtsein spiegelt. Und in unserer bewußt gelenkten Aufmerksamkeit haben wir gleichzeitig einen beliebig verstellbaren Filter, durch den wir weitgehend selbst bestimmen können, welchen Bewußtseinsbereich wir jeweils spiegeln und damit in unserem Denken, Wollen und Handeln wirksam werden lassen.

Richten wir nun also unsere Aufmerksamkeit auf das Überbewußtsein und befassen wir uns mit dessen Spiegelung im Oberbewußtsein, mit der *Phantasie*.

Sie ist wohl die wertvollste Funktion unseres Denkvermögens, denn alle Dinge vom einfachsten Werkzeug bis zum kompliziertesten Flugzeug sind zunächst einmal in der menschlichen Phantasie entstanden. Auch ein Techniker kann nicht ohne eine reich entwickelte Phantasie auskommen, wenn er wirklich schöpferische Arbeit leisten will.

Ebenso braucht ein wissenschaftlicher Forscher sehr viel Phantasie, wenn er tatsächlich Fortschritte erzielen will. Wissenschaftler nennen ihre Phantasien »Hypothesen«.

Und deswegen beginnt auch für jeden Menschen der Weg nach oben, heraus aus dem gewohnten Trott, mit der Aktivierung der Phantasie, der *schöpferischen Imagination* oder *Kreativität*. Nehmen wir uns also vor, von nun an möglichst oft unsere Phantasie systematisch zu üben. Muten Sie sich aber nicht gleich zuviel zu, sondern beginnen Sie damit, bekannte Dinge in allen Einzelheiten genau zu betrachten und dann in der Phantasie zu verändern.

Legen Sie etwa eine Münze auf den Tisch und studieren Sie alle Einzelheiten. Dann schließen Sie die Augen und versuchen Sie nun, sich diese Münze in allen Einzelheiten bildhaft vorzustellen. Sicherlich gelingt das nicht beim ersten Mal, und Sie werden die Münze wahrscheinlich noch öfter genau betrachten müssen, bis Sie sich jede Einzelheit deutlich vorstellen können.

Wagen Sie sich allmählich an kompliziertere Gegenstände, und verändern Sie dann die Dinge in Ihrer Vorstellung, bis es Ihnen gelingt, immer mehr Veränderungen hervorzurufen und sich schließlich sogar Dinge vorstellen zu können, die bis jetzt noch gar nicht existieren. Es gibt bereits zahlreiche gute Bücher über Kreativität, aus denen Sie sich weitere Übungen dieser Art zusammenstellen können (siehe Literaturverzeichnis).

Eine Steigerung unserer Phantasie bildet das sogenannte *dynamische Schauen,* durch das wir alle festen Gegenstände in Bewegung übertragen. So stellen wir uns etwa bei einer Blume vor, wie der Keim aus dem Samen kommt, die Erde durchstößt und sich in die Höhe streckt, wie sich Blätter bilden, die Knospe entsteht und schließlich die Blüte sich entfaltet.

Bei einem Buch können wir uns den ganzen technischen Vorgang des Papiermachens, Druckens und Buchbindens in allen Einzelheiten möglichst genau vergegenwärtigen. Je mehr man von den Dingen und Vorgängen, die man betrachtet, schon weiß, je genauere Kenntnisse über natürliche und technische Zusammenhänge schon vorhanden sind, desto mehr kann man auf diese Weise die Phantasie spielen lassen.

Außerdem können wir beobachtete Bewegungsabläufe in unserer Vorstellung beliebig beschleunigen oder verlangsamen, also einen Zeitlupen- oder Zeitrafferfilm nachahmen. Auch können wir alles, was wir lesen oder hören, uns gleichzeitig möglichst lebhaft bewegt und bunt vorstellen, also das, was im Traum geschieht, wachbewußt nachvollziehen. Dies sind nur einige wenige Beispiele. Je öfter Sie Ihre Kreativität üben, desto mehr wird Ihnen dabei selbst einfallen, und desto kühner wird sich schließlich Ihr Gedankenflug aufschwingen.

Man kann es in dieser Kunst zur wahren Meisterschaft bringen, die auch beruflich von großem Nutzen sein kann. Denken Sie etwa an manche geniale Konstrukteure, die etwa auf Grund einer einfachen Zeichnung auch die kompliziertesten Vorgänge in einer Maschine so deutlich vor ihrem »inneren Auge« ablaufen sehen, daß sie genau wissen, wie die einzelnen Teile ineinandergreifen müssen. Oder vielleicht haben Sie selbst schon den Kraftfahrzeugmeister bewundert, der kam, nachdem alle anderen vergeblich nach dem Fehler in Ihrem streikenden Motor gesucht hatten. Er langte kurz hier- und dorthin und hatte dann plötzlich jene blitzartige Erleuchtung, die man wissenschaftlich als Intuition bezeichnet und von der man im Volksmund sagt: »Gewußt wie!« Er konnte sich eben in seiner Phantasie so lebhaft in alle Einzelheiten des Motors hineinversetzen, daß er direkt spürte, wo der Fehler liegen mußte.

Solche und ähnliche Erfahrungen kann man von jedem Beruf berichten, so daß sich die empfohlenen Übungen allein schon für Ihr berufliches Weiterkommen lohnen werden. Erst recht aber beim Erreichen Ihrer großen Lebensziele wird auch die exakteste verstandesmäßige Planung wenig nützen, wenn sie nicht von der lebendigen Dynamik Ihrer schöpferischen Imagination ergriffen wird (siehe Kapitel VI/C »Planung«, S. 244 ff.).

Hier muß allerdings noch auf eine gefährliche Klippe hingewiesen werden, an der schon viele gescheitert sind, die Illusion und Phantasie nicht richtig zu unterscheiden wußten. Illusionäre Vorstellungen, Wunschträume und Luftschlösser stammen nämlich aus dem Unterbewußtsein. Sie sind Ausdruck unbestimmter, nebelhafter Sehnsüchte oder »schillernder Seifenblasen« als täuschender Ersatz für unerreichbar scheinende Ziele. Ihr gemeinsames Merkmal ist, daß man sich zwar daran berauschen, nicht aber dafür begeistern kann. *Alle psychischen Rauschzustände, die das wache Bewußtsein eindämmen oder gar ausschalten, sind immer Auswirkungen des Unterbewußtseins.*

Schöpferische Phantasie vermag dagegen echte *Begeisterung* zu wecken. Diese ist stets Ausdruck des Überbewußtseins, denn sie hält nicht nur jeder Kontrolle des Oberbewußtseins stand, sondern befähigt dieses sogar zu außerordentlichen Leistungen. Darin liegt auch der entscheidende Unterschied zwischen Suggestion und Motivation:

5. *Suggestionen* wenden sich, teilweise sogar unter Umgehung des Verstandes, immer direkt an das Unterbewußtsein. Sie können sehr berauschend wirken und uns zunächst starken Auftrieb verleihen. Doch wird der suggestive Ansporn niemals dauern, bald erlahmen und vor allem in kritischen Situationen nicht standhalten. Jedem Rausch folgt eben die Ernüchterung oder gar der Katzenjammer, das bittere Erwachen zur harten Wirklichkeit.

Merken wir uns: solche Suggestionen dürfen wir niemals mit Motivation verwechseln, auch wenn sie sich als solche tarnen!

Echte Motivation benützt zwar – wie wir gehört haben – auch positive Suggestionen, um das Unterbewußtsein zu aktivieren, sie ist aber selbst sehr viel mehr. Sie wird auch niemals das Oberbewußtsein umgehen oder ausschalten, ja sie stützt sich sogar auf möglichst gründliche Information, also auf verstandesmäßiges Wissen. Und sie wird nie mit dem Realitätsbewußtsein unserer praktischen Vernunft in Konflikt geraten (siehe Kapitel VI »Lebensmotivation«, S. 236 ff.). Dennoch stammt Motivation nicht aus dem Oberbewußtsein, sondern ist eine direkte Einwirkung des Überbewußtseins: Sie gewinnt ihren unerschöpflichen Ideenreichtum aus der Phantasie und ihre unaufhaltsame Dynamik aus der Begeisterung. Darum läßt sie sich weder beirren noch verfälschen, und darum wird sie weder erlahmen noch resignieren.

Berauschende Suggestionen sind einem zwar prächtigen,

aber rasch verpuffenden Feuerwerk vergleichbar. Begeisternde Motivation aber wirkt wie die beständige Sonnenenergie, die auch dann nicht zu strahlen aufhört, wenn sie vorübergehend von Wolken verdeckt wird.

Das ist der Grund, warum ein wahrhaft motivierter, von ganzem Herzen begeisterter Mensch so unerhört mitreißend und Vertrauen erweckend zugleich wirkt, alle positiven Energien in uns mobilisiert und jede kritische Situation mit souveräner Überlegenheit meistert.

D. Wollen = Lebensbeherrschung

1. Der Wille des Menschen gehört zum Geheimnisvollsten, was es gibt. Das mag Ihnen erstaunlich vorkommen, denn wie oft am Tage haben Sie schon gesagt: »Ich will dies tun – ich will jenes lassen.« Sie haben sich nicht viel dabei gedacht, denn das erscheint Ihnen selbstverständlich.

Es ist aber auch ebenso selbstverständlich, daß Sie das, was Sie tun wollten, dann doch nicht oder ganz anders tun, weil eben »soviel dazwischenkam«. Und auch das, was Sie lassen wollten (etwa das Rauchen oder eine sonstige Untugend), das lassen Sie dann eben doch nicht, so daß es mit Recht heißt: »Der Weg zur Hölle ist mit guten Vorsätzen gepflastert.«

Andererseits wurden im Laufe der menschlichen Geschichte schon wahre »Wunder der Willenskraft« vollbracht. Und vielleicht haben auch Sie schon – etwa in akuter Lebensgefahr – plötzlich über gewaltige Willenskräfte verfügt, die Sie selbst sich vorher niemals zugetraut hätten.

Was also ist Wille wirklich? Im 1. Kapitel wurde der

Wille mit der Kernenergie der Materie verglichen. Und er ist in der Tat ebenso gewaltig und unerschöpflich, stets sich aus sich selbst erneuernd – aber offenbar auch ebenso schwer freizulegen und zu aktivieren.

Logischerweise ist Wille nur dann wirklich Wille, wenn das Gewollte früher oder später auch tatsächlich geschieht oder erreicht wird. Alles andere dürfen wir eigentlich nicht Wille nennen, sondern müssen genaugenommen »Wunsch, Trieb, Drang, Streben, Plan, Absicht, Hoffnung« und dergleichen mehr dazu sagen.

Zum Wort »Wille« gehört infolgedessen das Wort »frei« notwendig hinzu, denn nur bei freier Entscheidung kann man wirklich wollen, und nur bei völliger Unabhängigkeit kann etwas unbedingt erreicht werden.

Was können wir demnach überhaupt aus freiem Willen tun und als freie Willensleistung bezeichnen? Da bleibt sehr wenig übrig.

Wir können also feststellen: Der Mensch ist zwar wesensmäßig zum Wollenkönnen veranlagt, aber diese Veranlagung ist in unserem gegenwärtigen Entwicklungsstadium beim Durchschnittsmenschen noch kaum aktiviert.

Der Mensch ist bekanntlich auch veranlagt zum Aufrechtstehen- und Gehenkönnen. Wenn er aber als Säugling in der Wiege liegt, kann er es trotzdem nicht. Was gehört also dazu, damit diese Veranlagung tatsächlich wirksam wird? Beobachten wir einmal ein solches Kind: Monatelang und jahrelang bemüht es sich unablässig, vom ersten Kopfheben und Sichhochziehen bis zu den ersten wackeligen Schritten. Die ersten Lebensjahre sind ein einziges hartes Ringen mit der Schwerkraft und mit der eigenen Ungeschicklichkeit, um dieses aufrechte Stehen- und Gehenkönnen durchzusetzen. Nur so kann die veranlagte Aufrichtekraft schließlich praktisch verfügbar werden.

Genauso verhält es sich mit der veranlagten Willenskraft. Wo aber bleibt die entsprechende unablässige Bemühung, diese Willenskraft ebenso zu aktivieren wie die Aufrichtekraft? Wer von uns hat schon Tag und Nacht darum gerungen, unermüdlich geübt und geübt, um diese Veranlagung ebenso praktisch verfügbar werden zu lassen? Es fehlt also allgemein an der konsequenten *Willensübung* als dringlichster Notwendigkeit, um wirklich einmal frei wollen zu können. Ja, in der üblichen Erziehung wird der erwachende Wille sogar meistens unterdrückt anstatt gefördert. Wenn die Aufrichtekraft sich durchgesetzt hat, wenn die Kinder äußerlich stehen und gehen können, dann folgt nämlich das Bemühen um die innerliche Aufrichtung, eben das Wollenkönnen. Doch das nennt man dann bezeichnenderweise »Trotzalter«. Wenn der junge Mensch genau das tut, was er tun muß, um seinen Willen zu entwickeln, zu üben und zu stärken, so wie er es vorher mit der Aufrichtekraft getan hat – dann wird das als »Trotz« bezeichnet und entsprechend behandelt! Dieser leider immer noch sehr häufige Erziehungsfehler ist eine folgenschwere Verkennung der Grundbedingungen menschlicher Entwicklung.

Man kann die erste Willensregung gut mit dem ersten Zahn vergleichen: Dieser ist für die Eltern ein sehr erfreuliches Ereignis, weil er zeigt, daß das Kind sich körperlich normal entwickelt. Genauso erfreulich aber sollte auch das erste »Nein« des Kindes von den Eltern empfunden werden – sozusagen als der erste »seelische Zahn«. Wenn nämlich so ein kleines Wesen sich hinstellt und dieser ganzen übermächtigen Welt der Erwachsenen gegenüber »nein« sagt, so ist das doch eine gewaltige Willensleistung! Es beweist damit viel mehr Mut, als wir Erwachsenen im allgemeinen noch fertigbringen, denn wir wagen es doch kaum mehr, so energisch »nein« zu sagen auch gegenüber einer übermächtigen Umwelt.

Natürlich darf es nicht auf die Dauer bei dem »Nein« bleiben, sondern dann beginnt die schwierigste Erziehungsaufgabe, diesen erwachenden Willen sowohl zu *stärken* als auch gleichzeitig zu *lenken*. Je gesünder die Kinder sind, desto schwieriger ist diese Aufgabe, denn ein Gespann mit feurigen Rossen ist natürlich schwerer zu lenken als ein lahmer Droschkengaul!

Es ist also der Sinn der menschlichen Entwicklung, daß der Wille nicht geschwächt und gelähmt wird, sondern daß er wachsen und erstarken, aber ebenso sicher gelenkt und gezügelt werden soll.

2. Dazu muß man wiederum zwischen den verschiedenen Willensarten zu unterscheiden lernen, denn unser Wille ist eine sehr differenzierte, vielschichtige Funktion. Das, was wir gewöhnlich Wille nennen, ist der im *Oberbewußtsein* wirksame *Wille*, der nur verfügbar ist, solange wir wach sind. Denn man kann erst etwas willentlich tun, wenn man zuerst weiß, was man will. Wenn Sie jetzt etwa nach irgend etwas greifen, so müssen Sie zuerst daran denken, dann verbindet sich der Wille mit Ihrer gedachten Absicht. Diesen Moment nennen wir *Entschluß*. Und erst auf Grund dieses Entschlusses steuert dann Ihr Gehirn mittels des motorischen Nervensystems Ihre Hand zur Greifbewegung (bewußte Zweckbewegung nannten wir dies).

Gleichzeitig aber wirkt im *Unterbewußtsein* eine andere Art Wille, die wir zur Unterscheidung als *Wollen* bezeichnen. Dieses unterbewußte Wollen steuert alle unwillkürlichen Vorgänge unseres Organismus auch während der Tätigkeit des oberbewußten Willens. Nur dadurch ist es möglich, daß wir zum Beispiel denken und gleichzeitig die vorher genossene Mahlzeit verdauen oder spazierengehen und uns dabei unterhalten können.

Das Wollen veranlaßt aber auch, daß wir alle unsere

Gefühle und Stimmungen unwillkürlich zum Ausdruck bringen. Denn wenn das Wollen sich mit einem Gefühl oder Trieb verbindet, entsteht ein *Impuls*. Dieser wirkt über das vegetative Nervensystem auf unseren ganzen Organismus und ruft alle jene impulsiven Äußerungen hervor, die wir unterbewußte Ausdrucksbewegungen genannt haben.

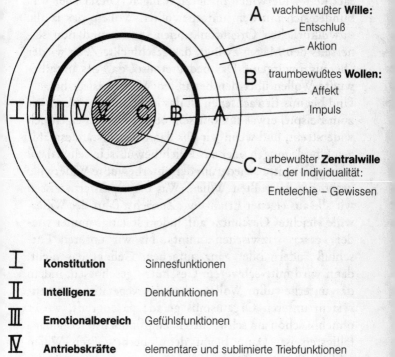

A wachbewußter **Wille:**
Entschluß
Aktion

B traumbewußtes **Wollen:**
Affekt
Impuls

C urbewußter **Zentralwille**
der Individualität:
Entelechie – Gewissen

I	**Konstitution**	Sinnesfunktionen
II	**Intelligenz**	Denkfunktionen
III	**Emotionalbereich**	Gefühlsfunktionen
IV	**Antriebskräfte**	elementare und sublimierte Triebfunktionen
V	**Wesenskern**	Individualität und Kernfunktionen

3. Normalerweise laufen beide Willensarten parallel und unterstützen sich gegenseitig. Es kann aber auch vorkom-

men, daß sie gegeneinander laufen und sich gegenseitig bekämpfen bzw. außer Kraft zu setzen versuchen. In unserer Sprache bezeichnet man diesen Vorgang treffend mit *Widerwille*.

Wenn zum Beispiel ein folgsames Kind etwas essen soll, was ihm nicht schmeckt, dann wird es seinen oberbewußten Willen aktivieren und das Zeug trotzdem »hinunterwürgen«. Es versucht also, durch verstärkten Willenseinsatz den Widerwillen niederzuzwingen. Dieser aber verbündet sich mit dem unterbewußten Wollen, das ja alle unwillkürlichen Organfunktionen steuert und nun seinerseits den Magen zwingt, das geschluckte Zeug wieder »herauszuwürgen«. Das bedeutet also, daß das unterbewußte Wollen über den bewußten Willen gesiegt hat.

Und bei uns Erwachsenen ist das nicht anders: Wenn wir zum Beispiel etwas tun müssen, obwohl es uns eigentlich widerstrebt, und wenn wir uns dann aus verstandesmäßigen Überlegungen oder aus Pflichtbewußtsein selbst dazu zwingen, kämpft wiederum der unterbewußte Widerwille gegen den bewußten Willen. Was dann passiert, wissen wir alle aus eigener Erfahrung: Zunächst fährt der Widerwille »leichtes Geschütz« auf, indem so lange immer wieder »etwas dazwischenkommt«, bis wir unseren Entschluß ändern oder ganz aufgeben. Gelingt das nicht, dann wird mit »schwerem Geschütz« geschossen, indem das unterbewußte Wollen über das vegetative Nervensystem unseren Organismus gerade da angreift, wo er ohnehin schon am schwächsten, empfindlichsten oder anfälligsten ist. Dann bleibt dem oberbewußten Willen schließlich gar nichts anderes übrig, als zu kapitulieren, denn was nützt uns ein noch so ausgeprägtes Pflichtbewußtsein, wenn uns übel wird, wenn wir Kopfschmerzen oder gar Fieber bekommen und ins Bett müssen? Merken wir uns: Vorhandenen Widerwillen kann man nicht ge-

vom Motor
(bewußtem Willen)
angetriebenes Schwungrad
= äußere Absicht

entgegengesetzt
wirkende Bremse
(im unterbewußten
Wollen verankerter
Widerwille)
= innerer Widerstand

Je stärker der Motor treibt (vermehrte Willensanstrengung),
desto fester wird die Bremse angezogen (verstärkt sich der Widerstand)
bis zur totalen Blockierung (Lähmung, Erkrankung, Zusammenbruch).

waltsam beseitigen; und unterbewußte Willensregungen können nicht durch oberbewußte Willensanstrengungen außer Kraft gesetzt werden.

Ein technischer Vergleich kann das am besten verdeutlichen: Sind Sie schon einmal mit angezogener Handbremse gefahren? Genau das ist der Fall, wenn Sie sich selbst dazu zwingen wollen, etwas widerwillig zu tun. Bei angezogener Handbremse können Sie noch so viel Gas geben, Sie kommen trotzdem nur langsam vorwärts, denn Sie verbrauchen die meiste Energie des Motors, um den Bremswiderstand zu überwinden. Und genauso können Sie sich mit Ihrem bewußten Willen noch so sehr anstrengen, Sie verbrauchen die meiste Energie, um den unterbewußten Widerwillen zu überwinden, so daß sie trotzdem nicht viel fertigbringen. Wenn Sie aber unvernünftig weiterfahren, dann würgen Sie den Motor ab. Das würde bedeuten, der bewußte Wille erlahmt, man resigniert und gibt auf. Oder aber Sie versuchen es mit Vollgas, dann läuft die Bremse heiß und blockiert schließlich, so daß Sie überhaupt nicht mehr fahren können. Das heißt also, wenn Sie Ihre Willensanstrengungen noch mehr verstärken, werden Sie früher oder später unweigerlich krank und machen Ihren Organismus kaputt, so daß Sie schließlich gar nichts mehr tun können. In jedem Falle hat der Widerwille gesiegt.

Das einzige, was Sie tun können und tun müssen, ist die Bremse zu lockern. Der Widerwille kann nie durch bewußte Willensanstrengung beseitigt, sondern nur durch das unterbewußte Wollen aufgelöst werden, indem man positive Gefühle und Triebkräfte mobilisiert: also Zuneigung, die stärker als die Abneigung ist, Lustgefühle, welche die Unlust überwiegen, Wunscherfüllungen, deretwegen man alles Unangenehme gerne in Kauf nimmt.

Um auf die kindliche Abneigung gegen irgendeine Speise zurückzukommen, so muß man eben einen attraktiven Nachtisch, also eine wirksame Belohnung, in Aussicht stellen. Oft genügt aber auch schon eine pure Einbildung auf Grund einer suggestiven Beeinflussung. So haben zum Beispiel kluge Eltern bei ihren Kindern erreicht, daß sie sogar Lebertran gerne aßen, denn den gab es immer als Nachtisch oder zur Belohnung. Und weil Nachtisch und Belohnung gut sein müssen, schmeckte eben auch der Lebertran gut! Dasselbe kann man auch erreichen, wenn man etwa den Spinat selbst mit allen Zeichen des Genusses ißt und vielleicht noch sagt: »Das schmeckt so gut, da bleibt nichts mehr für dich übrig.« Daraufhin wird das Kind den Spinat auch haben wollen, und er wird ihm dann natürlich auch schmecken.

Genauso macht man es auch als Erwachsener, wenn man sich selbst oder anderen etwas Unangenehmes »schmackhaft machen« will: Man arbeitet mit Belohnungen oder Suggestionen. Wenn die Belohnung groß genug ist, schwindet jeglicher Widerwille. Was man für tausend Mark nicht tut, das tut man für zehntausend, und bei einer Million wird es wenig Menschen geben, die dafür nicht sogar zu jedem Verbrechen bereit wären.

Ebenso kann man durch geschickte Suggestionen fast alles erreichen. Wenn ein Vater zu seinem Sohn sagt: »Du mußt meine Schuhe putzen«, wird er nur Widerwillen ernten. Wenn er aber sagt: »So gut wie du kann niemand Schuhe putzen«, wird der Sohn von selber kommen und Schuhe putzen wollen. Auch die Ehefrau wird bestimmt nur widerwillig im Haushalt arbeiten, wenn ihr Mann ihr vorhält, das sei ihre »verdammte Pflicht und Schuldigkeit«. Sie wird aber freiwillig alles tun, wenn er zu ihr sagt: »Liebling, in deinem Alter kann man dir das nicht mehr zumuten.« Und er wird alles für sie tun, wenn sie sagt: »Ich glaube nicht, daß du das fertigbringst.« Denn Frauen wollen jung bleiben und Männer für tüchtig gehalten werden. Allerdings sind Suggestionen wie ein Überraschungsangriff: sie wirken nur beim ersten Mal. Für das nächste Mal muß man sich also eine andere, ähnlich positive Suggestion ausdenken. Doch das wird uns nicht schwerfallen, wenn wir nur überhaupt unsere positive Grundeinstellung behalten. Meistens machen wir es aber umgekehrt: Wenn wir etwas ungern tun, dann verstärken wir unseren Widerwillen noch durch negative Suggestionen. Schon morgens beim Aufstehen verdirbt uns der Gedanke daran die gute Laune, denn wir denken nur an das, was uns alles nicht paßt, oder schimpfen gar laut darüber. So steigern wir uns in einen immer größeren Widerwillen hinein.

Das müßten wir uns also gründlich abgewöhnen und uns statt dessen die oben beschriebene Methode zur Gewohnheit machen. Wenn wir uns lange genug mit aller Kraft einreden: »Das ist halb so schlimm – bei näherer Betrachtung hat es auch einige gute Seiten – versuchen wir eben, das Beste daraus zu machen«, dann schrumpft unser Widerwille tatsächlich von Tag zu Tag, und wir bekommen vielleicht sogar allmählich immer mehr Spaß an der Sache.

4. Dies ist übrigens zugleich die *wirksamste Willensübung:* Alles, was wir ungern tun, müssen wir so lange üben und uns dabei schmackhaft machen, bis es uns nichts mehr ausmacht und wir es schließlich sogar gerne tun. Umgekehrt müssen wir alles, was wir sehr gerne tun, so lange lassen, bis uns das ebenfalls nichts mehr ausmacht und wir es überhaupt nicht mehr vermissen. Je besser Sie das fertigbringen, desto weniger werden noch innere Widerstände oder zwingende Süchte Ihren Willen lähmen oder gar blockieren können!

Allerdings werden Sie auf die Dauer nur dann erfolgreich Ihren Willen zu üben vermögen, wenn Sie folgende Regeln beachten:

a) *Nehmen Sie sich nie zuviel auf einmal vor,* sonst überfordern Sie Ihren Willen. Ebensowenig wie Sie sich vernünftigerweise vornehmen können, von heute auf morgen etwa perfekt Klavier zu spielen oder eine Fremdsprache zu sprechen, können Sie plötzlich ein anderer Mensch werden wollen. Solche unvernünftigen Vorsätze sind ein besonders geschickter Kunstgriff des »Teufels«, das heißt der negativen Tendenzen in uns selbst: Weil wir uns zuviel zugemutet haben und infolgedessen das gesteckte Ziel nicht erreichen können, werden wir bald entmutigt, resignieren und geben schließlich ganz auf. Der positive Anlauf ist gestoppt, und alles bleibt beim alten!

Für das Gemütstraining gilt daher genau das gleiche wie für das sportliche Training: Wer sich gewaltsam übertrainiert, der bekommt nur einen Muskelkater oder schädigt gar seine Gesundheit. Man braucht vielmehr für beides Geduld und nochmals Geduld! Konzentrieren Sie sich also immer nur auf *eine* Eigenschaft oder Verhaltensweise, die Sie ändern wollen, so lange, bis Ihnen ein Fortschritt gelungen ist und Sie mindestens über eine Woche keinen Rückfall mehr zu verzeichnen hatten. Erst dann üben Sie die nächste Verbesserung in gleicher Weise und so fort – langsam, aber sicher. So können Sie zwar nicht von heute auf morgen, aber vielleicht schon in einem Jahr tatsächlich ein neuer Mensch werden.

b) *Genauso wichtig ist unbedingte Konsequenz.* Jede Inkonsequenz, jedes Schwanken, Nachlassen oder Pausemachen bedeutet nicht etwa nur ein Aussetzen der Willensübung, sondern eine schlimme Willensschädigung. Denn schon bei der geringsten Inkonsequenz hat ja in Wirklichkeit Ihr Wille versagt, und durch dieses eine Versagen kann all das, was Sie in einer Woche glücklich erreicht haben, wieder zunichte gemacht werden. Wenn Sie jemals intensives sportliches Training betrieben haben, dann wissen Sie, wie sehr Sie manchmal schon durch ein Aussetzen von zwei oder drei Tagen zurückgeworfen wurden. Darum: Gehen Sie zwar langsam voran, dafür aber mit unerbittlicher Konsequenz!

Nehmen Sie sich ein Beispiel an jenem Jungen, dem die eben geschilderte Praxis der Willensübung so imponierte, daß er sich vornahm, 14 Tage lang keinerlei Süßigkeiten zu essen. Er hatte aber nicht bedacht, daß in der nächsten Woche sein Geburtstag war. Seine eigene Mutter, die offenbar nichts von den strengen Regeln wirksamer Willensübung wußte, wollte ihn bereden, diesen Tag eben auszulassen. Sie versuchte es mit all den dummen Redensarten wie: »Einmal ist keinmal – auf diesen einen Tag kommt es doch nicht an – Ausnahmen bestätigen die

Regel« und ähnlichen Ausreden für willensschwache Naturen.

Doch der Junge wußte es besser: Die ganze Willensübung wäre nutzlos gewesen, wenn er nachgegeben hätte, denn die eine Inkonsequenz hätte gewirkt wie ein Nadelstich in einen Luftballon: Die ganze Kraft hätte sich verflüchtigt. So blieb er auch bei seiner Geburtstagsparty »eisern«: Er freute sich, wie es seinen Freunden schmeckte, und alle Süßigkeiten, die er geschenkt bekommen hatte, gab er ihnen zum Abschied mit. Noch nie vorher hatte er ein so überwältigendes Glücksgefühl erlebt wie nun nach diesem Sieg über die Gelüste seines Gaumens!

Jetzt fragen Sie vielleicht, ob er dabei nicht gegen seinen inneren Widerwillen zu kämpfen hatte. Nein, er hatte auch das unterbewußte Wollen auf seiner Seite, weil er nicht den Fehler gemacht hatte, sich mit seinem Gaumen zu identifizieren, sondern umgekehrt sich selbst davon distanzieren konnte. Erinnern Sie sich noch an den schmerzenden Zahn in Kapitel 3? Genauso wie man auf diese Weise sich von seinen Schmerzen zu distanzieren vermag, kann man sich auch von seinen Gelüsten distanzieren und dadurch wirklich »Herr im eigenen Hause« werden. Dies ist zugleich das Geheimnis des verfeinerten Genusses, denn einen echten Genuß bedeutet ja das, worüber man frei verfügen und bestimmen kann. Sobald wir davon abhängig werden, ist es kein Genuß mehr, sondern eine Sucht, die uns beherrscht und in immer größere Abhängigkeit zwingt. Darum ist zeitweilige Enthaltsamkeit nicht nur eine hervorragende Willensübung, sondern zugleich auch eine kluge Steigerung der Genußfähigkeit.

5. Damit sind wir bei dem dritten Bewußtseinsbereich angelangt, dem *Überbewußtsein*, das gleichbedeutend ist mit unserem *Wesenskern*. In ihm wirkt die eigentliche »Kernenergie«, der *Zentralwille* der Individualität, den

man auch als »Entelechie«, das heißt »innere Zielgerichtetheit«, bezeichnet. Dieser Wille ist unablässig und konstant auf die einmalige und einzigartige Bestimmung oder Lebensaufgabe unserer gegenwärtigen Existenz gerichtet. Der Zentralwille ist auch identisch mit meinem *Gewissen*, in welchem meine Lebensbestimmung gleichsam programmiert ist. Deswegen »schlägt« das Gewissen bei jeder Abweichung von diesem meinem Lebensprogramm und gibt keine Ruhe, bis ich wieder bewußt und konsequent dem Leitstern meines Lebenssinns folge.

Rückert hat das sehr schön gesagt: »Vor jedem steht ein Bild des, was er werden soll: Solang er das nicht ist, ist nicht sein Friede voll.« Und E c k e h a r d erklärt es ganz einfach: »Wenn wir wissen, was wir sollen, dann geschieht auch, was wir wollen.«

Wenn wir also unseren Zentralwillen ganz und gar auf das höchste Ideal gerichtet haben, das wir erkennen und anerkennen können, wenn wir – technisch gesprochen – die Norm unserer Menschform bestmöglich zu realisieren versuchen: dann leben wir im Einklang mit unserem Gewissen. Dann wird aber jeglicher Widerwille sich höchstens noch gegen das richten, was dem Gewissen zuwiderläuft. Er wird also nicht mehr irgendwelchen unkontrollierten Gefühlen und Triebkräften des Unterbewußtseins entspringen, sondern er wird nur noch eine deutliche Mahnung aus dem Überbewußtsein bedeuten, nicht mehr uns selbst untreu zu werden. Wenn wir diese Mahnung beachten, werden der oberbewußte Wille und das unterbewußte Wollen immer übereinstimmen, so daß wir dann über eine geballte, einheitlich gerichtete Willenskraft verfügen, der tatsächlich nichts und niemand mehr auf die Dauer zu widerstehen vermag!

Nur einen solchen Menschen dürfen wir eigentlich als »Willensmenschen« bezeichnen. Meistens aber versteht man darunter eine Gewaltnatur, die sich »mit den Ellenbogen Bahn bricht« oder gar »über Leichen geht«. Ihnen aber ist nun sicherlich klar, daß diese Vorstellung irrig ist, denn in Wirklichkeit verhält es sich gerade umgekehrt: Wer tatsächlich wollen kann, der ist den meisten Menschen mit unentwickelten Willenskräften so sehr überlegen, daß er keinerlei Gewalt mehr anzuwenden braucht. Der wirklich Wollende braucht nicht schroff zu fordern wie der Willensverkrampfte oder unterwürfig zu betteln wie der Willensschwache. Er äußert nur ganz freundlich eine Bitte – aber dabei liegt in seinen Augen, in seiner Stimme und in seinem ganzen Auftreten etwas so Bestimmendes, daß niemand auch nur auf die Idee kommt, diese Bitte nicht zu erfüllen. Das also ist ein echter Willensmensch, wie Sie es etwa bei einem Dompteur erleben können, der nur mit seinen Augen die wildesten Tiere bändigt, oder bei einem Lehrer, der es ohne jegliche Repressalien erreicht, daß sich die ungebärdigste Klasse freiwillig musterhaft verhält.

Seien Sie dessen gewiß: *Gewalt ist immer ein Zeichen von Willensschwäche!* Je mehr Wille Sie daher selbst entwickelt haben, desto gewaltloser wird die Macht des Willens, die Sie damit ausüben – und desto weniger brauchen Sie dann noch Gewalt zu fürchten.

6. Für die praktische Willensentwicklung aber müssen wir noch klären: Wie beginnt überhaupt der Wille zu wirken?

Den Beginn der Willenswirkung nennt man *Initiative*.

Machen wir uns diesen Vorgang wieder durch den bewährten Vergleich mit dem Auto klar: Der Wagen, der Motor, die Steuerung und der Vergaser – also unser Körper mit der innewohnenden Lebensenergie, unsere Vernunft und der aktionsbereite Wille – alles ist vorhanden und startbereit. Und auch der Weg ist vorgezeichnet durch die Ziele, die wir uns gesteckt haben. Trotzdem rühren wir uns nicht von der Stelle, bis die Zündung eingeschaltet wird und der Zündfunke überspringt. Dann erst können wir Gas geben – also unseren Willen einsetzen – und losfahren.

Wenn Sie im Fernsehen schon miterlebt haben, wie eine Mondrakete gezündet wird, so haben Sie einen noch eindrucksvolleren Vergleich: Auch hier ist die Zündung der entscheidende Vorgang, der den mächtigen Koloß vom Boden abheben und eine Raketenstufe nach der anderen in Funktion treten läßt.

Vielleicht haben Sie sogar selbst mit äußerster Spannung auf den Bildschirm gestarrt, als die Mondfähre startbereit für die Rückkehr zur Erde war – und haben erleichtert aufgeatmet, als die lebensrettenden Raketen wieder zündeten.

Genauso ist die richtige Initiative zur rechten Zeit häufig lebensentscheidend. Wenn schon der Wille im allgemeinen etwas Geheimnisvolles ist, so ist insbesondere die Initiative unsere geheimnisvollste Gabe, denn wir haben keine Ahnung, woher sie stammt und wie sie funktioniert. Wir nennen diese »Willenszündung« auch Entschlußfähigkeit, Entscheidungsfreudigkeit, Geistesgegenwart – aber damit wird sie keineswegs begreifbarer.

Man muß einfach erleben, wie man davon blitzartig überfallen wird: Sie haben schon tausendmal dasselbe getan oder irgendwelche Dinge einfach hingenommen. Da blitzte es plötzlich in Ihnen auf: »Das kann ich ja auch so machen – das muß ja gar nicht so sein – das kann man doch mal so probieren – das ist vielleicht zu ändern.« Und schon mache ich es so – versuche ich, etwas zu ändern – geschieht etwas. Das also nennt man eine Initiative, das heißt eine durch sich selbst hervorgerufene Aktion, im Unterschied zu einer durch andere verursachten Reaktion. Gerade das aber müssen wir lernen, um das Leben zu meistern: Immer mehr selbständig zu handeln und immer weniger bloß zu reagieren.

Somit ist die Initiative gleichbedeutend mit Selbstmotivation. Wenn wir einen Menschen motivieren, so nützt das so lange nichts, bis er daraufhin selbst die Initiative ergreift. Es ist genauso, wie wenn wir ein Auto anlassen oder anschieben: Wir müssen das so lange tun, bis die Zündung anspringt – bis also die Motivation zur Selbstmotivation geführt hat. Und selbst wenn der Motor läuft, bleibt er sofort wieder stehen, wenn die Zündung ausfällt. So verfallen auch wir in stumpfsinnigen Trott oder intelligenztötende Routine, verlieren jeglichen Aufschwung oder geben sogar ganz auf, wenn die Initiative nachläßt. Dadurch wird erneut bestätigt, was wir schon mehrfach erkannt haben: Selbstmotivation ist das Allerwichtigste, was es überhaupt für uns gibt!

Doch zwischen Start und Ziel liegt eine lange Bahn voller Hindernisse. Es gibt keinen Weg zum Erfolg ohne »Durststrecken« und Schwierigkeiten, ohne Anfeindungen und Rückschläge, ohne Mißerfolge und Niederlagen. Wenn wir dennoch ans Ziel gelangen wollen, brauchen wir dazu Ausdauer, Zielstrebigkeit, Durchhaltevermögen, Stehvermögen, einen »langen Atem« oder wie man sonst noch diese *Dauerwirkung unseres Willens* nennt.

Viele Menschen haben zwar genügend Initiative, aber wenig Ausdauer. Sie fangen ständig etwas Neues an, sind immer voller Ideen und Pläne – aber sie führen nichts zu Ende, erlahmen rasch und putschen sich dann nur wieder mit neuen Ideen auf, anstatt wenigstens eine davon zu verwirklichen. Solche Menschen können niemals auf die Dauer Erfolg haben, denn sie sind wie Rennwagen, die zwar mit voller Anfangsgeschwindigkeit losschießen, dann aber mit defektem Motor auf der Strecke liegenbleiben. So muß auch jede Initiative, die nicht mit entsprechender Ausdauer weitergeführt wird, wirkungslos verpuffen.

Ebenso wie wir Geistesgegenwart, Ideenreichtum und blitzschnelles Handeln ständig üben müssen, muß es uns auch zur Gewohnheit werden, alles Begonnene unbedingt zu Ende zu führen, Dauerbeanspruchungen auszuhalten und niemals aufzugeben! Dabei ist zu beachten, daß es zwei verschiedene Arten von Ausdauer gibt.

a) Bei der einen, die man auch *Zielstrebigkeit* oder *Durchsetzungsvermögen* nennt, sind wir mehr nach *außen hin aktiv.* Hier versuchen wir, Schwierigkeiten direkt zu überwinden, indem wir das ändern, was sich ändern läßt. Oder wir versuchen, unüberwindliche Hindernisse zu umgehen, neue Wege zum gleichen Ziel zu finden, auf der einen Seite nachzugeben, um auf der anderen Seite um so weiter vorstoßen zu können, und ähnliches mehr.

Hierher gehört auch das Sprichwort: »Aufgeschoben ist nicht aufgehoben«, denn man kann ja auch, wie es so schön heißt, »die Zeit für sich arbeiten lassen«. Man läßt dann nämlich allzu schwierige Dinge einfach eine Zeitlang ruhen, bis sie sich entweder von selbst ändern oder die Zeit reif ist, um sie nun mit besserem Erfolg nochmals angehen zu können. Entscheidend ist, daß man wirklich nur die Durchführung aufschiebt, nicht aber seinen Entschluß aufhebt oder sich davon abbringen läßt.

b) Die zweite Form der Ausdauer wird nötig, wenn wir nichts mehr an den jeweiligen Lebensumständen ändern können, also dem Unabänderlichen gegenüber. Man nennt diese Form *Durchhalten* oder *Aushalten* oder auch *Leidensfähigkeit,* die beweist, was man alles an Unglück, Verlusten, Krankheit, Not, Freiheitsberaubung, Leid und körperlichen Qualen erleiden kann, ohne daran kaputtzugehen.

Dieses Erleiden scheint passiv zu sein, weil man die genannten Situationen einfach erdulden muß, ohne sie ändern zu können. Wenn man absolut keinen direkten Einfluß mehr auf den Ablauf des Geschehens nehmen kann, dann muß man es doch hilflos über sich ergehen lassen – so meinen leider viele, die dann auch tatsächlich zugrunde gehen. Aber eben nur, weil sie passiv geworden sind und damit zu wollen aufgehört haben, weil sie »die Flinte ins Korn geworfen« und sich selbst aufgegeben haben.

Darum ist Passivität das Gegenteil von Erleiden: Durch Erleiden kann man überwinden und letztlich siegen – Passivität aber ist gleichbedeutend mit totaler Niederlage und Untergang.

Ja, das Erleiden erfordert vielleicht sogar noch mehr Aktivität als das Durchsetzen. Jeder, der schon eine schwere Krankheit durchgestanden hat oder längere Zeit gefangen war, der weiß, wie ungeheuer aktiv er *innerlich* werden mußte, wenn er äußerlich nichts mehr ändern konnte. Wir können dann nämlich, selbst wenn wir körperlich total gefesselt sind, immer noch fühlen, denken und wollen – in der Notsituation sogar besser als unter normalen Umständen. Oft bringt uns dann diese gesteigerte innere Aktivität sehr viel rascher weiter als ein bequemes Leben. Wir werden uns noch besonders mit der Tatsache befassen, daß Leiden und Notzeiten zwar strenge, aber um so wirksamere Lehrmeister sind, wenn wir durchhalten und die gebotene Gelegenheit zu verstärkter Initiative und innerer Ausdauer nützen. Mit den Worten: »Der Mensch ist frei, und wär er in Ketten geboren« hat Schiller diese unumstößliche Gewißheit eindringlich zum Ausdruck gebracht.

Meistens werden wir vom Schicksal dazu gezwungen, die schlummernden Willenskräfte zu wecken und zu ihrer vollen Wirksamkeit zu bringen. Aber müssen wir unbedingt auf den Zwang des Schicksals warten? Können wir nicht auch freiwillig aus eigener Initiative immer mehr Initiative entwickeln und mit eigener Ausdauer immer ausdauernder werden?

Beginnen Sie noch heute damit – denn mit dieser Initiative haben Sie bereits einen gewaltigen Vorsprung allen anderen gegenüber, die später anfangen. Und wenn Sie dann auch noch mit konsequenter Ausdauer vorwärts eilen, werden Sie manchen einholen, der zwar früher angefangen hat, aber sein Tempo nicht halten konnte.

7. Ich verrate Ihnen das Geheimnis unbegrenzter Ausdauer: Es ist die *Begeisterung*, auf die wir ja schon mehrfach zu sprechen kamen. Sie erinnern sich an den Unterschied zwischen Begeisterung und Berauschung: Gerade die Dauerwirkung ist ein sicheres Kennzeichen dafür, ob es sich um Berauschung oder Begeisterung handelt. Jeder Rausch geht rasch vorüber und hält vor allem keiner Belastung stand. Echte Begeisterung aber – die gar nicht laut zum Ausdruck zu kommen braucht, sondern wie eine stille, stetige Flamme im Herzen brennen kann – ist die seelische Energie, aus der sowohl die zielstrebige Ausdauer als auch das erleidende Aushalten-Können gespeist werden. Denken Sie nur an all die Menschen, die für irgendeine Idee Hab und Gut geopfert haben, sich verfolgen und quälen ließen und sogar ihr Leben hingaben. Nur der Begeisterung solcher Märtyrer verdankt jede Menschheitsidee – sei es eine weltanschaulich-religiöse, sei es eine politische oder wissenschaftliche – ihre Realisierung.

Und nur solange auch Sie Ihre Lebensziele mit ähnlicher Begeisterung verfolgen, werden Sie die Kraft haben, alle Hindernisse zu überwinden und alle Schwierigkeiten zu meistern, nötigenfalls aber auch jede Verfolgung zu erdulden und jede Not durchzustehen – bis auch die letzte Hürde genommen ist und nach einer vielleicht langen Leidensnacht die Sonne der Erfüllung aufgeht.

Wie aber kann man begeistert bleiben? Nicht nur der Rausch kann sich verflüchtigen, sondern bekanntlich kann auch die Begeisterung nachlassen. Das kommt dann daher, daß man sich für etwas Wesensfremdes, nicht der eigenen Individualität Entsprechendes hat begeistern lassen. Viele Menschen machen diesen Fehler, daß sie nicht nach Selbsterfüllung streben, sondern einem anderen nachfolgen oder ihn gar nachahmen. Man sagt auch, sie treiben Personenkult, indem sie sich ganz und gar von einem anderen Menschen abhängig machen, sich selbst aufgeben und so werden wollen wie dieser.

Solche Menschen haben kein überpersönliches Ideal, das jeder sich zum Vorbild nehmen und in seiner eigenen Weise verwirklichen kann, sondern sie haben ein persönliches Idol, dessen blinde Verehrung sie gerade von der notwendigen Selbstverwirklichung abbringt. Sie sind kein »Auto«, das heißt eine selbständige Persönlichkeit, die sich aus eigener Kraft bewegt und ihren eigenen Weg sucht – sondern ein »Anhänger«, der sich von einer »Lokomotive« ziehen läßt, also ein Mensch, der seine eigene Initiative, sein selbständiges Denken und Handeln aufgegeben hat und sich willenlos auf der von seinem Idol vorgeschriebenen Bahn fortbewegen läßt.

Je mehr aber diese Bahn dem eigenen Wesen fremd ist, desto mehr muß sie auf die Dauer von dem Weg abweichen, den man selbst hätte eigentlich finden und gehen sollen. Und wenn man das schließlich merkt, dann wird die anfängliche Begeisterung rasch schwinden. Man wird sich ernüchtert von dem Idol abwenden und oft in den entgegengesetzten Fehler verfallen, auch echte Ideale abzulehnen.

Wir aber, die wir solche Ideale verwirklichen wollen, sollten dabei den Satz beherzigen: »Viele Wege führen nach Rom.« Das bedeutet: Das Ideal bleibt für alle, die es anstreben, das gleiche. Aber ich muß aus der verwirrenden Fülle der Wege zu diesem Ideal, die zunächst alle sehr vielversprechend sind, meinen eigenen, sozusagen mir »auf den Leib geschriebenen« Weg finden. Denn selbst wenn andere Wege verlockender erscheinen, so führt nur dieser eine Weg mich mit Sicherheit zu meiner individuellen, also einmaligen und einzigartigen Realisierung des generellen Ideals. Und nur diesen meinen eigenen Weg kann ich daher auch unter allen Umständen durchstehen. Nur wenn ich ihn gefunden habe und auf ihm unbeirrbar weitergehe, wird meine Begeisterung niemals nachlassen und wird mich nichts und niemand mehr davon abbringen können.

Dann darf ich aber meinen Mitmenschen auch nur zeigen, wie ich meinen Weg gefunden habe und in welcher Weise ich darauf den gemeinsamen Idealen zustrebe. Ich kann sie ermutigen, es ebenso zu machen, und ich soll ihnen sogar helfen, ihren eigenen Weg zu finden. Wenn ich ihnen aber vorschreiben würde, wie sie auf meinem Wege hinterherkommen müßten, dann würde ich ihnen ja die eigene Initiative rauben und ihre Begeisterung lähmen.

Und das unterscheidet die echte Begeisterung vom blindwütigen Fanatismus, der alle Menschen auf seinen Weg zwingen möchte – unterscheidet beständige und konsequente Lebensmotivation von flüchtigen Suggestionen, die keinerlei Belastungen standhalten.

So werden auch Sie bald zu den begeisterten und begeisternden Menschen gehören, denen die Menschheit ihren ganzen inneren und äußeren Fortschritt verdankt – wenn Sie künftig keinen irreführenden Idolen mehr folgen, sondern in Ihrer ureigensten Weise allgemeingültige Ideale zu verwirklichen trachten. So werden Sie die Initiative Ihrer Selbstmotivation ständig steigern und die Ausdauer Ihrer Zielstrebigkeit stetig verstärken, bis auch Sie jene ebenso unbeirrbare wie gewaltlose *Bestimmtheit des Wollens* erreicht haben, die den souveränen »Lebemeister« (Eckehard) auszeichnet!

E. Ergänzung zur Ganzheit

1. Daß wir die vier menschlichen Grundkräfte nun genau kennen und im einzelnen zu entfalten vermögen, ist nicht einmal das Entscheidende. Sowohl der richtige Persönlichkeitsaufbau als auch die erfolgreiche Lebensbewältigung sind vielmehr das Resultat des *gleichzeitigen und gleichmäßigen Zusammenwirkens* aller vier Grundkräfte in ausgeglichenem Wechselspiel und harmonischem Einklang. Da keine dieser vier Kräfte für sich allein bestehen kann, sie sich vielmehr gegenseitig bedingen und durchdringen, entsteht nur dadurch eine wirklich »abgerundete« Persönlichkeit (der Sprachgebrauch zeigt also deutlich, worauf es dabei ankommt), daß keinerlei einseitige Über- oder Unterentwicklung die seelische Harmonie und das Gleichgewicht der Kräfte im allseitigen Ineinandergreifen ihrer Funktionen stört. Es muß also eine allmähliche und stetige *Steigerung und Stärkung des Gesamtgefüges* von Anfang an erstrebt und so schließlich auch erreicht werden.

Ergänzung zur Ganzheit muß stets die Parole bei jeder Einzelbemühung bleiben. Wenn man zum Beispiel Leibesübung betreibt, darf diese niemals zum bloßen Muskeltraining entarten oder gar – mit einer ebenso einseitigen Willensverkrampfung verknüpft – zur Rekordsucht übersteigert werden. Niemals darf überhaupt das körperliche Wirken allein im Vordergrund stehen oder gar Selbstzweck sein, denn: »Wo rohe Kräfte sinnlos walten, da kann sich kein Gebild gestalten« (Schiller). Es muß vielmehr auch bei der Leibesübung gleichzeitig das Denken angeregt werden, ja es sollte möglichst sogar Gelegenheit zur Übung der höheren Denkfunktionen gegeben sein (wie etwa bei den Meistern anspruchsvollerer Sportarten).

Schließlich darf auch die Gemütsbildung dabei nicht zu kurz kommen, müssen Schönheitsempfindung und Lebensfreude, gelöster Frohsinn wie ernste, gezügelte Besinnung gleichermaßen gepflegt werden. Darum ist alles, was das Erleben der Natur mit der Entfaltung der menschlichen Grundkräfte verbindet – wie Wandern und Bergsteigen, Skilanglauf, Segeln, Rudern, Paddeln und Schwimmen –, so besonders geeignet zur inneren und äußeren Weiterbildung, wenn wir nicht bloß gefühl- und gedankenlos durch die Gegend trotteln oder rasen, sondern wirklich von allen gebotenen natürlichen und geistigen Möglichkeiten den gehörigen Gebrauch machen.

Aber auch einseitige Gefühlsüberschwenglichkeit, übertriebene Natur- und Kunstschwärmerei und hemmungslose Rührseligkeit sind eines vollbewußten Menschen unwürdig. Deswegen soll bei allen gemütswirksamen Eindrücken und Erlebnissen zwar durchaus das Herz warm werden, aber der Kopf kühl bleiben. Es ist sehr empfehlenswert, auch die Tiefen des Gemüts zu ergründen und die heilsame Kraft erschütternder Gefühlsbewegungen mit der überzeugenden Klarheit erleuchtender Gedankenformen zu verbinden. Und diese ständige enge Verbindung und allseitig fruchtbare Wechselwirkung schafft der unbeirrbar auf Einheit und Ganzheit gerichtete Wille, der wiederum durch eine harmonische, ebenso ausgeglichene wie leistungsstarke Leiblichkeit zum Ausdruck kommt.

Jegliche Theorie ist nur so viel wert, wie sie die Praxis

umzugestalten und weiterzuführen vermag. Umgekehrt wird alles praktische Tun nur durch klarbewußtes Denken zum menschlichen Handeln. Beides aber, Theorie und Praxis, wird durch die Urmacht des Zentralwillens ins Leben gerufen und durch die treibende Kraft gemütswirksamer Vorstellungen in fortschreitender Bewegung gehalten.

In der Erkenntnis dieser Zusammenhänge und besonders in deren praktischer Anwendung ist uns der Ferne Osten weit überlegen. Dort gilt seit Jahrtausenden die Entfaltung und Pflege der menschlichen Grundkräfte als ein Kernstück des religiösen Erlebens und Strebens, weshalb sich im Laufe der Zeit großartige Systeme der ganzheitlichen Persönlichkeitsreifung entwickelt haben, wovon die bedeutendsten der Yoga in Indien und der Zen in Japan sind.

2. Nachdem *Yoga* schon seit einigen Jahrzehnten in wachsendem Maße im Abendland Beachtung findet und geübt wird, ergießt sich in den letzten Jahren geradezu eine »Yoga-Flut« über uns, die immer noch im Anschwellen ist. Hier das Richtige vom Verkehrten, das Echte vom bloß Nachgeahmten oder gar Verfälschten klar zu unterscheiden und die Frage gründlich zu klären, was dabei vorübergehende Mode und was von bleibendem Wert auch für uns ist – das würde den Rahmen dieses Buches weit überschreiten und soll daher in anderem Zusammenhang behandelt werden (siehe das Buch des Verfassers »Das spirituelle Menschenbild«).

Nur so viel sei schon jetzt und hier betont, daß Yoga – richtig verstanden – keineswegs etwa bloß ein Sammelsurium exotischer Zauberkunststücke ist (die Verwechslung von Yoga mit Fakirtum ist ungefähr ebenso absurd, wie wenn jemand bei uns ein Symphoniekonzert mit den Darbietungen von Straßenmusikanten oder einen liturgischen Gottesdienst mit einer Faschingsveranstaltung verwechseln würde). Yoga ist auch keine »heidnische Religion«, sondern einfach ein bis in die letzten Feinheiten ausgefeiltes System allseits wirksamer Lebenskunst, das also innerhalb jeder Religion bzw. Weltanschauung praktiziert werden kann und in jedem Falle zur Steigerung der Gesamtpersönlichkeit sowohl hinsichtlich ihrer inneren Reife als auch ihrer äußeren Leistungsfähigkeit führt.

Wenn man einmal selbst Yoga-Praxis zu treiben begonnen hat, wird man damit ebensowenig »fertig«, wie man in praktischer Lebenskunst jemals ausgelernt hat. Dann staunt man immer wieder über die unerschöpfliche Fülle dieser wahrhaft »königlichen Kunst« (wie die höchste Yoga-Stufe, der Raja-Yoga, tatsächlich am besten übersetzt werden kann); sie vermittelt ebenso umfassende Einsicht in das Wesen des Menschen und in die Gesetzmäßigkeit des Kosmos wie tiefgründige Lebensweisheit und klare Geistbewußtheit in durchaus allgemeingültiger Weise.

Im Unterschied zu mehr oder weniger oberflächlichen, einseitigen oder gar irreführenden westlichen Kopien besteht eben ursprüngliche Yoga-Praxis tatsächlich in der wohlausgewogenen Wechselwirkung aller vier menschlichen Grundkräfte:

Konsequente *Leibeszucht* durch Atemweitung und Nervenstärkung, Konzentrations- und Entspannungsübung, Körperbeherrschung, Entwicklung des vegetativen Nervensystems, bewußte Steuerung der willkürlichen Funktionen usw. (Hatha-Yoga).

Absolute *Gefühlskontrolle* durch Gewinnen von unerschütterlicher Seelenruhe und Gelassenheit einerseits, Steigerung der feinsinnlichen Empfindsamkeit und Sublimierung der Liebeskräfte andererseits (Bhakti-Yoga).

Gründlichste *Denkschulung* durch fortschreitende Bewußtseinsläuterung und -erweiterung, Begriffsklärung und Erkenntnisvertiefung (Jnana-Yoga).

Radikale *Willensübung* durch unbedingtes Maßhalten in allem, Nichtanhaften, Bedürfnis- und Wunschlosigkeit, Triebbeherrschung, Erziehung zur vollkommenen Freiheit des Handelns (Raja-Yoga).

Auf diesem Wege kann man in der Tat zur Vollendung des Menschseins gelangen und die höchsten Höhen des Daseins erreichen (empfehlenswertes Yoga-Schrifttum im Literatur-Verzeichnis).

3. In ganz ähnlicher Weise werden auch im *Zen* alle menschlichen Grundkräfte systematisch entwickelt, indem die verschiedensten äußeren Übungen als Mittel zur inneren Reifung und Vollendung der Gesamtpersönlichkeit Anwendung finden. Sowohl von der Seite der Leibesübung (Bogenschießen, Schwert- und Speerfechten) als auch von der künstlerischen Betätigung (Malen, Blumenstecken und Teezeremonie) wird die Ausbildung des ganzen Menschen zu einer innerlich wie äußerlich gleichermaßen vollendeten Persönlichkeit erstrebt und auch erreicht.

Durch Herrigel und Graf von Dürckheim (siehe Literaturverzeichnis) ist insbesondere das *Bogenschießen* als Beispiel dieser allseitigen und ganzheitlichen Erziehungsmethode bei uns bekannt geworden. Tatsächlich kann man uns als sportgewohnten Europäern gerade an diesem Beispiel besonders gut den grundsätzlichen Unterschied zwischen unserem Leistungsprinzip und dem östlichen Reifungsprinzip klarmachen. Wenn wir irgendeine Schießübung machen, so geht es uns selbstverständlich in erster Linie ums Treffen: Wir zählen die Ringe oder Punkte, um so ein möglichst großartiges Ergebnis zu erzielen und den Sieg davonzutragen. Ohne die Aussicht auf einen solchen Sieg über andere oder mindestens anerkannten Leistungsnachweis erscheint uns die ganze Mühe und Anstrengung des Trainings sinnlos.

Ganz anders der Zen-Übende: Für ihn darf beim Bogenschießen das Treffen überhaupt keine Rolle spielen, ja er darf zunächst nicht einmal treffen wollen. Er hat sich vielmehr voll und ganz nur auf die richtige Ausführung des Schießvorgangs an sich zu konzentrieren und in jahre-, vielleicht jahrzehntelanger Übung die sehr schwierige und ein Höchstmaß an allseitiger Körperbeherrschung erfordernde Technik des Bogenspannens und Loslassens des Pfeiles zu erlernen. Und das kann er nur, wenn er gleichzeitig eine vollkommene Beruhigung des Gemüts, Abgeklärtheit der Gedanken und Zielsicherheit des Wollens erworben hat, so daß aus dieser inneren Zielsicherheit heraus das äußere Ziel mit geradezu naturgesetzlicher Notwendigkeit getroffen werden muß, wenn die Ausführung des Schießvorganges mit entsprechend vollendeter Exaktheit geschieht. Dann trifft der Meister – wie berichtet wird – auch im Dunkeln, ohne hinzusehen, nicht nur einmal, sondern mehrmals hintereinander mitten ins Schwarze, weil der vollkommen richtig abgeschossene Pfeil gar nicht anders kann, als ins Ziel zu fliegen. Und beim *Malen* ist es ebenso: Nicht die Absicht, die Natur oder einen Gegenstand abzubilden oder überhaupt irgend etwas darzustellen (also auch keine inneren Vorstellungen wie etwa bei uns in der abstrakten Malerei), darf dabei maßgebend sein. Es muß vielmehr wiederum allein die Kunst der vollendeten Pinselführung in unendlicher Kleinarbeit und unablässigem Bemühen erlernt werden, und auch diese nicht um ihrer selbst willen, sondern gewissermaßen nur als ein Zipfel, an dem die ganze Decke angehoben wird. Das heißt, sie gleicht einem Konzentrationspunkt, von dem aus die totale Wandlung und Wesensfindung eingeleitet wird und an dem sich dann wieder die Vollendung der Persönlichkeit demonstriert. Erst wenn dieses Ziel erreicht ist, wird absichtslos ganz von selbst auch das vollendete Kunstwerk als exakter Ausdruck der vollendeten Persönlichkeit entstehen.

Dadurch gibt es in der Kultur des Zen kein Auseinanderfallen von Gelehrsamkeit, Künstlertum, handwerklichem Können und sportlicher Leistung, während bei uns bereits eine derartige Spaltung und Zersplitterung eingetreten ist, daß die einseitigen Repräsentanten der verschiedenen Fähigkeiten bzw. Betätigungen sich kaum mehr untereinander verständigen, geschweige denn noch eine gemeinsame kulturelle Schöpfung zustande bringen können, wie sie etwa noch die mittelalterlichen Dome darstellen.

Im Zen bleibt vielmehr stets die Übereinstimmung von äußerer Lebensleistung und innerer Reife, von Wissen und Können mit Charakterbildung und echter Menschlichkeit gewahrt, und darum hat man dort auch noch ein allgemeines Empfinden für menschliche Reife und Größe an sich, unabhängig von der jeweiligen Gesellschaftsklasse, beruflichen Stellung oder sonstigen leistungsorientierten Bewertung.

4. Für unsere eigene Lebensführung können wir daraus lernen:

Erstens bei anderen Menschen uns immer weniger von äußeren Dingen, wie Gesellschaftsschicht, Herkunft, Stellung, Titel usw., beeinflussen zu lassen und immer besser zu lernen, hinter der Erscheinung das Wesen zu erkennen, ein sicheres Empfinden für den inneren Reifegrad des Menschen zu bekommen und uns dementsprechend zu verhalten. Dadurch wird unser Leben immer mehr frei werden von sogenannten Enttäuschungen, weil wir uns dann eben nicht mehr durch die Oberfläche täuschen lassen, sondern Zugang zum Wesenskern gefunden haben und von einem Menschen darum nur so viel erwarten, wie er tatsächlich zu geben bzw. darzustellen vermag auf Grund der Durchlässigkeit der verschiedenen Schichten seiner Verkörperung für die Strahlkraft der Kernsubstanz.

Und zweitens werden wir uns bei uns selbst auch nicht mehr in erster Linie um irgendwelche Äußerlichkeiten abmühen, nicht mehr in irgendeiner Spezialisierung den Sinn des Menschen erblicken, sondern zuerst nach persönlicher Vervollkommnung durch möglichst allseitige Ausbildung der menschlichen Grundkräfte streben, weil nur auf einem solch festen, tragfähigen Fundament unser Lebensgebäude errichtet werden kann, das dann auch ruhig die verschiedensten Seitenflügel, Balkone und Türme – also Spezialgebiete und Sonderinteressen – haben kann, ohne baufällig zu werden oder einzustürzen.

Wenn ich zum Beispiel als Arbeiter oder Handwerker vorwiegend mit materiellen Dingen zu tun habe, so werde ich die dazu gewiß auch notwendigen materiellen Fertigkeiten und Spezialkenntnisse nur dann ohne Schaden für Gesundheit und Wesensentfaltung mir aneignen können, wenn dies auf der zuerst erworbenen sicheren Grundlage einer möglichst weitreichenden und tiefgreifenden Allgemeinbildung geschieht. Dabei ist Bildung allerdings im wörtlichen Sinne als Formung und Durchwirkung des ganzen Menschen aufzufassen und nicht als einseitiges Gehirntraining oder gar andressierte Beherrschung äußerer Umgangsformen. Nur so kann die unvermeidliche Schwerpunkt-Bildung bzw. -Beschränkung in der beruflichen Arbeit nicht zu einer einseitigen Verbildung oder menschenunwürdigen Verkümmerung der Gesamtpersönlichkeit führen.

Wenn ich umgekehrt vorwiegend im gedanklich-theoretischen Bereich zu Hause bin, so muß ich mich vor dem verhängnisvollen Irrtum hüten, besagte Allgemeinbildung mit bloßem Vielwissen zu verwechseln und die dabei mindestens ebenso wichtige Herzensbildung zu vernachlässigen oder in weltfremder Begriffsakrobatik einen Maßstab für wirkliche Intelligenz zu erblicken. Um die jedem intellektuell Arbeitenden drohende Gefahr zu vermeiden, sich zu einem lebensuntüchtigen Spekulanten oder kaltherzigen Intellektualisten zu entwickeln, muß man von vornherein für ausreichende Ergänzung sowohl durch handfeste Betätigung im materiellen Bereich als vor allem auch durch besonders sorgfältige Gemütsbildung sorgen. Nur dann wird auch ein noch so hoher Gedankenflug nicht mehr in unfruchtbarer Verstiegenheit enden, sondern in unmittelbar lebenswirksamem Handeln und schöpferischem Schaffen eine allseits segensreiche Auswirkung finden können.

IV. Gestaltung der Umwelt

Wir sind in vielfacher Weise von den Naturbedingungen unserer Umgebung abhängig. Von den natürlichen Lebenselementen, von der Landschaft bzw. Bodenbeschaffenheit, vom Wetter bzw. Klima, von Hitze und Kälte, Feuchtigkeit und Trockenheit, von Strahlungen und Schwingungen und vielen anderen Faktoren, deren Erforschung vielfach erst in den Anfängen steckt, deren lebenswichtige Bedeutung aber immer mehr erkannt wird. Daraus resultiert die praktische Konsequenz einer immer dringlicher werdenden Umweltgestaltung und -bewahrung zur Erhaltung bzw. Verbesserung der allgemeinen Lebensbedingungen ebenso wie einer immer durchgreifenderen Reform der speziellen Lebensführung jedes einzelnen.

A. Lebenselemente

Befassen wir uns zunächst mit den für unser physisches Leben maßgebenden Elementen Licht und Luft, Wasser und Erde. Da ein genaueres Eingehen auf diese Faktoren in diesem Rahmen nicht möglich ist, müssen wir uns allerdings mit kurzen Hinweisen begnügen. Doch sollte jeder Leser im eigenen Interesse diesen Hinweisen folgend sich selbst eingehender mit dem angeschnittenen Thema befassen.

1. Wie sehr das *Licht* bzw. die verschiedenen *Farben* als Abwandlungen des weißen Lichtes auf den menschlichen Organismus einwirken, das kann jeder an sich selbst be-

obachten, wenn er überhaupt einmal darauf achtet: Kleidung und Einrichtung, Arbeits- und Wohnräume, Gebrauchs- und Kunstgegenstände, Werbung usw. – es gibt eigentlich überhaupt kein Lebens- und Betätigungsgebiet, in dem Licht und Farbe nicht eine mehr oder weniger wichtige Rolle spielen. Es haben sich nicht nur Goethes Beobachtungen über den Charakter und die Wirkung der Farben voll und ganz bestätigt, sondern es werden darüber hinaus im Bereich der Spektralfarben, der Infrarot- und Ultraviolettstrahlung, des gebündelten und polarisierten Lichtes usw. ständig neue Entdeckungen gemacht und weitere Anwendungsgebiete erschlossen (siehe Literaturverzeichnis).

2. Und daß die *Luft*, die wir atmen, eines der wertvollsten, aber auch gefährdetsten Lebenselemente ist, darauf haben verantwortungsbewußte Wissenschaftler schon seit Jahrzehnten aufmerksam gemacht, denn im Fortschrittsrausch und rücksichtslosen Gewinnstreben der rasanten technischen Entwicklung wurden alle Warnungen mißachtet. Erst heute, da es vielleicht schon zu spät ist, beginnt es ins allgemeine Bewußtsein einzugehen, daß Reinerhaltung der Luft gleichbedeutend ist mit der Erhaltung des menschlichen Lebens auf der Erde. Aber auch für jeden Einzelmenschen ist sein persönlicher Anteil an der Atemluft mittels seiner Atmung eigentlich lebensentscheidend, wie später noch näher erläutert werden wird.

3. Was für die Luft gilt, hat für das *Wasser* dieselbe Gültigkeit: Es ist ein ebenso wertvolles wie gefährdetes Lebenselement, Die Vergiftung von Flüssen, Seen und ganzen Meeren, ja sogar des Grundwassers vollzieht sich vielfach noch rascher als die Luftverseuchung und bedeutet infolgedessen ein noch dringlicheres Problem. Andererseits wurde die besondere Heilkraft des Lebenselements Wasser schon seit Urzeiten erkannt und durch

Heilquellen, Badeorte, Sauna, Wasserkuren-Anwendungen genützt (man braucht nur den Namen »Kneipp« zu nennen). Die spezielle Wirkung von Regen- und Meerwasser (letzteres hat ja eine ähnliche Zusammensetzung wie die Blutflüssigkeit) sowie der im Wasser gelösten Salze und Spurenelemente – das alles wird immer besser erforscht, so daß Wasser nicht nur ein Hauptbestandteil der Naturheilkunde und der biologischen Heilweisen ist, sondern sogar künftig ein immer größerer Anteil unserer Ernährung aus dem Wasser stammen wird (Hydrokulturen, Algen usw.).

4. Schließlich haben wir heute erkannt, daß auch die *Erde* nicht bloß »vergänglicher Staub« ist, sondern ein wertvolles Heilmittel (Heilerde, Schlammbäder, Mineralwirkungen usw.) ebenso wie Trägerin regenerierender Lebenskräfte. Das kann jeder selbst erfahren, wenn er sich einmal entsprechend entspannt, gelöst und aufgeschlossen auf den bloßen Erdboden legt, sei es eine saftige Wiese, ein frisch gepflügter Acker, der warme Sand oder eine sonnendurchglühte Felsplatte.

Es ist ein wesentliches Stück Lebenskunst, die natürlichen Gegebenheiten unserer Umgebung möglichst genau zu kennen, um uns einerseits anpassen und sie andererseits für die Gesunderhaltung oder Heilung unseres Organismus verwerten zu können. Darum ist es auch kein Zufall, daß gerade heute im Zeitalter höchstentwickelter Technik alles Natürliche und Naturgemäße doppelte Bedeutung gewonnen hat: Denn wie ein Baum seine Wurzeln um so tiefer in die Erde senken muß, je höher er seine Wipfel in den Himmel erhebt, so muß auch der Mensch um so sorgfältiger die Natur in sich und um sich pflegen, je weiter er mit seiner Kultur über die Naturgegebenheiten hinaus sowohl in die Bereiche des unendlich Kleinen als auch des unendlich Großen sich wagt und immer neue Geisteswelten erschließt.

B. Atmosphäre

1. Daß der Einfluß des *Wetters* für unser Befinden und Leistungsvermögen sehr wesentlich ist, dürfte allgemein bekannt sein. Doch werden diese Zusammenhänge in der Praxis meist noch viel zu wenig beachtet, wodurch man sich unnötigen Erschwerungen oder gar Gesundheitsschädigungen aussetzt.

Die atmosphärischen Druck- und Spannungsveränderungen, die das Wetter bedingen, wirken hauptsächlich auf das vegetative Nervensystem und beeinflussen damit unsere sämtlichen Organfunktionen. Empfindsame Menschen können durch Gewitter, Sturm – besonders durch den berüchtigten Föhn –, plötzlichen Wettersturz usw. so sehr in ihren Funktionen gestört werden, daß sie leistungsunfähig oder sogar regelrecht krank werden. Die harmlosen Formen der »Wetteransage« durch Hühneraugen, Frostbeulen, rheumatische Körperstellen, Ischias, Wundnarben usw. sind so häufig, daß wohl jeder Leser davon gehört hat, wenn er nicht selbst damit behaftet ist. Weniger bekannt sind die Einwirkungen der Sonnenflekken und der durch sie verursachten sogenannten magnetischen Gewitter auf das elektromagnetische Feld des menschlichen Nervensystems. Doch ist durch neuere Forschungen der Zusammenhang mit gehäuften Selbstmorden und Unglücksfällen, unglücklich verlaufenden Operationen und akuten Erkrankungen, mit Fehlleistungen und Versagen auf den verschiedensten Gebieten nachgewiesen, so daß wir – ebenso wie wir in den Biorhythmen eine innermenschliche Ursache für Schwankungen oder gar Brüche der Lebensbahn gefunden haben – hier eine außermenschliche Ursache entdecken konnten, durch deren noch genauere Erforschung vieles von dem verhütet werden kann, was wir heute noch dem sogenannten Zufall überlassen müssen.

Dies um so mehr, wenn die Forschung auch noch auf das weitverzweigte Gebiet der Erdstrahlen einerseits und der kosmobiologischen Einwirkungen andererseits ausgedehnt wird. Tatsächlich gibt es bereits Medizin-Meteorologen, die jene Zusammenhänge zwischen dem Wetter und dem menschlichen Organismus genauer untersuchen. Dabei geht es nicht nur um die besonders wetterempfindlichen Krankheiten, wie Asthma, Thrombose, Koliken, Migräne, Angina, Grippe, Kreislaufstörungen, Nervenleiden usw., sondern auch um die erwähnten allgemeinen Störungen, die in vermehrten Unglücksfällen und Fehlleistungen zum Ausdruck kommen. Und zwar werden hauptsächlich zwei Arten von verursachenden Wetterfaktoren unterschieden: erstens die in Bodennähe wirkenden, wie Temperatur, Feuchtigkeit, Wind, chemische Luftbestandteile, mineralische Spurenelemente usw. Zweitens die kosmischen Vorgänge elektromagnetischer und strahlungsmäßiger Art, deren Erforschung schon im Zusammenhang mit der Atomphysik wachsende Bedeutung gewinnt und deren Ergebnisse sicherlich in vieler Hinsicht revolutionierend bis in unser tägliches Leben hinein sich auswirken werden.

Doch kann heute schon jeder, auch wenn er von all diesen Dingen theoretisch nichts weiß, sich praktisch vor vielen Schwierigkeiten und Zwischenfällen bewahren, wenn er mehr auf sein Körpergefühl bzw. seine »Leibesvernunft« (wie es Nietzsche genannt hat) zu achten und dementsprechend zu reagieren lernt. Es gibt manchmal Tage, an denen man schon morgens am liebsten im Bett liegenbleiben würde und zwar nicht etwa aus Müdigkeit, denn man kann sogar gut ausgeschlafen sein, sondern aus einem unbestimmten Gefühl des Unbehagens, der Mißgestimmtheit, der Spannung oder gar Angst heraus, das man sich verstandesmäßig nicht erklären kann, solange man von den eben angedeuteten Zusammenhängen nichts weiß. Dennoch ist gerade dieses Gefühl eine angemessene Reaktion unseres Organismus auf solche unbekannten atmosphärischen Einflüsse. Demgemäß finden wir diese Reaktion dann meist auch im Verlauf des Tages bestätigt, so daß wir vielleicht sogar sagen: »Wäre ich doch tatsächlich im Bett liegengeblieben, dann wäre das alles nicht passiert!«

Natürlich geht es nicht an, wegen jeder schlechten Stimmung oder Ahnung gleich im Bett liegenzubleiben, doch sollten wir diese Sprache unserer »Leibesvernunft« auf jeden Fall ernst nehmen und wenigstens wissen, daß wir an solchen Tagen besonders gefährdet sind und uns ganz besonderer Vorsicht und Wachsamkeit befleißigen müssen.

Es ist bekannt, daß Tiere zum Beispiel Naturkatastrophen oder sonstige unmittelbar drohende Gefahren im voraus spüren und schon manches Menschenleben dadurch gerettet haben. Aber auch im menschlichen Organismus ist dieser »Natursinn« noch lebendig, so daß derjenige, der darauf achten gelernt hat, indem er die Regungen des vegetativen Nervensystems auch im wachbewußten Zustand nicht völlig von der Großhirntätigkeit übertönen läßt, wieder »hellhörig« werden kann auch für das außermenschliche Naturgeschehen. Ein solcher Mensch kann dadurch nicht nur z. B. sich selber aus unmittelbarer Gefahr retten, sondern auch im täglichen Leben der Natur angepaßter sein und darum reibungsloser und erfolgreicher das Leben und die Arbeit bewältigen als der aller natürlichen Fähigkeiten beraubte, bloße Verstandesmensch.

2. Aus den obengenannten Gründen ist der Mensch auch mehr oder weniger vom *Klima* abhängig, das heißt also von der Höhenlage bzw. vom Luftdruck, vom Feuchtig-

keitsgehalt oder von der Trockenheit der Luft ebenso wie von Hitze oder Kälte. Es ist bekannt, daß ganz allgemein extrem kaltes oder heißes Klima ebenso wie allzugroße Feuchtigkeit oder Trockenheit dem menschlichen Organismus abträglich sind, weshalb große Kulturen immer nur in Gebieten mit gemäßigtem Klima und mittlerer Luftfeuchtigkeit bzw. günstigem Jahreszeitenwechsel entstanden sind. Weder am Äquator noch an den Polen, weder in Wüsten noch in Urwäldern kann sich der Mensch voll entfalten. Nur da, wo die Natur dem menschlichen Organismus günstige Lebensbedingungen bietet, kann sich die menschliche Intelligenz zu entsprechender Höhe erheben und auf dem Fundament der natürlichen Gegebenheiten ihre »himmelstürmenden« Werke schaffen.

Darüber hinaus reagiert aber auch der einzelne Mensch in individueller Weise auf die klimatischen Einflüsse:

Der eine hält es auf die Dauer nur im trockenen Landklima aus, dem anderen bekommt das feuchte Seeklima besser, der eine fühlt sich in der stärksten Sonnenhitze am wohlsten, der andere in der strengsten winterlichen Kälte, der eine braucht unbedingt leichte Höhenluft, der andere die schwere Luft der Tiefebene, und ein dritter bevorzugt das liebliche Mittelgebirgsklima oder gar den warmen Süden. Je nach Konstitution, Gesundheitszustand und persönlicher Neigung sind für die Menschen die verschiedensten klimatischen Bedingungen innerhalb des obenerwähnten allgemeingültigen Rahmens am zuträglichsten, so daß man da keine festen Regeln aufstellen kann. Es muß vielmehr jeder selbst herausfinden, wo und wann es ihm am wohlsten ist und wo er am leistungsfähigsten bleibt. Das aber tatsächlich herauszufinden und sich dann nach Möglichkeit entsprechend einzurichten, sollte doch jeder Mensch sich bemühen. Was nützt zum Beispiel eine noch so gute Stellung in einer bestimmten Stadt, wenn ich einfach das dortige Klima nicht vertrage und daher dauernd leistungsgehemmt bin oder krank werde? In diesem Falle werde ich, wenn auch schweren Herzens, auf diese Stelle verzichten und mich nach anderen Möglichkeiten in einem mir zuträglicheren Klima umsehen müssen. Oder daß ein Mensch, der an Höhenkrankheit leidet, nicht Flieger, Bergführer oder Forschungsreisender werden kann, ist wohl klar. Wie oft aber kümmert man sich zu wenig oder nicht rechtzeitig genug um diese Dinge und wird dann erst durch Schaden klug! Das gilt besonders auch für solche, die gerne auswandern wollen: Sie sollten diese biologischen Faktoren ebenso in Betracht ziehen wie die wirtschaftlichen Gesichtspunkte.

C. Landschaft und Bodenbeschaffenheit

Diese hängen ja eng mit dem Klima zusammen bzw. sind sogar mitverursachend. Es ist eigentümlich, wie sehr die *Landschaft* die Menschen prägt: Schon bei der Bildung der Menschenrassen waren Landschaft und Klima wesentlich mitbeteiligt – aber auch heute noch ist die prägende Gewalt des »Lebensraumes« unmittelbar wirksam. Dies können wir besonders deutlich beim »Schmelztiegel« Nordamerika feststellen: Schon nach drei Generationen sind die ursprünglichen Eigentümlichkeiten der zugewanderten Völkerschaften fast verschwunden und »waschechte« Nordamerikaner daraus geworden.

Aber auch in unserem Raum können wir beobachten, wie sehr ein Gebirgler, etwa ein Tiroler oder Schweizer Bergbauer, sich von einem Bewohner der Tiefebene oder der »Waterkant«, etwa einem Heidebauern oder niedersächsischen Fischer, unterscheidet. Oder nehmen wir die charakteristische Prägung des englischen Inselvolkes im Unterschied zum osteuropäischen Steppenbewohner. Die *Gestaltungsformen* der uns umgebenden Natur – Hochgebirge und Tiefebene, Mittelgebirge und Hochebene, Wald und Wiese, Erde und Gewässer, Fels und Sand, Moor und Heide usw. – sind keineswegs nur für Pflanzen und Tiere maßgebend, sondern bestimmen auch Wachstum und Entwicklung, Haltung und Stimmung des Menschen in weit höherem Maße, als wir zunächst annehmen. Es gehört daher mit zur Lebensbewältigung, auch diesen Gegebenheiten entsprechende Beachtung zu zollen und weder gedankenlos »wie das liebe Vieh« durch die Gegend zu trotten, noch umgekehrt in intellektueller Überheblichkeit zu meinen, die »Krone der Schöpfung« brauche sich um die »niedere Natur« nicht mehr zu kümmern. Die Aufgabe des Menschen ist es vielmehr, sich sowohl mit seiner Leiblichkeit gehörig der Natur einzufügen und anzupassen, als auch mittels seiner Intelligenz seinerseits die Natur zu veredeln, neu zu gestalten und zu vollenden. Wer in diesem Bewußtsein die Naturgegebenheiten aufnimmt und verwertet, also nicht willkürlich zerstörend oder unbedenklich raubbautreibend in die natürliche Ordnung eingreift, sondern sie verständnisvoll erkennend und in sein Leben einbeziehend weiterführt, dem wird vieles zum Nutzen und Segen gereichen, womit sich andere unwissentlich Schaden zufügen und Schwierigkeiten bereiten.

D. Technik

Gerade die Bewältigung der Technik wird immer vordringlicher, weil von ihr letzten Endes das Weiterbestehen der Menschheit abhängt. Allerdings wird die Lösung dieser Aufgabe immer schwieriger, denn die Technik – genauer gesagt, die unbewältigte Technik – drängt uns in eine immer schlimmere Naturentfremdung und zerstört unsere natürlichen Lebensgrundlagen. Bei Licht besehen bedeuten die großartigen technischen Leistungen des Vordringens in den Weltraum doch nur ein spektakuläres Hinwegtäuschen über die Unfähigkeit, selbst die einfachsten technischen Probleme auf der Erde zu lösen! Hätte man die dafür ausgegebenen Unsummen statt dessen für irdische Probleme, für wirklich durchgreifenden Umweltschutz, für neue, nicht mehr lebensbedrohende Lösungen des Energieproblems, für energische Eindämmung der Verkehrsunfälle durch Entwicklung besserer Verkehrsmittel und wirksamere Erziehung der Menschen zum Umgang mit gefährlichen Maschinen verwendet, dann wären wir schon etwas weiter in der Bewältigung der tatsächlichen Menschheitsaufgabe dieses Jahrhunderts: die Technik aus einem Fluch in einen Segen zu verwandeln!

Das aber geschieht weder durch Verteufelung der Technik und weltfremde Rufe »Zurück zur Natur!« noch durch blinde Fortschrittsgläubigkeit und selbstmörderische Zerstörung der Natur. Wir können und sollen das Rad der Geschichte nicht zurückdrehen, wir können und dürfen uns aber auch nicht über die Natur hinwegsetzen, denn unser eigener Organismus ist und bleibt ebenso Natur, wie alles, was dieser Organismus zum Leben braucht.

Versuchen Sie einmal, einerseits alle gebotenen techni-

schen Möglichkeiten zur Erleichterung und Verschöne-
rung Ihres Lebens zu benützen, andererseits aber streng
darauf zu achten, daß Sie dadurch sich selbst und andere
möglichst wenig schädigen. Das bedeutet, daß Sie sich
nicht mehr von Maschinen tyrannisieren lassen und – wie
man so treffend sagt – »Maschinen bedienen«, sondern
daß die Maschinen nur Ihnen dienen, um Ihre Lebensqualität zu steigern. Wie das im Großen zu schaffen ist,
damit beschäftigen sich die Futurologen und verantwor-
tungsbewußten Denker in allen menschlichen Betäti-
gungsgebieten (siehe Literaturverzeichnis).

Wie Sie es im Kleinen persönlich schaffen können, das
werden Sie wissen, wenn Sie dieses Buch nicht nur durch-
gelesen, sondern wirklich beherzigt haben.

V. Anpassung an die Lebensrhythmen

Wir leben nicht im abstrakten Raum, sondern unser Körper ist ein Stück Natur auf dieser Erde. Deswegen müssen wir uns auch den naturgegebenen Lebensbedingungen anpassen, wenn wir wirklich das Beste aus unserem Leben machen wollen. Während wir die im vorherigen Abschnitt behandelten Umwelteinflüsse weitgehend mitgestalten und sogar verändern können, durchdringen die allgemeinen Lebensrhythmen, die das gesamte Leben bestimmen, auch unseren Organismus zwangsläufig, so daß wir hier nur durch immer bessere bzw. bewußtere Anpassung unsere eigenen Energien steigern und voll entfalten können. Wir behandeln daher im folgenden die verschiedenartigen Rhythmen, die alle gleichzeitig in uns wirksam sind, vom kürzesten Rhythmus der Atmung bis zum längsten Rhythmus der Reifungsphasen der Lebensalter.

A. Atmung

Der kürzeste Lebensrhythmus ist die *Atmung,* verbunden mit dem Herzschlag. Ein Mensch, der sich voll entfalten will, muß daher zuerst einmal richtig atmen, denn der Atem ist der universelle Energieschlüssel – physisch, psychisch und spirituell: Sehr richtig sagt man von einem erfolgreichen Menschen, er habe den »längeren Atem«.

1. Zunächst sollten wir uns der Doppelbedeutung unseres Atems bewußt werden. Der aufrechtstehende Mensch, der sich seiner selbst bewußt ist, bildet gewissermaßen die Achse zwischen Himmel und Erde: von der

Erde getragen mit seinem Körper und ins Unendliche reichend mit seinem Bewußtsein. So ist der Atem die Verbindung zwischen der tragenden Kraft der Erde von unten und der Bewußtseinskraft, die von oben den Menschen hält. Bis zum Becken wird der Mensch nämlich von den Beinen gestützt. Aufrecht erhalten aber wird er von seinem Bewußtsein, also sozusagen vom Kopf, denn wenn das Bewußtsein schwindet, fällt der Mensch um. Daher kommt es auch, daß die Ausdrücke »umfallen – sich aufrichten – aufrechte Haltung« sowohl in bezug auf den Körper als auch in bezug auf den Charakter gebraucht werden. Beides ist eben tatsächlich gleichbedeutend, denn Sie erinnern sich: Der Körper ist die Haut der Seele.

Im Atem wirkt die Tragkraft der Erde von unten und die Bewußtseinskraft des Geistes von oben, und in der Körpermitte stoßen gewissermaßen beide zusammen und versetzen unser Zwerchfell in Schwingung. So ist die Atmung das Auf und Ab zwischen Himmel und Erde, das heißt das Hin- und Herschwingen zwischen dem geistigen Bewußtsein und den irdischen Lebensenergien.

Demnach wirkt das *Einatmen bewußtseinsverstärkend* (die Sauerstoffzufuhr belebt die Gehirnzellen): Wir werden um so wacher, konzentrierter und lebhafter, je tiefer wir einatmen. Umgekehrt wirkt die *Ausatmung bewußtseinsdämpfend:* Wir werden um so schläfriger, zerstreuter und lässiger, je mehr wir ausatmen. Darum atmen wir ja auch um so kürzer und oberflächlicher, je aufgeregter, zorniger oder ängstlicher wir sind, und um so länger und tiefer, je ruhiger, friedlicher und furchtloser wir sind.

Dies hängt aber auch schon mit der zweiten Bedeutung des Atems zusammen: Gewissermaßen auf der waagerechten Ebene der mitmenschlichen Beziehungen vollzieht sich die soziale Polarität von Nehmen und Geben,

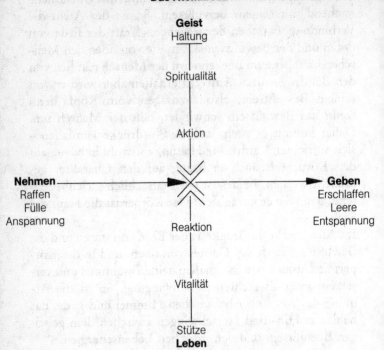

Das Atemkreuz

Geist
Haltung

Spiritualität

Aktion

Nehmen ➤ ✕ ➤ **Geben**
Raffen Erschlaffen
Fülle Leere
Anspannung Entspannung

Reaktion

Vitalität

Stütze
Leben

Festhalten und Loslassen, In-sich-Aufnehmen und Aus-sich-Herausgehen.

Beim *Einatmen füllen* wir uns an und behalten die Luft, um das Blut zu entgiften und den ganzen Organismus zu beleben. Wir werden also um so aktiver, straffer und angespannter, je kräftiger wir einatmen. Beim *Ausatmen entleeren* wir uns und entlassen die Luft, wobei der Organismus stillgelegt wird. Wir werden um so passiver, schlaffer und entspannter, je länger wir ausatmen.

2. Infolgedessen kann man durch *bewußte Atmung* Denken, Fühlen und Wirken gleichermaßen beeinflussen: Im-

mer, wenn Sie körperlich ermüden oder schlapp werden oder wenn Ihre gedankliche Konzentration nachläßt, aber auch, wenn Sie von schlechter Laune oder gar depressiven Anwandlungen geplagt werden, wenn Sie also *Erfrischung und Ermutigung* brauchen, dann müssen Sie sehr lange und tief mit dem Zwerchfell (nicht mit dem Brustkorb!) *einatmen,* den Atem anhalten und dann kurz und stoßweise ausatmen. Das wiederholen Sie mehrmals, bis Sie die belebende und aktivierende Wirkung spüren. Es ist erheblich billiger und vor allem gesünder und nachhaltiger wirksam als Kaffee und sonstige Aufputschmittel.

Wenn Sie umgekehrt sich aufregen, nervös werden, körperlich oder gedanklich überanstrengt sind oder gar »durchzudrehen« beginnen, wenn Sie also *Beruhigung und Entspannung* nötig haben – dann müssen Sie kurz und kräftig einatmen, so langsam wie möglich *ausatmen* und erst wieder einatmen, wenn sie nicht mehr ausgeatmet bleiben können. Je rascher und heftiger Sie zuerst atmen mußten, desto intensiver müssen Sie sich durch diese Übung dazu bringen, immer ruhiger und langsamer zu atmen. Wenn Ihnen das einmal zur Gewohnheit geworden ist, werden Sie kaum mehr Beruhigungsmittel benötigen.

Die wirksamste Methode der *Atemkontrolle und Atemregulierung* ist der *rhythmische Atem*, durch den wir Atmung und Pulsschlag in Einklang bringen. Tatsächlich vollzieht sich die Atmung in einem vierfachen Rhythmus:

1. Einatmen = zentripetale Energiesteigerung bis zum Funktionsmaximum.
2. Eingeatmetsein = Höchstmaß an organischer Wirksamkeit und Anspannung.
3. Ausatmen = zentrifugales Absinken bis zum Funktionsminimum.
4. Ausgeatmetsein = Höchstmaß an mentaler Verinnerlichung und Entspannung.

Hierbei sind die beiden Zustände der Fülle und der Leere das Wesentliche, und die beiden aktiven Phasen dienen vor allem zur Herbeiführung dieser Zustände. Wenn alle vier Phasen genau gleich lang sind, befindet sich die Atmung im Gleichgewicht und läuft gewissermaßen vollkommen rund wie ein ausgewuchtetes Rad. So atmen daher gesunde Kinder, wenn sie etwa ungestört in ein Spiel vertieft sind oder im Schlaf.

Bei den meisten Erwachsenen ist dieses Gleichgewicht von angespannter Aktivität und entspannter Passivität aber gestört. Sie sind nicht mehr in ihrem Wesenskern zentriert, sondern haben ihren Schwerpunkt in irgendeinen Außenbezirk verlagert, so daß ihr »Atemrad« aus dem Gleichgewicht geraten ist und »eiert«. Bei Überaktivität und Streß ist die Einatmung überbetont, bei Hemmung, Resignation oder allzugroßem Phlegma ist die Ausatmung überbetont. Die einen sind verkrampft und verspannt und leiden an den durch Überfunktion verursachten Gesundheitsstörungen, die anderen sind schlaff und labil und haben die durch Unterfunktion verursachten Leiden.

Um also solche Fehlhaltungen von vornherein zu vermeiden und jede Tendenz zum einen oder anderen Extrem sofort feststellen und korrigieren zu können, sollte man die *Atemkontrolle* durch den rhythmischen Atem möglichst oft durchführen: Fühlen Sie Ihren Puls am Handgelenk oder an der Halsschlagader und achten Sie nun darauf, daß jede der vier oben beschriebenen Atemphasen genau die gleiche Zahl von Pulsschlägen umfaßt. Beginnen Sie etwa mit 7 Pulsschlägen einatmen, und begrenzen Sie dann auch das Eingeatmetsein, die Ausatmung und das Ausgeatmetsein genau auf sieben Pulsschläge, so daß der ganze Atemvorgang 28 Pulsschläge umfaßt. Sollte Ihnen schon hierbei irgendeine Phase schwerfallen, dann haben Sie erstens einen sehr flachen Atem und zweitens schon eine erhebliche Rhythmusstörung. Sie müßten also schleunigst Ihre Lebens- und Arbeitsweise entsprechend korrigieren: wenn die erste oder zweite Phase schwerfällt, aktiver werden, wenn die dritte oder vierte Phase schwerfällt, sich beruhigen. Dieses Bemühen können Sie natürlich durch die oben beschriebenen, beruhigenden oder aktivierenden Atemübungen unterstützen.

Während man bei unkontrollierten Atemübungen dazu neigt, die Atemphase, die man ohnehin schon am besten beherrscht, noch mehr zu verstärken, also nur immer einseitiger zu werden, muß man beim rhythmischen Atem alle anderen Phasen der jeweils schwierigsten Phase anpassen und darf nur durch allmähliche Verbesserung dieser schwierigen Phase die ganze Atmung steigern. Auf diese Weise wird die Gefährdung durch forcierte Atemübungen vermieden und dennoch eine auf die Dauer höchst wirksame Atemübung ermöglicht.

Sind viermal sieben Pulsschläge das Minimum für einen gesunden Atem, so liegt das Maximum bei viermal 25 bis viermal 30 Pulsschlägen (volle Zwerchfell- und Flankenatmung, ausgeglichenes Gemüt und körperliche Ruhe).

Wenn Sie insbesondere vor dem Einschlafen den rhythmischen Atem so lange üben, bis Sie das für Sie jeweils mögliche Maximum erreicht haben (wozu Sie natürlich zunächst einmal die notwendigen physischen und psychischen Voraussetzungen schaffen müssen) – dann gibt es in der Tat kein besseres Schlafmittel. Benützen Sie hierzu die beiden Kassetten »Tiefenentspannung« und »Atemtraining« des Fitneß-Programms im Kassetten-Set der METHODE DR. ENDRES.

B. Konzentration und Entspannung

1. Ein weiterer wesentlicher Rhythmus, der unser ganzes Leben bestimmt, ist die polare Wechselwirkung von Konzentration und Entspannung, Aktivität und Passivität (Tätigkeit und Ruhe), Anstrengung und Erholung. Die körperliche Auswirkung ist der lebensbestimmende Rhythmus von Herzschlag (Diastole und Systole = Zusammenziehung und Ausdehnung) und Atmung (Einatmung und Ausatmung = Spannungsfülle und Lösungsleere). Die psychophysische Auswirkung umfaßt sowohl den ganzen Menschen als auch alle Bereiche des Gefühlslebens und der Verstandestätigkeit.

Demgemäß sollten wir stets genauer auf diesen *Rhythmus* achten und z. B. wissen, daß jede konzentrierte Arbeit nur aus einer vorherigen Entspannung heraus möglich ist und um so raschere und gründlichere Erholung erfordert, je anstrengender sie ist.

Wie oft aber versündigen wir uns gegen dieses grundlegende Lebensgesetz. Schon in der Schule wird eine konzentrierte Aufmerksamkeit von 50 Minuten Dauer verlangt und oft sogar noch Stillsitzen dabei gefordert – psychologisch einfach eine Unmöglichkeit. Man versuche einmal als Erwachsener, sich nur eine Viertelstunde lang so vollständig auf eine Arbeit zu konzentrieren, daß dabei weder ein Gedanke abschweift noch Gefühle mit einem durchgehen, ja, daß man dabei sich selbst und seine Umgebung vergißt und restlos dieser Arbeit hingegeben ist – und man wird zugeben müssen, daß das schon sehr viel bedeutet. Um wieviel schwerer, ja geradezu unmöglich muß es für ein Kind sein, sich über dreimal so lange zu konzentrieren.

Und wenn in höheren Schulen bei Klassenarbeiten sogar mehrere Stunden ohne Pause zusammengelegt werden, so ist das natürlich erst recht ein Unding und vom gesundheitlichen wie arbeitskundlichen Standpunkt aus überhaupt nicht zu verantworten, denn der leistungsmäßige Erfolg bzw. Mißerfolg steht in gar keinem Verhältnis zu den notwendigen Folgen von Kopfweh, nervösen Störungen und noch schwereren Schädigungen. Wenn diese Unvernunft aber – wie bei den meisten von uns – jahre- und jahrzehntelang fortgesetzt wurde, so ist es kein Wunder, daß ein solcher Mensch überhaupt keiner richtigen Konzentration mehr fähig ist und sich demgemäß auch nicht mehr richtig entspannen kann, so daß ihn einerseits die Arbeit immer mehr anstrengt, er andererseits aber in seiner Verkrampfung auch keine wirksame Erholung mehr finden kann, bis er schließlich zusammenbricht und durch einen Herzinfarkt oder Schlaganfall ein frühzeitiges Ende findet (sog. Managerkrankheit).

Demgegenüber liegt es also im ureigensten Interesse jedes einzelnen, sich über das Lebensgesetz der Wechselwirkung von Konzentration und Entspannung klarzuwerden und sich dementsprechend zu verhalten. Beim gesunden, unverbildeten Kind können wir beides am besten studieren: das Vermögen zu vollkommener Konzentration, unermüdlicher Tätigkeit und erstaunlicher Beweglichkeit einerseits – die Fähigkeit zu restloser Entspannung, vollendeter physischer Gelöstheit und in sich ruhender psychischer Unbeschwertheit andererseits.

Darum eben können Kinder so völlig hingegeben und mit bewundernswerter Ausdauer spielen (was ja bei ihnen gleichbedeutend ist mit der Arbeit der Erwachsenen), weil sie gleichzeitig bzw. in kurzem rhythmischem Wechsel ebenso »gänzlich abwesend« sein und selbstvergessen »träumen« können. Das ist keineswegs »sprunghaft« und »unberechenbar«, wie wir Erwachsenen oft irrtümlich meinen, sondern das Kind folgt dabei unbewußt ganz richtig dem ihm innewohnenden lebensgesetzlichen Rhythmus von Konzentration und Entspannung, dessen Phasen natürlich bei den einzelnen Menschen verschieden sind (daher bei lebhaften, sehr aktiven Kindern ein entsprechend rascher Phasenwechsel, bei stillen, mehr passiven Kindern ein entsprechend langsamer). Dasselbe können wir z. B. auch bei einer Katze beobachten: Wenn sie unter Umständen stundenlang in angespannter Konzentration vor einem Mauseloch sitzt, so vollbringt sie damit eine uns Menschen kaum mögliche Leistung – sie kann aber auch genausolange völlig entspannt auf der Ofenbank liegen und »spinnen«.

Das Geheimnis andauernder, hoher Leistungsfähigkeit ohne die schädlichen Folgeerscheinungen von Überanstrengung und Verkrampfung ist folgendes: Wenn man arbeitet, dann arbeite man nur mit größtmöglicher Konzentration und angespannter Aufmerksamkeit, sei also mindestens ebenso voll und ganz bei der Sache wie das Kind bei seinem Spielzeug oder die Katze vor dem Mauseloch. Und sobald die Konzentration nachläßt, entspanne man sich kurz, aber vollständig, bis man dadurch wieder zu erneuter vollkommener Konzentration fähig wird. Und wenn man anfangs vielleicht nur 10 Minuten lang in solcher Konzentration arbeiten kann, dann muß man eben alle 10 Minuten eine Entspannungspause von vielleicht 1 Minute einlegen, bis man gerade dadurch lernt, die Konzentrationsmöglichkeit immer länger auszudehnen und die Entspannung immer wirksamer werden zu lassen, so daß man immer kürzere Zeit dafür benötigt.

2. Ein weiteres Grundgesetz der Konzentration ist schon im Wort angedeutet: Konzentration bedeutet nämlich Sammlung auf einen bestimmten Punkt, ist also das Gegenteil von Zerstreuung und Zersplitterung. Praktisch

heißt das: Volle gedankliche Konzentration ist nur möglich bei körperlicher Entspannung, körperliche Anstrengung nur bei Entlastung des Gehirns, und beides nur in gefühlsmäßiger Ausgeglichenheit und Gemütsruhe.

Jeder von uns hat sicherlich schon erfahren, daß gerade bei starker gedanklicher Konzentration der Körper sich gewissermaßen selbständig macht und allerhand unbeherrschte, unwillkürliche Bewegungen oder Betätigungen vollführt (Männchen malen, Bleistift oder Nägel kauen, am Kopf oder an sonstigen Körperteilen kratzen usw.). Kluge Leute haben daher z. B. im religiösen Bereich zum Erlangen einer vollen Gebetskonzentration den Rosenkranz oder die Konzentrationskugel erfunden, um dadurch den Körper einerseits zu beschäftigen, andererseits von unbeherrschten Bewegungen abzuhalten.

Und in modernen Schulen ist man dementsprechend dazu übergegangen, nicht nur kein Stillsitzen mehr zu fordern, sondern sogar möglichst viel Bewegung in den Unterricht zu bringen (durch bewegungsmäßiges Untermalen des gesprochenen Wortes, Zeigen oder Abschreiten von Maßen, Zeichnen, Bauen usw., jedenfalls möglichst vielseitige, aber leichte, keinesfalls anstrengende körperliche Beschäftigung während der intellektuellen Tätigkeit).

Ebenso kann man umgekehrt bei körperlicher Anstrengung schlecht denken, und wenn man es dennoch versucht, etwa sich auf etwas besinnt, dann stockt unwillkürlich die körperliche Tätigkeit. Darum kann ein körperlich arbeitender Mensch nicht gleichzeitig schwierige Probleme wälzen oder besondere intellektuelle Leistungen vollbringen.

Selbstverständlich kann und soll man bei leichter, rein mechanischer Arbeit auch dem Denken etwas zu tun geben, doch nur solange die Arbeit Nebengedanken wirklich zuläßt und nicht das Denken so stark in den Vordergrund tritt, daß es seinerseits die Arbeit stört.

Daß schließlich jegliche Gemütserregung und jedes starke Gefühl – Freude ebenso wie Leid, Ärger und Sorge ebenso wie ungeduldige Erwartung und Leichtbeschwingtheit – eine wirksame Konzentration nicht zulassen, weil man dadurch immer wieder abgelenkt wird, das gehört wohl ebenfalls zum allgemeinen Erfahrungsgut.

Und dennoch machen wir gerade im modernen Arbeitsprozeß immer wieder den Fehler, uns zuviel auf einmal zuzumuten oder aufbürden zu lassen und uns dadurch so sehr zu zersplittern, daß eine konzentrierte Arbeit unmöglich wird. Man denke nur an die geplagte Hausfrau, die meist sechs Dinge auf einmal zu tun versucht und sich dabei auch noch den Küchenzettel für die kommende Woche ausdenkt und überlegt, wie sie das restliche Haushaltsgeld einteilen soll. Oder man betrachte den vielbeschäftigten Direktor und seine noch beschäftigtere Sekretärin, die möglichst gleichzeitig auf drei Apparaten telefonieren, Briefe diktieren bzw. stenographieren, Unterschriften vorlegen oder unterschreiben und noch einige Besucher abfertigen müssen.

Daß bei alledem kein konzentriertes Arbeiten – das, wie gesagt, in erster Linie Ruhe und abwechselnde Entspannung braucht – mehr möglich ist, dürfte nach dem Gesagten völlig klar sein. Und darum wird auch einerseits die Arbeit immer komplizierter, weil man den Mangel an Konzentration durch allerhand raffinierte Rationalisierungs- und Mechanisierungsmethoden auszugleichen versucht, und andererseits wird der arbeitende Mensch immer rascher verbraucht, weil auf die Dauer niemand ungestraft den Lebensgesetzen zuwiderhandeln kann.

Nichts ist verkehrter als die heute leider noch fast allgemein übliche Arbeitspraxis, derzufolge man sich aus falsch verstandenem Pflichtgefühl zum Weiterarbeiten zwingt, auch wenn man seine derzeitige Konzentrationsfähigkeit überschritten hat und nur noch mit verminderter Aufmerksamkeit arbeiten kann oder drei Dinge gleichzeitig tut, aber dafür nur halb und unaufmerksam, anstatt sie hintereinander zwar etwas langsamer, aber dafür mit ganzer, ungeteilter Aufmerksamkeit zu erledigen. Dadurch schadet man – wie gesagt – nicht nur seiner Gesundheit, sondern auch der Arbeit.

Es wäre somit völlig unsinnig, eine derart ungesunde und unrationelle Arbeitsweise beizubehalten, zumal das Endergebnis bei der vorhin geschilderten richtigen Arbeitsweise mit den in mehr oder weniger kurzen Abständen aufeinanderfolgenden Entspannungspausen und jeweils voller Konzentration auf ein begrenztes Arbeitsgebiet nicht nur qualitativ besser, sondern auch quantitativ sich kaum vermindern, eher noch vermehren wird.

Jeder Arbeitsprozeß enthält ja in sich selbst so viele Pausen und Gelegenheiten zu kurzem Verschnaufen, daß es meist schon vollauf genügt, wenn man alle diese Gelegenheiten bewußt zu vollständiger Entspannung – d. h. zu größtmöglicher Lockerung der Körperhaltung, zum »Abschirmen« der Sinneseindrücke und »Abschalten« der Gedanken – benützt, anstatt sie vor lauter Hetze und Verkrampfung überhaupt nicht mehr zu bemerken, geschweige denn voll ausnützen zu können. Bei einiger Übung wird man es bald so weit bringen, daß dieses »Abschalten« während der Arbeit gar nicht mehr äußerlich bemerkt zu werden braucht, so daß auch die Furcht, »unangenehm aufzufallen«, gegenstandslos wird.

Ebenso kann jeder Arbeitsprozeß bei geschickter Einteilung in eine Folge von klar überschaubaren und ohne Überschneidung hintereinander ablaufenden Einzelvorgängen zerlegt werden, so daß dadurch die Zersplitterung der Aufmerksamkeit vermieden wird und zusätzlich Pausen für die notwendige Entspannung entstehen.

3. Von den vielen hierfür geeigneten *Entspannungsübungen* seien zwei trotz ihrer Einfachheit besonders wirksame kurz beschrieben:

a) Wenn man Gelegenheit zum Hinlegen hat, so legt man sich ganz flach und möglichst entspannt auf den Boden, stellt die Arme senkrecht hoch (aber auch ganz locker und in sich ruhend) und läßt sie dann unendlich langsam (noch viel langsamer, als Sie es zunächst versuchen!) nach hinten sinken, kurz am Boden ruhen und hebt sie dann in gleicher Weise ebenso langsam wieder hoch.

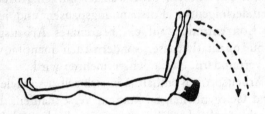

Wenn Sie, lieber Leser, diese Übung zum ersten Mal versuchen, werden Sie wahrscheinlich »kribbelig« werden oder gar zu »platzen« drohen, weil Ihre Nervosität die so sehr langsame und stetige Armbewegung nicht aushält. Aber gerade diese Umstellung des Nervensystems von der gewohnten Hast und Unruhe auf die Stetigkeit und Ruhe kosmischer Rhythmen (etwa von Sonne und Mond am Himmel oder vom Pflanzenwachstum auf der Erde) ist ja der Zweck dieser Übung, die daher, wenn sie einmal beherrscht wird (Fortgeschrittene bringen es bis auf 10 Minuten oder noch länger für eine Abwärts- und Aufwärtsbewegung), mit unfehlbarer Sicherheit jede Aufregung beruhigt und jeder Art von Nervosität erfolgreich entgegenwirkt.

b) Wenn man sich nicht hinlegen kann, macht man eine ebenfalls sehr wirksame Ersatzübung: Im Stehen atmet

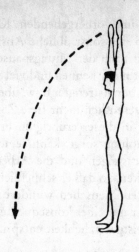

man zunächst aus, dann streckt man sich mit tiefer, langer Einatmung so hoch als möglich, als ob man sich an einem vorgestellten Seil hochziehen wollte. Bei der nun folgenden Ausatmung fällt man plötzlich nach vorne in tiefe Beugestellung mit weichen Knien, lose herabhängendem Kopf, locker baumelnden Armen, kurz, so entspannt und gelöst wie möglich. Und nun richtet man sich wiederum ganz langsam auf, gewissermaßen jeden Wirbel des Rückgrats einzeln zurechtrückend, wobei Knie, Kopf und Arme stets locker bleiben und der Kopf erst ganz zuletzt, wenn man wieder aufrecht steht, hochgehoben wird. Auch bei dieser Übung kommt es auf die Steigerung der Langsamkeit und Stetigkeit der Aufrichtebewegung an (10 Minuten und länger). Die Wirkung ist die gleiche wie bei der ersten Übung. Ein Mensch, der durch solche konsequente »Tiefenentspannung« während der dazu im Arbeitsprozeß gegebenen Gelegenheiten seine Kräfte jeweils sofort wieder auffrischt und seine Nervenzellen regeneriert, läßt es also gar nicht erst zu einer Überanstrengung oder Übermüdung kommen, von deren verhängnisvollen Folgen wir im vorhergehenden Kapitel hörten. Er wird somit auch das sonst übliche Absinken der Arbeitsleistung vor und nach der Mittagspause und vor dem Arbeitsschluß nicht mehr kennen und viel weniger Schlaf brauchen als ein überanstrengter bzw. übermüdeter Mensch – also auch wesentlich mehr freie Zeit zur Verfügung haben. Wenn er in dieser erübrigten Freizeit dann noch für richtige Erholung sorgt, kann seine Leistungsfähigkeit noch weiter steigen und die Arbeitsanstrengung entsprechend sinken, so daß er schließlich Leistungen erreicht, die anderen Menschen wunderbar erscheinen, die tatsächlich aber nur einer konsequenten Befolgung der Natur- und Geistgesetzlichkeit entspringen.

C. Anstrengung und Erholung

1. Auch gegen den Rhythmus von Anstrengung und Erholung wird heute meist noch schwer gesündigt, so daß die allgemeine *Hetze* – eben das Herausfallen aus diesem Rhythmus durch Übersteigerung der Anstrengung und Vernachlässigung der Erholung – zu einer besonders schlimmen Zeitkrankheit geworden ist. Doch man kann keinen Lebensrhythmus ungestraft verletzen. Wer sich hetzen läßt, der schadet nicht nur sich selbst, indem er unweigerlich früher oder später zusammenbricht, sondern auch seiner Arbeit, weil er in gehetztem Zustand überhaupt nicht richtig arbeiten kann.

Wir sollten uns stets sorgsam davor hüten, Hetze mit Eile zu verwechseln, denn beides ist im Grunde einander entgegengesetzt: je eiliger wir es haben und je rascher wir arbeiten müssen, desto notwendiger sind dabei vollkommene Gemütsruhe und innere Gesammeltheit, damit wir den gesteigerten Anforderungen der Schnelligkeit gewachsen bleiben, ohne daß die Qualität der Arbeit und unsere eigene Gesundheit darunter leiden. Demgegenüber ist Gehetztsein eine Art Angstzustand, eine innere Unruhe und Unsicherheit, durch die wir sogar oft am gezielten, raschen Arbeiten gehindert werden, weil man in der Hetze zu unangemessenen, fahrigen, ja sogar unzweckmäßigen Bewegungen getrieben wird und die notwendige Sorgfalt, Gründlichkeit und Überschau völlig verliert, so daß dadurch niemals ein positives Resultat erzielt werden kann. Hetze ist also in Wirklichkeit eine Fehlreaktion auf notwendige Eile, denn die richtige Reaktion ist nach wie vor »Eile mit Weile«.

Aber was müssen wir tun, um durch Eile und starke Beanspruchung nicht in Hetze zu geraten? Nun, ebenden obengenannten Lebensrhythmus gehörig beachten, indem wir nach jeder gesteigerten Anstrengung uns eine entsprechende Erholung verschaffen.

Hierbei muß allerdings die Erholung zu der vorhergegangenen Anstrengung in einem ausgewogenen Verhältnis stehen: Je größer die körperliche oder gedankliche Anstrengung ist, desto häufigere und gründlichere »Verschnaufpausen« müssen eingelegt werden.

2. Solche *Pausen* dürfen aber nur zum *Ausruhen* – möglichst wieder mit Atemunterstützung – und zu nichts anderem benützt werden! Jede Essenspause sollte grundsätzlich so lange dauern, daß vor und nach dem Essen noch Zeit zum Ausruhen bleibt, denn Nahrung, die in Hetze hinuntergeschlungen wird, verwandelt sich im Organismus buchstäblich in Gift!

Und nach höchstens zwei Stunden Arbeitszeit müßte mindestens eine Viertelstunde Erholungspause eingelegt werden. Fortschrittliche Betriebe haben das auch schon erkannt und zusätzliche Pausen eingeführt, teilweise ohne die Arbeitszeit entsprechend zu verlängern – mit dem Erfolg, daß die Leistung trotz verkürzter Arbeitszeit sogar gestiegen ist. Die modernsten Errungenschaften auf diesem Gebiet, »gleitende Arbeitszeit« und die dazugehörige »individuelle Pause«, bestätigen diese Erfahrung voll und ganz und werden daher in nicht allzulanger Zeit ebenso selbstverständlich werden wie heute die achtstündige oder teilweise noch kürzere Arbeitszeit.

Auch in den Schulen sollte strikt darauf geachtet werden, daß die Pausen wirklich ein Höchstmaß an Erholung bieten, indem man die erste Hälfte zum Tollen und Sichaustoben als notwendigen Ausgleich zum vorherigen Stillsitzen freigibt, die zweite Hälfte aber zum tatsächlichen Ausruhen benützt. Das kann dadurch geschehen, daß man mit den Kindern regelrechte Ruhe- und Entspannungsübungen macht, möglichst im Liegen und wiederum mit Atemunterstützung. Auch in manchen Betrieben wird bereits in den Pausen oder nach Feierabend Gelegenheit zu solcher besonders wirksamen Erholung durch Ruhe- und Entspannungsübungen, Ausgleichsgymnastik, autogenes Training, Musik, Gesang usw. geboten.

Achten wir darauf, daß wir unsere Arbeitspausen nicht unnütz oder gar schädlich vertun – etwa durch Klatsch, leeres Geschwätz oder gar hitzige Diskussionen, durch Zeitungs- und Romanlesen oder sonstige erregend und anspannend statt beruhigend und lösend wirkende Tätigkeiten. Wir sollten vielmehr ganz bewußt die so dringend notwendige Ruhe pflegen, nicht nur den Körper entspannen, sondern auch das Gemüt beruhigen und das geplagte Gehirn entlasten.

Das gleiche gilt auch für den *Feierabend:* Wenn jemand sich überhaupt keinen Feierabend, gar keinen ruhigen und schönen Tagesausklang gönnt oder nach Feierabend

Vergnügungen nachgeht oder Hobbys betreibt, die womöglich noch anstrengender sind als seine berufliche Arbeit, dann braucht er sich wahrhaftig nicht zu wundern, wenn allmählich seine Nerven versagen, sein Kreislauf streikt oder sonstige schwerwiegende Folgeerscheinungen seiner Leichtfertigkeit und Unwissenheit ihn mehr und mehr beeinträchtigen und schließlich ganz ausschalten.

3. Genauso unvernünftig ist es, wenn jemand aus materiellen Gründen auf seinen ohnehin meist unzureichend bemessenen gesetzlichen *Urlaub* verzichtet, denn was er dadurch an Gesundheit und Leistungsfähigkeit einbüßt, das überwiegt bei weitem den materiellen Gewinn. Auch das sogenannte »Pflichtgefühl« solcher Leute, die sich für »unabkömmlich« oder »unersetzlich« halten, ist durchaus fehl am Platze, denn es dürfte gerade für sie im eigensten Interesse besser sein, zur rechten, selbstgewählten Zeit freiwillig in Urlaub zu gehen, als diese Lebensnotwendigkeit außer acht zu lassen und dann sicherlich zur unpassendsten Zeit unfreiwillig krank zu werden oder ganz ausscheiden zu müssen!

Und auch was man im Urlaub bzw. in den Ferien macht, sollte man sich sehr genau überlegen in Anbetracht der Tatsache, daß nur das wirkliche Erholung bedeutet, was die verbrauchten Kräfte auffrischt, die angegriffene Gesundheit wiederherstellt, die verlorene Seelenruhe wiedergewinnen läßt und die getrübten intellektuellen Fähigkeiten erneuert, was also gewissermaßen eine »Generalüberholung des ganzen Menschen« bewirkt. Der übliche »Erholungsbetrieb« bietet aber all dies sicher nicht, sondern beansprucht umgekehrt den Menschen eher noch mehr als die Berufsarbeit, so daß man dann meist sehr wenig erholt aus dem Urlaub zurückkommt und eigentlich dringend einer »Nacherholung« bedürfte.

Darum betreiben vernünftige Menschen »aktiven Urlaub«, der eine ausgewogene Wechselwirkung von Regeneration des Körpers, Harmonisierung des Gemüts und Steigerung des Bewußtseins vermittelt. Alljährlich bietet der Verfasser ein solches Modell optimaler Erholung:

Körperliche Fitneß wird erreicht durch Sport, Bewegungsspiele, Tanzen sowie ein spezielles Atem- und Entspannungstraining, welches Elemente des östlichen Yoga (Statik) und westlicher Heilgymnastik (Dynamik) verbindet.

Gründliche Psychohygiene (Gemütspflege) wird vermittelt durch Natur- und Kunstgenuß und insbesondere durch künstlerisches Eigenschaffen, in dem jene kreativen Kräfte wiedererweckt werden, die jedes normale Kind entwickelt, die aber bei den meisten Erwachsenen wieder verkümmert sind.

Besonders wichtig ist dabei auch der gruppendynamische Prozeß durch das gemeinschaftliche Erleben unbeschwerter Lebensfreude ebenso wie durch das verständnisvolle Eingehen auf ernsthafte Probleme, denn die Befreiung von egozentrischer Fixierung und die Intensivierung mitmenschlicher Kontakte ist ebenfalls eine psychophysische Voraussetzung tiefgreifender und nachhaltiger Erholung.

Nehmen Sie, liebe Leser, die Anregungen und Ratschläge dieses Kapitels bitte sehr ernst, und beschäftigen Sie sich künftig noch sehr viel eingehender als bisher mit diesen Dingen. Denn es ist eigentlich erschütternd, wie viele vernünftige und wohlmeinende Menschen auch heute noch aus Unkenntnis der elementarsten Lebensgesetze sich selbst und andere schädigen. Gewiß bedeutet das Beste aus seinem Leben zu machen mehr als nur Gesundheitspflege – aber Gesundheitsschädigung ist die schlimmste Behinderung im Bemühen, das Beste aus seinem Leben zu machen.

D. Wachen – Träumen – Schlafen

Der allerwichtigste Gesundheitsfaktor ist der dreifache Rhythmus von Wachen – Träumen – Schlafen.

1. Daß wir überhaupt schlafen müssen, hat folgenden Grund: Alle unsere Körperzellen werden, wenn sie verbraucht sind, innerhalb von ungefähr sieben Jahren wieder ersetzt. Wir wären also eigentlich unbegrenzt lebensfähig, wenn nicht unsere Nerven eine bedauerliche Ausnahme machen würden. Sie sind unersetzlich und daher das Kostbarste, was wir überhaupt haben. Deswegen sind sie durch eine raffinierte Einrichtung besonders geschützt: Bei der Tätigkeit der Nervenzellen wird das Eiweiß nicht nur verbraucht, sondern auch teilweise zersetzt. Die so entstehenden Spuren von Eiweiß-Zersetzungsgift lähmen die Zellen, ehe sie ganz kaputtgehen. Ermüdung ist also nichts anderes als fortschreitende Selbstvergiftung der Nervenzellen, die immer zwingender den Schlaf herbeiführt, je mehr die Zellen verbraucht sind. Auf diese Weise wird die rechtzeitige Entgiftung und Wiederauffrischung der Nervenzellen im Schlaf gewissermaßen erzwungen, und es wird dadurch verhindert, daß Nervenzellen durch Überbeanspruchung verlorengehen. Dies allerdings nur, wenn wir dem natürlichen Schlafbedürfnis nachgeben, was dem Grad der jeweiligen Regenerationsnotwendigkeit genau entspricht.

Man könnte nun fragen, warum die Regeneration der Nervenzellen nicht genauso unmerklich vor sich geht wie das ständige Auswechseln der übrigen Zellen. Dies geht deshalb nicht, weil die Nervenzellen sich auch noch dadurch von den anderen Zellen unterscheiden, daß sie alle miteinander verbunden sind und so ein richtiges Leitungsnetz bilden, das unter Strom steht, denn Nerventätigkeit vollzieht sich tatsächlich durch Mikro-Schwachströme. Und wie man bei einem elektrischen Leitungsnetz erst den Strom abschalten muß, ehe man irgendwelche schadhaften Stellen reparieren kann, genauso muß also zuerst das ganze Nervensystem abgeschaltet werden, ehe die einzelnen Zellen durch die Blutbahn entgiftet und regeneriert werden können.

Dieses Abschalten geschieht durch einen »Hauptschalter« im Zwischenhirn, der den jeweiligen Vergiftungsgrad des Netzes (= Ermüdung) registriert und beim Erreichen der kritischen Grenze automatisch abschaltet, wenn er ungehindert funktionieren kann.

Es gibt überhaupt nichts Unvernünftigeres, als sich mit irgendwelchen Aufputschmitteln künstlich wachzuhalten, denn dadurch werden stets einige unserer unersetzlichen Nervenzellen derart überbeansprucht, daß sie nicht mehr regeneriert werden können und endgültig verloren sind.

Es kann nicht deutlich genug betont werden: *Wer über längere Zeit den notwendigen Schlaf verkürzt, der verkürzt damit sein Leben – er begeht langsamen Selbstmord!*

Wie aber geschieht das Einschlafen genau? Wir wissen ja schon, daß wir zwei verschiedene Nervensysteme haben: Erstens das Gehirn als Träger des oberbewußten Denkens und des von ihm gesteuerten Willens, der die absichtlichen Zweckbewegungen produziert.

Zweitens das vegetative Nervensystem des unterbewußten Fühlens und Wollens, das die automatischen Organfunktionen steuert und die unwillkürlichen Ausdrucksbewegungen hervorruft.

Wenn wir einschlafen, wird zuerst der »Denkapparat« im Großhirn abgeschaltet. Wir verlieren unser waches Bewußtsein und den damit verknüpften Willen, so daß wir unseren Organismus nicht mehr bewußt überwachen und

Bewußtseinsschichten

I. Schicht: **Wachen**	II. Schicht: **Träumen**	III. Schicht: **Schlafen**
Zentral-(Zerebral) Nervensystem (Großhirn)	Vegetatives oder autonomes Nerven- system (Kleinhirn – Stränge – Geflechte)	Rückenmarks- ganglien
»Oberleitung – Direktion«	»Vorzimmer – Sekretariat«	»Steuerungs- automaten«
oberbewußte Denkfunktionen (Intellekt): Beobachtung – Registrierung – Planung – Entschluß – Ausführung mittels sensorischer (aufnehmender) und motorischer (aus- führender Nerven	*unterbewußte* Organfunktionen und Gefühls- vorgänge: Affekte, Emotionen – Lebensenergien – Sensibilität (Empfindsamkeit) – Schwingungs- empfindlichkeit – »Stimmung«	*unbewußte* Zellvorgänge – Eintauchen in die großen über- individuellen Lebensrhythmen der Natur
abstrakte Begriffe (generell)	bildhafte Vorstellungen (individuell)	
Wissen – Wollen	Erlebnisse – Impulse – Trieb- kräfte	
willkürliche Zweckbewegungen	unwillkürliche Ausdrucks- bewegungen (Mimik, Gestik usw.)	automatische Reflexbewegungen
Zustand des selbständigen ich- bewußten Wirkens und Schaffens und vollverantwortlichen Handelns	somnambule und mediale Zustände, Rausch, Ekstase, Hypnose, Besessenheit und ähnliches	Zustände der Bewußtlosigkeit, Ohnmacht, Narkose, Tieftrance usw.

lenken können. Doch das vegetative Nervensystem funktioniert noch und übernimmt nun mittels des unterbewußten Wollens die Überwachung und Steuerung unseres Körpers. Allerdings funktioniert das vegetative Nervensystem anders als das Gehirn, das den Körper mittels Beobachtung, Registrierung, Entschlußfassung und Willensbewegung lenkt. Das vegetative Nervensystem tut dies mittels lebhafter Eindrücke und bildhafter Vorstellungen, die zu entsprechenden Impulsen und unwillkürlichen Bewegungen führen. Diesen Zustand nennt man Träumen.

2. Unsere *Träume* haben mehrfache Bedeutung.

a) Zunächst dienen sie zur *Überwachung des ruhenden Körpers*. Machen wir uns dies an einem Beispiel klar: Wenn uns im wachbewußten Zustand kalt wird, so leiten die sensorischen Nerven (die Verbindung von den Sinnesorganen zu den entsprechenden Gehirnpartien) dieses Gefühl von der Haut an das »Befehlszentrum« im Gehirn weiter. Von dort ergeht nun an die Augen die Weisung, nachzusehen, was die Ursache des Kältegefühls ist. Der Sehnerv meldet seine Feststellungen wieder an die Zentrale, die diese unter Verwendung bereits vorhandener Erinnerungen, Erfahrungen, Erkenntnisse usw. so weit verarbeitet, daß ein Entschluß entsteht. Dieser wird dann mittels der motorischen Nerven (die Verbindung vom Gehirn zu den ausführenden Sehnen und Muskeln) in entsprechende Zweckbewegungen umgesetzt, durch welche die Ursache des Kältegefühls beseitigt wird. Schließlich gibt die Haut die »Erfolgsmeldung«, daß das Kältegefühl tatsächlich aufgehört hat.

Wird uns aber während des Träumens kalt, indem etwa die Bettdecke herunterrutscht, dann ist das Befehlszentrum im Großhirn ausgeschaltet, und die Meldung der sensorischen Nerven gelangt nun an das vegetative Nervensystem. Dieses kann allerdings den Augen nichts befehlen, weil sie ja geschlossen sind. Doch das vegetative Nervensystem hat noch andere Möglichkeiten der Orientierung, und zwar mittels der sensiblen Nerven, die in der gesamten Haut verteilt, vor allem aber in den Handflächen und Fingerspitzen, Fußsohlen und in der Kopfhaut konzentriert sind. Darum wird nun der ganze Organismus unruhig, wälzt sich herum, tastet mit den Händen usw., bis die Ursache des Kältegefühls auf diese Weise ebenfalls festgestellt ist.

Dann sucht auch das vegetative Nervensystem Abhilfe zu schaffen, doch da ihm keine klaren Begriffe und keine Zweckhandlungen zur Verfügung stehen, benützt es eben seine Mittel: bildhafte Eindrücke und unterbewußte Impulse, die sich in unwillkürlichen Bewegungen äußern. Im genannten Beispiel träumen wir etwa, wir lägen als Mitglied einer Nordpolexpedition auf einem Eisblock und bemühten uns, ein neben uns festgefrorenes Eisbärfell loszureißen, um uns damit zuzudecken. Und unser Körper vollführt die dem Traum entsprechenden Bewegungen, bis es uns gelingt, die heruntergerutschte Decke wieder hochzuziehen. In welch hohem Maße das vegetative Nervensystem auf diese Weise den Organismus steuern kann, zeigen besonders eindrucksvoll die sogenannten Schlafwandler, die unter Umständen sogar Leistungen vollbringen, zu denen sie im Wachbewußtsein nicht fähig wären.

Wenn die störende bzw. gefährdend erscheinende Situation vom vegetativen Nervensystem nicht mehr selbständig behoben werden kann, dann wird der Traum so heftig, daß wir daran aufwachen und nun wieder die Befehlszentrale im Großhirn die ihr zukommende Oberleitung übernehmen kann. In unserem Beispiel würden wir also etwa träumen, bei der vergeblichen Bemühung um das

Bärenfell würde die Eisscholle umkippen, und wir würden ins eiskalte Wasser fallen – was bestimmt zum Aufwachen genügt.

Man hat diesbezüglich schon interessante Versuche gemacht, indem man zum Beispiel jemanden durch einen Schuß weckte und dann feststellte, daß der Betreffende in den Bruchteilen einer Sekunde zwischen dem Schuß und dem dadurch verursachten Aufschrecken eine scheinbar lange und komplizierte Geschichte träumte, die mit diesem Schuß nicht etwa anfing, sondern aufhörte!

b) Aber die Überwachung durch das vegetative Nervensystem bzw. das mit ihm verknüpfte Traum- oder Tiefenbewußtsein beschränkt sich nicht nur auf körperliche Vorgänge, sondern umfaßt auch den gesamten *Gefühlsbereich*. Es hat nämlich auch dafür zu sorgen, daß die wachbewußte Tätigkeit möglichst wenig durch störende, ablenkende oder hemmende Gefühle beeinträchtigt wird. Deswegen werden die meisten Gefühle oder Triebe, die uns ständig durchziehen oder überfallen, bereits vom Unterbewußtsein abgefangen, ohne uns überhaupt bewußt zu werden – sie werden gewissermaßen im »Vorzimmer« zurückgehalten, damit der »Herr Direktor« nicht dauernd bei seiner Arbeit gestört wird.

Doch mit dem Zurückhalten allein ist es nicht getan, denn auch die Gefühle und Triebe wollen ihr Recht. Darum dürfen sie sich dann nach dem Einschlafen, wenn sie keinen Schaden mehr anrichten können, weil die wachbewußte Tätigkeit ohnehin ruht, nach Herzenslust austoben, und zwar wiederum in Gestalt von Träumen, in denen wir all das »abreagieren« (wie es in der Fachsprache heißt), was wir im Wachbewußtsein nicht dürfen, obwohl wir es gerne tun würden, oder umgekehrt tun müssen, obwohl wir es nicht mögen. Auch was wir erhoffen oder fürchten, woran es uns mangelt oder was uns »zum Halse heraushängt«, wird auf diese Weise verarbeitet. Der ganze Wust von Angst-, Verfolgungs-, Mord-, Peinlichkeits- oder Wunsch-, Lust-, Zauberträumen usw. ist also ein sehr wohltätiges und nützliches »Sicherheitsventil«, in dem sich unser innerer »Überdruck« entladen kann, ohne den Schaden anzurichten, der durch entsprechende »Explosionen« oder »Dammbrüche« im Wachzustand entstehen würde.

c) Es gibt noch eine dritte Art von Träumen: die *Wahr- oder Weisungsträume*, die aus dem Überbewußtsein stammen und sich meist durch ihre Deutlichkeit und Eindringlichkeit von anderen Träumen unterscheiden. Auch pflegen sie sich so lange zu wiederholen, bis man ihre Aussage verstanden hat oder ihr Inhalt eingetroffen ist.

d) Man kann das Träumen noch zu anderen nützlichen Dingen verwenden. Alles, was man kurz nach dem Einschlafen, solange also das Unterbewußtsein noch Eindrücke aufnimmt, eingeflüstert bekommt, erweist sich nämlich als besonders nachhaltig wirksam. Auf diese Weise kann man Kindern irgendwelche Unarten viel besser abgewöhnen als durch Ermahnungen oder gar Strafen bei wachem Bewußtsein, wodurch nur entsprechender Widerstand geweckt wird. Man muß nur regelmäßig nach dem Einschlafen leise die entsprechenden positiven Weisungen dem Träumenden zusprechen. Sehr sensible Kinder antworten dann sogar im Traum – manche Erwachsene übrigens auch.

So kann man weiterhin das Lernen erleichtern, indem man nach dem Einschlafen und vor dem Aufwachen (mittels Zeitschaltung) die entsprechenden Texte auf Schallplatten oder Tonbändern ablaufen läßt. Durch diese sogenannte »Schlaflernmethode« – exakt müßte sie *Traumlernmethode* heißen – sind schon verblüffende Erfolge erzielt worden. Denn das Unterbewußtsein arbeitet selbständig an dem Aufgenommenen weiter und bewirkt dadurch, daß der betreffende Text nach dem Erwachen dem Oberbewußtsein genauso bekannt vorkommt, wie wenn man ihn schon früher bewußt gelernt hätte. Ja, das Gelernte prägt sich auf diese Weise noch besser und nachhaltiger ein als beim bewußten Lernen.

Doch auch jede Art von Nervosität, Unruhe und Verkrampfung, ebenso wie von Niedergeschlagenheit, Resignation und Depression kann behoben werden, indem man beruhigende, entspannende und aufmunternde oder erhebende Texte – durch entsprechende Musik ergänzt – ablaufen läßt (wir erinnern uns an das über Suggestion Ausgeführte).

Die Anwendungsmöglichkeiten dieser Methode sind praktisch unbegrenzt, und deswegen kann man sie natürlich auch mißbrauchen: von der Traum-Suggestion durch den eifersüchtigen Ehepartner bis zur »Gehirnwäsche« bei Gefangenen und dergleichen mehr. Es ist also in jedem Falle gut, wenn man die Methodik der Traumbeeinflussung beherrscht, um sowohl die positiven Möglichkeiten auszuschöpfen, als auch gegen negative Einwirkungen sich schützen zu können.

3. Aber was für die Zellen des Zentralnervensystems nötig ist, brauchen auch die Zellen des vegetativen Nervensystems: Auch sie werden durch ihre Tätigkeit zersetzt und müssen regeneriert werden, so daß auch das vegetative Nervensystem in kürzeren oder längeren Abständen, die dem Grad seiner Beanspruchung entsprechen, stillgelegt werden muß. Dieser Zustand ist der eigentliche *Tiefschlaf,* in dem wir praktisch bewußtlos und hilflos sind, weil hier auch die Überwachung durch das vegetative Nervensystem weitgehend aufgehoben ist. In diesem Zustand spüren wir auch nicht mehr, wenn die

Decke heruntergerutscht ist oder uns eine Mücke sticht, und es finden auch keine unwillkürlichen Bewegungen mehr statt, alle Lebensvorgänge sind vielmehr auf ein Mindestmaß herabgesetzt. Aus diesem Grunde möchte der Mensch während des Tiefschlafs möglichst geschützt sein, weil er um so mehr allen äußeren Gefahren preisgegeben ist, je tiefer und heilkräftiger sein Schlaf innerlich ist.

So konnte es schon mehrfach vorkommen, daß Menschen, deren Bett durch eine Zigarette oder umgeworfene Lampe in Brand geriet, im Tiefschlaf schwere Brandwunden erlitten, ohne daran aufzuwachen. Bekannt ist auch, daß Kinder, die noch einen besonders guten Tiefschlaf haben, kaum aufzuwecken sind.

Der Bewußtseinszustand des Tiefschlafs ist das ganz und gar *Unbewußte*. Auch während des Wachbewußtseins befinden wir uns in diesem Zustand hinsichtlich der Zellvorgänge unseres Organismus. Während wir das Funktionieren der Organe immer noch unterbewußt träumend, stimmungsmäßig registrieren, bleiben uns die biochemischen Vorgänge in unseren einzelnen Zellen unbewußt, obwohl gerade sie das Geheimnis des organischen Lebens ausmachen. Die Steuerung dieser Zellvorgänge geschieht durch ein drittes Nervensystem, nämlich durch gewisse Ganglien des Rückenmarks, welche die einfachsten Lebensfunktionen und Reflexe selbständig besorgen, ohne dazu das vegetative Nervensystem oder gar das Großhirn zu bemühen.

Entwicklungsgeschichtlich war dieser Nervenstrang des Rückenmarks, das sogenannte Urhirn, das erste Zeichen der Bewußtwerdung eines Lebewesens, woraus sich der erste Hirnknoten, das sogenannte Stammhirn, entwickelte, das sich dann zum Kleinhirn erweiterte. Und erst zuletzt stülpte sich darüber der Träger des individuellen

Bewußtseins, das sogenannte Großhirn, das schließlich beim Menschen mit der Entfaltungsmöglichkeit eines überindividuellen, kosmischen Bewußtseins seine höchste Ausprägung gefunden hat.

Die erwähnten Ganglien des Rückenmarks gehorchen ihrerseits den großen Lebensrhythmen der Natur, die auch in den Zellen der Pflanzen und Tiere wirksam sind, so daß der Körper des Menschen im Tiefschlaf gewissermaßen ganz in den Schoß der Mutter Natur zurücksinkt, während seine Seele und sein bewußtes »Ich« sozusagen die körperliche Hülle verlassen haben und uneingeschränkt in die unendlichen Weiten des Universums eintauchen – wovon wiederum manchmal wunderliche Träume eine dunkle Ahnung oder bruchstückhafte Erinnerung vermitteln.

Wenn manche Leute meinen, sie würden nicht träumen, so entspricht das nicht den Tatsachen, denn jeder Mensch befindet sich allnächtlich mehrfach im Traumbewußtsein (wissenschaftlich »REM-Phase« genannt), mindestens aber nach dem Einschlafen und vor dem Aufwachen. In Wirklichkeit erinnern sich nur jene Leute nicht an ihre Träume. Da wir jedoch ungefähr den dritten Teil unseres Lebens verschlafen und davon wiederum ungefähr zwei Drittel träumen (vom sogenannten »Tagträumen« ganz abgesehen), ist es höchst unklug, diesen gewaltigen Bewußtseinsbereich nicht zur Kenntnis zu nehmen. Dies ist genauso unvernünftig, wie wenn man etwa die Hälfte der ankommenden Post einfach ungelesen in den Papierkorb werfen würde! Infolgedessen wird jeder um zutreffende Selbsterkenntnis und bessere Lebensbewältigung Bemühte Traumerinnerung als mindestens gleichrangig mit anderen erlernbaren Fähigkeiten ansehen und entsprechend üben.

Im Tiefschlaf kann man nicht träumen, weil die Träume

eine Funktion des vegetativen Nervensystems sind, das im Tiefschlaf ja weitgehend ausgeschaltet ist. Nur der Tiefschlaf bedeutet Schlaf im eigentlichen Sinne und ist daher so ziemlich das Wichtigste im Leben, weil nur in ihm eine gesamte Regeneration des Nervensystems stattfinden kann, von der wiederum unsere Leistungsfähigkeit, Gesundheit und Lebensdauer abhängen.

Je stärker wir im Wachen beansprucht werden, desto öfter und länger müssen wir schlafen. Bekanntlich schlafen kleine Kinder, deren Organismus durch das Wachstum besonders in Anspruch genommen ist, besonders viel und tief. Und auch bei heranwachsenden Kindern und Jugendlichen sollte man aus dem gleichen Grunde unbedingt für ausreichenden Schlaf sorgen. Ebenso ist bekannt, daß der kranke Mensch ganz besonders des Schlafes bedarf und daß oft ein außergewöhnlich tiefer Schlaf die Wende zur Gesundung bedeutet. Überhaupt ist der Tiefschlaf das beste und billigste Heilmittel, so daß man sich tatsächlich »gesundschlafen« kann, wenn man dieses Heilmittel rechtzeitig und in ausreichendem Maße zur Anwendung bringt. Man macht daher bei besonders schweren Erkrankungen regelrechte »Schlafkuren«, und es gibt sogar »Schlafkliniken«.

Umgekehrt muß natürlich ein Mangel an Tiefschlaf notwendigerweise auf die Dauer zur Schwächung des Organismus führen. Daß wir heute leider im allgemeinen viel zu wenig schlafen und vor allem bei der ständigen Reizüberflutung und unvernünftigen Lebensweise oft keinen ausreichenden Tiefschlaf mehr finden, ist infolgedessen eine der Hauptursachen der sogenannten Zivilisationsschäden und Zeitkrankheiten.

Deswegen gehört sorgfältige *Schlafhygiene* zu den elementarsten Gesundheitsregeln, die wir unbedingt beachten sollten.

4. Dazu müssen wir zunächst unseren *Schlaftypus* kennen. Es gibt nämlich zwei einander geradezu entgegengesetzte Schlaftypen: den Abendschläfer und den Morgenschläfer, die mit den Haupttypen des vorwiegend verstandesbedingten und vorwiegend gefühlsbedingten Menschen zusammenhängen.

a) *Der Typus des Morgenschläfers* entsteht folgendermaßen: Wer allzusehr in dem vom Großhirn bestimmten Wachbewußtsein lebt und demgemäß die vom vegetativen Nervensystem abhängigen Schichten des Unterbewußtseins, sein Gefühlsleben und seine natürlichen Lebensfunktionen, vernachlässigt oder gar unterdrückt, der kann sein Denken nicht mehr richtig abstellen. Bei ihm ist gewissermaßen der »Hauptschalter« kaputt, so daß das Zentralnervensystem nicht mehr völlig abgeschaltet werden kann. Dadurch entsteht eine außergewöhnlich lange Einschlafzeit und verschiebt sich die Zeit des Tiefschlafes bis gegen Morgen. Wenn wir beim Normalschlaf ungefähr ⅓ der Schlafzeit für das Einschlafen, ⅓ für den Tiefschlaf und ⅓ für das Aufwachen rechnen, so braucht der Morgenschläfer ungefähr ⅔ für das Einschlafen, so daß dadurch entweder der Tiefschlaf oder das Aufwachen oder beides zu kurz kommt.

Wir alle kennen diese Typen oder gehören vielleicht selbst dazu, die abends nicht ins Bett finden und behaupten, gerade nachts könnten sie am besten arbeiten, die dafür aber auch morgens nicht aus dem Bett zu bringen sind, oder wenn sie dennoch früh aufstehen müssen, lange nicht richtig wach werden. Sie sind den ganzen Morgen »benommen« oder »ungenießbar«, und erst gegen Mittag »kommen sie allmählich auf Touren«, weil die Zeit zum langsamen, organisch richtigen Aufwachen fehlte und daher der Übergang vom Tiefschlaf zum Wachzustand viel zu rasch und abrupt erfolgte. Da dieser Typus wie gesagt mit der vorherrschenden Verstandesbedingtheit zusammenhängt, finden wir ihn besonders häufig bei Männern oder bei männlichen Frauen.

b) *Der Typus des Abendschläfers* lebt umgekehrt allzusehr in der vom vegetativen Nervensystem bestimmten Schicht unterbewußter Gefühle, Triebe und Impulse. Er ist auch während des Wachens selten ganz »da« und lebt sich mehr in »Tagträumen«, Phantasien und gemütvollen Stimmungen aus. Demgemäß fällt diesem Typus das Abstellen des intellektuellen Denkens beim Einschlafen natürlich besonders leicht, und er rutscht entsprechend rasch in den Tiefschlaf, so daß er seine größte Schlaftiefe schon im ersten Drittel der Schlafzeit erreicht und dann zwei Drittel zum Aufwachen brauchen kann. Das bedeutet praktisch, daß der vorwiegend gefühlsbedingte Mensch, der demgemäß sein vegetatives Nervensystem besonders stark beansprucht, abends sehr früh müde wird und bei längerem Aufbleibenmüssen geradezu körperlich krank wird – dafür aber morgens sehr früh ausgeschlafen hat und seine größte Leistungsfähigkeit am Vormittag erreicht. Wir finden diesen Typus häufig bei Frauen, schwer körperlich Arbeitenden oder stark gefühlsbetonten Männern und naturgemäß bei Kindern, bei denen die höheren Denkfunktionen noch nicht voll entwickelt sind und das vegetative Nervensystem durch die Wachstumsvorgänge besonders stark beansprucht wird.

Jene Leute, die behaupten, sie würden nicht träumen, gehören zu den Morgenschläfern: Erstens haben sie ohnehin als vorwiegend denkbestimmt nur geringen Zugang zur unterbewußten Traumwelt, zweitens durchlaufen sie beim Aufwachen die Traumschicht so schnell, daß dadurch einmal die objektive Anzahl und Dauer der Träume tatsächlich viel geringer ist als beim Abendschläfer und dazu noch das subjektive Erinnerungsvermögen infolge des abrupten Aufwachens stark beeinträchtigt wird. Der Abendschläfer hat dagegen schon im Wachzustand eine lebhafte Beziehung zur Traumschicht und durchläuft diese dann beim Aufwachen besonders lange und langsam, so daß er tatsächlich sehr viel träumt und infolge des allmählichen Übergangs ins Wachbewußtsein sich an das Geträumte auch gut erinnern kann.

c) Abendschläfer und Morgenschläfer sind beides einseitige Abweichungen vom richtigen *Normalschlaf* oder *Naturschlaf*, bei dem sich der Mensch in vollem Einklang mit dem Naturrhythmus befindet. Wenn Mitternacht tatsächlich die Mitte der Nacht, das heißt der Zeitpunkt des tiefsten Ruhezustandes in der Natur ist, dann sollte der Mensch seinen persönlichen Schlaf so einrichten, daß seine größte Schlaftiefe mit dem tiefsten Ruhezustand der Natur zusammenfällt. Es leuchtet ohne weiteres ein, daß die bestmögliche Regeneration durch den Schlaf bei einer solch vollkommenen Übereinstimmung des persönlichen Lebensrhythmus mit dem großen Rhythmus der Natur gewährleistet ist und daß ein solcher Schlaf ungleich gründlicher und nachhaltiger wirkt als ein Schlaf, der den vorgezeichneten natürlichen Rhythmus von Tag und Nacht außer acht läßt.

Das bedeutet praktisch: Bei einer normalen Schlafzeit von ungefähr acht Stunden und gleich langer Zeit für Einschlafen – Tiefschlaf – Aufwachen liegt die Tiefe des Tiefschlafes um Mitternacht, wenn spätestens um 20 Uhr ins Bett gegangen wird. Dafür ist man dann auch schon spätestens um 4 Uhr morgens blitzwach und vollkommen ausgeschlafen!

Ja, lieber Leser, das ist wirklich so. Sie können es ruhig selbst probieren – allerdings wahrscheinlich nur im Urlaub, denn unsere heute noch als normal geltende, naturwidrige Tageseinteilung erlaubt uns leider kein vernunft-

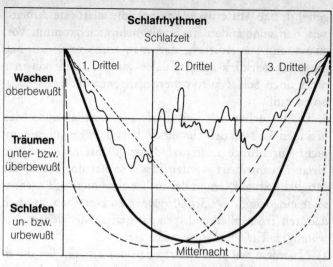

Schlafrhythmen
Schlafzeit

1. Drittel 2. Drittel 3. Drittel

Wachen
oberbewußt

Träumen
unter- bzw.
überbewußt

Schlafen
un- bzw.
urbewußt

Mitternacht

—————— gesunder Normalschlaf des ausgeglichenen Menschen
– – – – – ungesunde Abweichung des Gefühlsmenschen
(Abendschläfer)
‑‑‑‑‑‑‑‑ ungesunde Abweichung des Verstandesmenschen
(Morgenschläfer)
∿∿∿∿ besonders schädlicher Dämmerzustand ohne Tiefschlaf
mit wiederholtem Aufschrecken

gemäßes Leben (und nicht nur in bezug auf die Schlafzeit). Man hat die Wirksamkeit des Naturschlafes durch
viele wissenschaftliche Versuche einwandfrei nachgewiesen: So wurde zum Beispiel in Amerika von einer Gruppe
von Studenten ein Jahr lang der Naturschlaf strikt durchgeführt mit dem Erfolg, daß ihre Leistungen und ihr
Gesundheitszustand weit über dem Durchschnitt lagen
und einige Mitglieder der Versuchsgruppe den Naturschlaf auch weiterhin beibehielten, weil ihnen seine Vorteile noch größer erschienen als die damit heute noch
verknüpften Erschwernisse im täglichen Leben. Gerade
für intellektuell Tätige jeder Art ist der »natürliche Mor-

gen«, der ab Mitternacht beginnt, die allerbeste Arbeitszeit, der keine andere Tageszeit mehr gleichkommt. Voraussetzung ist natürlich, daß man früh genug ins Bett ging, um wirklich ausgeschlafen zu sein, und daß man nicht noch Schlaf aus vorhergegangenen Nächten nachholen muß.

5. Doch auch wenn der ideale Naturschlaf unter den heutigen Umständen für einen Berufstätigen überhaupt nicht durchführbar ist und daher höchstens einmal im Urlaub ausprobiert werden kann, so hat doch jeder die Möglichkeit, auf Grund der bisher gewonnenen Erkenntnisse eine sorgfältige *Schlafhygiene* zu betreiben, um sich dadurch trotz aller widrigen Umstände den lebensnotwendigen Tiefschlaf zu verschaffen.

a) Nachdem wir nun wissen, daß das *Einschlafen* durch Abschalten der für das Wachbewußtsein maßgebenden Großhirnpartien geschieht, werden wir diesen Prozeß nach Möglichkeit erleichtern oder wenigstens nicht unnötig erschweren, indem wir schon ein bis zwei Stunden vor dem Schlafengehen unser Großhirn entlasten. Man sollte also nach dem Abendessen keinerlei anstrengende Denkarbeit mehr leisten, auch keine Spiele betreiben, die große Anforderungen an das Denken stellen, und keine spannenden Romane lesen oder gar Krimis im Fernsehen anschauen, denn dadurch wird ja nicht nur das Gehirn belastet, sondern auch die Phantasie aufgeputscht und das Gefühlsleben erregt. Wenn man daraufhin unruhig schläft und überhaupt keinen Tiefschlaf findet, so ist das kein Wunder, wohl aber Unvernunft, weil man sein Nervensystem dadurch leichtfertig noch weiter vergiftet, anstatt die unvermeidliche Vergiftung durch die Arbeit möglichst rasch und gründlich wieder aufzuheben.

Besonders schädlich ist eine solche intellektuelle Belastung vor dem Schlafengehen bei Kindern, so daß die üble

Unsitte, noch nach dem Abendessen Schulaufgaben machen zu lassen, eine der folgenschwersten Erziehungssünden bedeutet. Abgesehen davon, daß diese Quälerei ganz unnütz ist, denn das übermüdete Gehirn ist zu keiner einwandfreien Leistung mehr fähig bzw. braucht zu den einfachsten Dingen eine je nach Ermüdungsgrad verdreifachte bis verzehnfachte Anstrengung, so sollten doch alle Eltern und Erzieher immer daran denken, daß das noch im Aufbau befindliche Gehirn der Kinder auf diese Weise tatsächlich schwer vergiftet wird und unter Umständen einen lebenslänglichen Schaden erleidet.

Und wie viele junge Menschen, die z. B. nächtelang für ein Examen »schuften«, fügen sich selbst unwissend einen solchen Dauerschaden zu, ohne daß ihnen jemand das Verhängnisvolle ihres Tuns sagt. Ebenso verkürzt mancher vielbeschäftigte Erwachsene durch Arbeit nach Feierabend bis in die Nacht hinein unwissend sein Leben – und hätte es doch gar nicht nötig: Denn, wenn schon in der Nacht gearbeitet werden muß, weil der Tag nicht ausreicht, dann erst recht früh ins Bett und nach ausreichendem Tiefschlaf am »natürlichen Morgen« die gleiche Arbeit in der halben Zeit mit einem Bruchteil von Anstrengung getan!

Hier wird mancher Leser radikal umlernen müssen. Doch es lohnt sich wahrhaftig, wie jeder staunend bestätigt, der die Umstellung tatsächlich fertiggebracht hat und dann nur noch kopfschüttelnd sich darüber wundert, wie er sich so lange selbst das Leben unnötig erschweren konnte.

Nun wird aber mancher Leser, dem dies alles einleuchtet und der demgemäß sich bemüht, nach dem Abendessen nicht mehr gedanklich zu arbeiten und früh schlafen zu gehen, vielleicht erst recht von seinen Gedanken »überfallen«, so daß er sich im Bett herumwälzt und um so weniger einschlafen kann, je mehr er sich anstrengt, die störenden Gedanken zu verjagen. In solchen Fällen ist es nutzlos, die Störenfriede vertreiben zu wollen, denn dadurch werden sie nur noch hartnäckiger.

Man muß vielmehr umgekehrt sich die Zeit nehmen, um den hartnäckigen Gedanken nachzugehen und sie jeweils bis zu Ende durchzudenken: also ein Problem, das einen nicht losläßt, soweit als möglich zu verfolgen, einen Plan nochmals gründlich zu erwägen, bedrängende Sorgen mit begründeten Gegenargumenten zu entkräften. Ärger und Enttäuschungen, in die man sich verbohrt hat, überhaupt alles Negative, durch Hervorrufen positiver Gedanken, schöner Erinnerungen, froher Erwartung, klärender Überlegungen, vielleicht auch humorvoller Vorstellungen, die zu befreiendem Lachen reizen, zu »neutralisieren«. Wenn man auf diese Weise seinen Gedanken nachgegeben hat und so entweder zu einem einigermaßen befriedigenden Ergebnis gelangen oder ihnen wenigstens ihren quälenden Druck nehmen konnte, dann wird das »Abschalten des Denkapparates« sicherlich leichter gelingen.

Und wenn man mit einem Problem wirklich nicht fertig wird, dann ist es erfahrungsgemäß am besten, es einfach mit in den Schlaf hinüberzunehmen in der vertrauensvollen Gewißheit, daß während des Schlafens nicht nur unsere Nervenzellen regeneriert werden, sondern auch unser ganzes Wesen in höhere Bewußtseinssphären eintaucht, die sich teils in unseren Träumen spiegeln, teils auch im Wachbewußtsein des folgenden Tages auswirken, so daß wir dann plötzlich Ideen und Einfälle haben, Zusammenhänge erkennen und Schlüsse ziehen können, an die wir vorher noch nicht im entferntesten gedacht haben.

Dem scherzhaften Rat, das Buch, in dem man etwas

auswendig zu lernen hat, während des Schlafens unter das Kopfkissen zu legen, liegt daher ein durchaus ernstzunehmender Tatbestand zugrunde: Was wir an Gedanken mit in den Schlaf hinübernehmen, das wird vom Unterbewußtsein »weitergesponnen« oder an das Überbewußtsein weitergegeben, jedenfalls so verarbeitet, daß wir dann beim Erwachen tatsächlich einen großen Schritt vorwärts gekommen sind. Es gibt unzählige Berichte darüber, daß auf diese Weise unlösbar scheinende Probleme eine unerwartete Lösung fanden, Erfindungen gemacht, neue Erkenntnisse gewonnen, Schwierigkeiten beseitigt wurden usw., so daß das Wort »den Seinen gibt's der Herr im Schlaf«, richtig verstanden, sehr wohl wahr ist. Ist die rechtzeitige Entlastung des Großhirns notwendig, um überhaupt einschlafen, d. h. vom Wachbewußtsein ins Traumbewußtsein gelangen zu können, so ist eine ebensolche Entlastung des vegetativen Nervensystems notwendig, um auch dieses in angemessener Weise zur Ruhe bringen und so den eigentlich regenerierenden Tiefschlaf finden zu können. Dazu bedarf es aber nicht nur des Abschaltens der Gedanken, sondern auch der Eindämmung aller Gefühle und der möglichst vollständigen Beruhigung des gesamten Organismus.

Man sollte also vor dem Schlafengehen nicht nur jede gedankliche Anstrengung, sondern auch aufregende Lektüre, Spiele oder ähnliches vermeiden. Das gilt auch für Theater, Kino, Tanzveranstaltungen und alle derartigen, mehr aufregenden als beruhigenden, zerstreuenden und anstrengenden, anstatt sammelnden und entspannenden Vergnügungen, mit denen wir unsere Nächte verbringen. Diese Dinge wären gut und richtig als notwendiges Gegengewicht unmittelbar nach der Arbeit am Nachmittag und Feierabend (es heißt wohlgemerkt nicht »Feiernacht«!). In die Nacht hinein ausgedehnt, verkürzen sie nicht nur die dringend benötigte Schlafzeit, sondern behindern vor allem auch den richtigen Tiefschlaf, sind also in doppelter Hinsicht schädlich.

Förderlich sind dagegen alle beruhigenden, harmonisierenden, verinnerlichenden, zur Stille führenden Eindrücke und Betätigungen, also etwa die Beschäftigung mit unserem »Steckenpferd«, das uns innere Befriedigung verleiht und uns in eine entsprechend friedfertige, ausgeglichene Stimmung versetzt. Das gleiche kann durch Anhören oder noch besser Ausüben guter Musik, überhaupt durch musische Betätigung jeder Art, durch erbauliche Lektüre oder Betrachten schöner Bilder erreicht werden. Darum sollte man seine schönsten Bilder ins Schlafzimmer hängen, wo man sich täglich vor dem Einschlafen und nach dem Aufwachen daran erfreuen kann, und nicht etwa in das sogenannte »gute Zimmer«, wo man sich nur selten aufhält. Ganz raffinierte Leute haben sogar einen Wechselrahmen, in dem sie die Bilder – je nach Stimmung, Jahreszeit usw. – auswechseln können.

Auch die Farbe der Schlafzimmertapete ist wichtig: beruhigend, unaufdringlich, aber nicht beengend oder gar bedrückend, also etwa Blau bis Lila, aber nicht zu dunkel, oder Bildtapeten mit heiteren entspannenden Motiven. Die Beleuchtung sollte gedämpft, aber ja nicht »schwül«, die Leselampe zwar hell, aber gut abgeschirmt sein.

Schließlich darf auch die Nase als besonders gemütswirksames Sinnesorgan nicht außer acht gelassen werden: Bei schlechter Luft kann man unmöglich gut schlafen. Frische, reine Luft ist eine Grundbedingung für gesunden Schlaf. Empfindsame Naturen können zur Erleichterung des Einschlafens vielleicht eine Räucherkerze entzünden, doch sollte dann ein geöffnetes Fenster frische Luftzufuhr während der Nacht gewährleisten. Stark duftende Blumen gehören keinesfalls ins Schlafzimmer: Sie müssen bei

Räumen, die zum Wohnen und Schlafen gleichzeitig benützt werden, oder bei Krankenzimmern vor dem Schlafengehen hinausgebracht werden.

Eine besonders günstige Vorbereitung auf den Schlaf ist ein gemütlicher Abendspaziergang, der sowohl dem Körper die nötige Entspannung gewährt (über deren Wichtigkeit wir gleich noch sprechen werden) als auch das Gemüt beruhigt und durch beschaulichen Naturgenuß (Sonnenuntergang, Abendbeleuchtung, Sternenhimmel, mondbeschienene Landschaft usw.) eben die bewundernde, begeisternde, andächtige, friedvolle oder glückliche, jedenfalls positive Stimmung erzeugt, die uns über unser eng begrenztes »Ich« und seine kleinlichen Sorgen und Wünsche, Ängste und Hoffnungen hinaushebt in die Weite größerer Zusammenhänge und in »Sphärenklänge«. Das ist überhaupt das Wichtigste: daß wir uns vor dem Einschlafen möglichst über den Alltag erheben und in »höhere Sphären« aufzusteigen versuchen. Denn ein schweres Leid oder auch eine freudige Erregung, drückende Sorge und bange Angst, kränkender (= krankmachender) Ärger oder gar Haß und Verbitterung können nicht so einfach durch einige positive Eindrücke und Beruhigungsversuche zur Ruhe gebracht bzw. überwunden werden. Da bedarf es schon einer entsprechend kräftigen und nachhaltigen Gegenwirkung, wie sie hauptsächlich der Bereich des religiösen Erlebens darstellt. Von diesem Gesichtspunkt aus gewinnt der religiöse Brauch des Abendgebetes und der abendlichen Gewissenserforschung eine allgemeingültige Bedeutung, die denjenigen, die nicht in einer festen Religionsform verwurzelt sind, von der modernen Tiefenpsychologie als abendliche Meditationsoder Besinnungsstunde und Tagesrückschau nahegebracht wird.

Das Sprichwort »ein gutes Gewissen ist ein sanftes Ruhekissen« gilt für jeden Menschen – und darum sollte sich jeder in seiner Weise darum bemühen: wenigstens in Gedanken Frieden mit seinen Feinden machen und sich um eine versöhnliche Haltung bemühen, ebenso den Frieden im eigenen Gemüt herstellen, indem man den vergangenen Tag nochmals an sich vorüberziehen läßt, begangene Fehler wenigstens vor sich selber eingesteht, gute Vorsätze erneuert, Widerwärtigkeiten und Schwierigkeiten nochmals möglichst ruhig und objektiv betrachtet und ihre tieferen Ursachen zu ergründen versucht – kurz alles, was einen innerlich bewegt, so zu behandeln sich bemüht wie die Kleider, die man ja auch nicht mit ins Bett nimmt, sondern vor dem Schlafengehen reinigt und ordentlich beiseite legt, um sie am nächsten Tag wieder gebrauchen zu können.

Genauso sollten wir also ganz bewußt unser Inneres vor dem Schlafengehen erneuern und reinigen und diese Arbeit nicht unserem Unterbewußtsein während des Traumschlafes überlassen. Sonst passiert es uns nämlich, daß unser Unterbewußtsein diese »Herkulesarbeit« der inneren Reinigung und Renovierung tatsächlich so gründlich in Angriff nimmt, daß darüber mit entsprechend abreagierenden Träumen die ganze Nacht verrinnt, ohne daß wir überhaupt zum erlösenden Tiefschlaf gelangen. Oder, wenn das Tiefenbewußtsein allein mit dem angesammelten inneren Wust nicht fertig wird, wachen wir während der Nacht mehrmals wieder auf, grübeln, ärgern uns vergeblich, versinken übermüdet in einen kurzen Dämmerschlaf, nur um daraus alsbald wieder emporzuschrecken, so daß wir gleichsam das Auf und Ab einer Hochgebirgswanderung durchmachen, anstatt ruhig zu schlafen (bei Kindern finden wir dieses nächtliche Aufschrecken – pavor nocturnus – sehr häufig, was immer ein Zeichen besonders schwerer Erziehungsfehler oder schädigender Verhältnisse ist).

Es ist kein Wunder, wenn wir nach solchen Nächten noch müder wieder aufwachen, als wir einschliefen, und uns völlig zerschlagen fühlen, denn wir haben ja praktisch überhaupt keinen Tiefschlaf gehabt, konnten also gerade das vegetative Nervensystem nicht regenerieren, das ja die Steuerung unserer Organfunktion besorgt. Seine Überanstrengung wirkt sich noch verhängnisvoller aus als die Übermüdung des Zentralnervensystems, die ja nur Ausfallserscheinungen der Denk- und Sinnesleistungen verursacht, während die vegetative Überreizung das ordnungsgemäße Funktionieren des gesamten Organismus mehr oder weniger schwer beeinträchtigt, von Übelkeit, Schwindelanfällen, Kopfweh, Kreislaufstörungen angefangen bis zur Erkrankung sämtlicher inneren Organe und Fehlfunktionen des Drüsensystems. »Kleine Ursachen – große Wirkungen« kann man gerade in bezug auf die Schlafhygiene sagen!

Doch schließlich ist ein guter Schlaf auch noch von körperlichen Bedingungen abhängig. Bekannt ist, daß man das Abendessen möglichst früh legen und abends nicht allzu schwere Sachen essen soll, denn wenn der Organismus zu sehr durch die Verdauung in Anspruch genommen ist, die ja vom vegetativen Nervensystem gesteuert wird, findet dieses wiederum nicht die notwendige Ruhe, und daher ist dann kein Tiefschlaf möglich (das gilt natürlich erst recht für Alkohol!).

Ebenso ist die allgemeine körperliche Verfassung von Bedeutung, denn wenn uns etwas weh tut oder irgendein Organ nicht richtig funktioniert, finden wir auch keinen ruhigen Schlaf. Und selbst wenn wir keine spürbaren Schmerzen haben, sind wir oft in unseren Muskeln und Gelenken noch verspannt und verkrampft, ohne daß wir das im Beanspruchtsein durch die tägliche Arbeit überhaupt noch merken. Ja, wir haben uns vielleicht durch einseitige Arbeitsweise schon einen chronischen Berufsschaden zugezogen, an den wir uns bereits so gewöhnt haben, daß er uns gar nicht mehr zum Bewußtsein kommt.

Doch der Organismus wird dennoch gerade beim Einschlafen davon gestört, so daß der wertvolle Tiefschlaf auch dadurch beeinträchtigt werden kann. In dieser Beziehung sind allzu weiche Matratzen schädlich, weil sie uns über die Muskelverkrampfungen und Gelenkversteifungen hinwegtäuschen, doch unser Körper spürt sie trotzdem und reagiert durch entsprechend unruhigen Schlaf.

Um uns hinsichtlich der Weichheit und Gelenkigkeit unseres Körpers selbst zu kontrollieren, sollten wir vielmehr ab und zu uns neben das Bett auf den harten Fußboden legen und dort einzuschlafen versuchen. Wenn wir in dieser Lage genausogut schlafen wie im Bett, sind wir körperlich in Ordnung – wenn uns dagegen unsere Knochen und Muskeln weh tun, merken wir daran, daß wir unseren Körper allzusehr vernachlässigt haben, so daß er steif und verkrampft wurde, denn ein entspannter, weicher Muskel und ein bewegliches, geschmeidiges Gelenk schmerzen nicht, weil sie sich dem harten Boden anschmiegen (auch das können wir besonders gut bei Kindern beobachten). Wer bei dieser Selbstkontrolle bemerkt hat, daß er körperlich nicht mehr ganz auf der Höhe ist, für den wird es höchste Zeit, durch entsprechende Entspannungsübungen, Ausgleichsgymnastik usw. seinen Körper wieder etwas »aufzubügeln«, denn der körperliche Mangel wird nicht nur den richtigen Schlaf verhindern, sondern selbstverständlich auf die Dauer auch die Leistungsfähigkeit im Wachen beeinträchtigen (vgl. dazu das Kapitel V/B »Konzentration und Entspannung« auf S. 164 ff.).

b) Ebenso wichtig wie das richtige Einschlafen ist das richtige *Aufwachen*, denn wenn vom Einschlafen der Verlauf der Nacht abhängt, so wird der Verlauf des Tages vom Aufwachen bestimmt. Mit Recht sagt man daher, jemand sei »mit dem linken Fuß aus dem Bett gestiegen«, wenn er schlecht gelaunt, arbeitsunlustig, ungeschickt und zappelig ist, so daß ihm alles schiefgeht und er mit jedermann Krach bekommt. Tatsächlich geht im allgemeinen der Tag so weiter, wie er begonnen hat, so daß wir der Hygiene des richtigen Aufwachens mindestens ebensoviel Beachtung schenken sollten wie der anschließenden Körperpflege, d. h. vor allem, daß wir – wie zu allem Wichtigen – uns auch zum Aufwachen Zeit lassen müssen. Wenn schon Hetze ein allgemein schädigendes Übel ist, so wirkt sie beim Aufwachen besonders schädlich.

Nach allem, was wir von der Bedeutung des Schlafens gehört haben, wird es uns ohne weiteres einleuchten, daß die Übergänge zwischen den verschiedenen Bewußtseinsschichten bzw. Funktionsbereichen der verschiedenen Nervensysteme möglichst langsam und unmerklich geschehen sollten, weil durch zu rasche, abrupte Übergänge jeweils eine Art Nervenschock verursacht wird, der für den Gesamtorganismus keineswegs zuträglich ist.

Dieser Einsicht gemäß ist z. B. die beim Militär übliche Weckmethode, daß beim schrillen Pfeifen des Wachhabenden alles aus den Betten springt, sich in größter Hetze waschen und ankleiden und dann auch noch sofort zum Frühsport antreten muß, ein Musterbeispiel gesundheitsschädigender Unvernunft. Jeder technisch nur halbwegs gebildete Laie weiß, daß man einen kalten Motor sofort nach dem Anlassen nicht auf volle Touren jagen darf, vor allem nicht regelmäßig, ohne ihn in kürzester Zeit kaputtzumachen. Daß aber für den menschlichen Organismus genau das gleiche gilt, das hat sich leider noch nicht herumgesprochen, denn der Organismus geht nicht so rasch kaputt wie der Motor, so daß dann bei den später einsetzenden Dauerschäden oder beim frühzeitigen Tod der ursächliche Zusammenhang nicht so klar auf der Hand liegt.

Doch Unkenntnis eines Naturgesetzes schützt nicht vor dessen Folgen! Allen Erziehungsberechtigten und Vorgesetzten sei also hier ausdrücklich gesagt, daß sie sich eines Verbrechens gegen die Menschlichkeit schuldig machen, wenn sie die ihnen anvertrauten Menschen nicht wenigstens mit der gleichen Sorgfalt behandeln wie empfindliche Apparate oder teure Maschinen.

Aus dem gleichen Grund ist der Wecker ein wahres »Teufelsinstrument«, denn durch ihn wird der arme Schläfer oft sogar unmittelbar aus dem Tiefschlaf ins Wachbewußtsein gerissen – was ungefähr ähnlich verheerend auf den Organismus wirkt, wie wenn man in einem Wolkenkratzer mit dem Fahrstuhl in wenigen Sekunden vom Keller ins oberste Stockwerk befördert würde. Der erlittene Nervenschock wirkt oft noch lange nach, und durch jahrelange Gewöhnung an diese Unsitte zieht man sich mit Sicherheit ein chronisches Nervenleiden zu. Neuerdings hat man auch schon doppelte Wecker konstruiert, die erst mit sanften Tönen beginnen, oder man weckt mittels eines Radioweckers durch Musik.

Doch das sind alles Notlösungen – die einzig richtige Methode besteht darin, überhaupt keine mechanischen Hilfsmittel zu benötigen und sich selbst zur gewünschten Zeit aufzuwecken. Ja, lieber Leser, schütteln Sie nicht so ungläubig den Kopf: Das können Sie auch, denn Sie benützen damit nur eine natürlicherweise in jedem Menschen vorhandene Anlage, eben den an das vegetative Nervensystem geknüpften »Zeitsinn«, den auch die Tiere haben. Allerdings muß diese Anlage – wie jede andere auch – erst entwickelt und geübt werden, vor allem wenn sie durch den Wecker künstlich abgetötet wurde.

Voraussetzung ist weiterhin das richtige Einschlafen in der oben beschriebenen Weise, so daß das vegetative Nervensystem während des Traumschlafes vor dem Aufwachen auch ungestört funktionieren kann. Sie brauchen sich bloß als letzten Eindruck vor dem Einschlafen vorstellen, am nächsten Morgen um so und so viel Uhr aufzuwachen – und es wird prompt auf die Minute geschehen! Zunächst werden Sie jedoch wahrscheinlich den Fehler machen, sich das Aufwachen willentlich zu befehlen oder begrifflich einzuprägen, also Funktionen des Zentralnervensystems zu benützen, die während des Schlafes gar nicht angewandt werden können. Und wenn dann noch intellektuelle Zweifel an der ganzen Sache und die Angst, doch nicht aufzuwachen, hinzukommen, dann wird die entsprechende Fehlreaktion die sein, daß Sie in der Nacht alle zwei Stunden aus dem Schlaf aufschrecken und am Morgen doch den vorgenommenen Zeitpunkt verschlafen, weil Sie in der Nacht vor lauter Aufpassen kaum zum Schlafen kamen.

Die Sache kann natürlich nur bei richtiger Methode funktionieren, d. h., es muß das vegetative Nervensystem angesprochen werden, was bekanntlich nur mittels einer bildhaften Vorstellung möglich ist, indem man sich etwa deutlich den Zeigerstand der Uhr zu dem gewünschten Zeitpunkt des Aufwachens vorstellt. Und diese Vorstellung muß dann, wie gesagt, in voller Ruhe und Sicherheit als letzter Gedanke bzw. letztes Bild in den Schlaf hineingenommen werden. Um das zu erreichen – also das störende Moment der Angst auszuschalten –, kann man anfangs zur Sicherheit noch den Wecker stellen, sich aber einige Minuten vor seinem Rasseln wecken und ihn abstellen. Schließlich gibt es noch eine Schwierigkeit: Wenn das Unterbewußtsein dagegen ist, kann das Aufwachen auch nicht funktionieren, denn das geschieht ja gerade mittels des Unterbewußtseins. Sie wollen z. B. nur aus Pflichtbewußtsein so früh aufstehen, würden aber viel lieber liegenbleiben und ausschlafen, oder Sie zwingen sich gar zu etwas, wogegen Sie einen Widerwillen haben. Da siegt natürlich der unterbewußte Wunsch oder der Widerwille (siehe S. 121 f.). Da es nichts Raffinierteres gibt als das Unterbewußtsein, kann das Aufwachen sogar scheinbar funktionieren: Sie träumen es nämlich in allen Einzelheiten und merken erst viel später, daß Sie geträumt haben! In solchen Fällen muß man also schon vor dem Einschlafen dem Unterbewußtsein das Aufwachen »schmackhaft machen« und den Widerwillen auch gemütswirksam (nicht nur verstandesmäßig) überwinden (s. S. 124 f.). Wenn Sie diese Regeln genau beachten, werden auch Sie sich sehr bald zu jeder gewünschten Zeit selbst aufwecken können und dann erstaunt feststellen, daß ihr innerer Zeitsinn verläßlicher ist als die Uhr, weil er niemals vor- oder nachgehen oder gar stehenbleiben kann. Wenn Sie sich nun selbst aufwecken können, dann wecken Sie sich in Zukunft mindestens eine Viertelstunde früher als bisher, damit Sie genügend Zeit haben, um richtig, d. h. langsam und allmählich, aufwachen zu können. Und zwar bleibt man nach dem Aufwachen bzw. Gewecktwerden noch unbeweglich mit geschlossenen Augen liegen und erlebt so möglichst bewußt den Übergang vom Traum zum Wachzustand. Bei einiger Übung kann man diese Grenze ganz bewußt überschreiten – wie übrigens auch umgekehrt diejenige vom Wachen zum Träumen. Ich erinnere mich noch genau an ein besonders eindrucksvolles Beispiel dafür: Ich träumte vor dem Aufwachen, ein Flieger würde mit dröhnenden Motoren über mir kreisen. Der Flieger kam immer weiter herunter, doch je näher er in immer enger werdenden Kreisen kam, desto kleiner wurde er und desto leiser tönten die Motoren (also gerade umgekehrt, wie es in Wirklichkeit hätte der Fall sein müssen) – bis er schließlich ganz klein und leise brummend meinen Kopf umschwirrte –, als eine Fliege, wie ich dann mit geöffneten Augen wachbewußt feststellte.

Ein solcher organischer Übergang vom Traum zum Wachen, ohne jede Gewaltsamkeit oder Schockwirkung, wird vom gesamten Organismus als besonders wohltätig empfunden. Wenn man dann ganz wach ist, bleibt man immer noch ein paar Minuten liegen und besinnt sich auf den bevorstehenden Tageslauf. Wie man vor dem Einschlafen eine Tagesrückschau hielt, so hält man nach dem Aufwachen eine Tagesvorschau. Eingedenk dessen, was wir vorhin über die Bedeutung des Schlafens als nicht nur körperlich regenerierendes, sondern auch seelisch-geistig weiterführendes Lebenselement gehört haben, versuchen wir nun, möglichst viel von dem im Schlaf Erfahrenen mit ins Wachbewußtsein hinüberzunehmen. Man wird sich also nicht nur an seine Träume erinnern, sondern auch gerade die Ideen, Einfälle, intuitiven Weisungen und Ahnungen, die einem in diesen ersten Minuten des Wachseins kommen, als besonders wichtige Hinweise auf den Ablauf des begonnenen Tages würdigen und sie in einer bewußten Tagesplanung entsprechend verwerten.

Je gründlicher man sich auf diese Weise gedanklich auf das kommende Tagewerk vorbereitet, desto besser wird man es bewältigen können, und desto weniger Unvorhergesehenes wird noch störend dazwischenkommen. Und wenn man schließlich auch noch dem Körper Gelegenheit gibt, langsam »warmzulaufen«, indem man sich zunächst im Bett so richtig streckt und dehnt und räkelt und anschließend am offenen Fenster einige wenige, aber wirksame Atemübungen macht, so wird das allgemeine Wohlgefühl die Richtigkeit und Wichtigkeit dieser Praxis bestätigen.

Auf diese Weise richtig ausgeschlafen und durch rechtzeitiges Aufstehen nicht in Zeitnot geratend, wird man auch das Frühstück mit Appetit genießen, denn gerade ein noch gesund reagierender Organismus wehrt sich mit Recht gegen eine in Unruhe und Hetze eingenommene Nahrung, die ihm niemals bekömmlich sein kann. Wer in letzter Minute aus dem Bett springt, noch schlaftrunken in die Kleider fährt und noch während des Anziehens – oder schon in der Tür stehend, mit ängstlichem Blick auf die Uhr – versucht, ein paar Bissen hinunterzuwürgen, der wird von vornherein gar keinen Appetit haben, also mit leerem Magen fortgehen. Oder das Gegessene kann nicht richtig verdaut werden, so daß er bereits am frühen Morgen Magenbeschwerden hat. In beiden Fällen leidet sowohl der Mensch als auch seine Arbeit, denn ausreichende Ernährung und richtige Verdauung sind die Grundvoraussetzungen für einen leistungsfähigen Organismus.

Wer also in aller Ruhe gut gefrühstückt und den Weg zur Arbeitsstätte dazu benützt hat, um sich bereits innerlich auf die Arbeit vorzubereiten, der wird in ganz anderer Stimmung seine Arbeit beginnen als einer, der unausgeschlafen, abgehetzt und mit leerem oder überreiztem Magen zur Arbeit kommt. Und wie die Arbeit begonnen wurde, so läuft sie weiter: Sie geht entweder leicht von der Hand, und etwa auftauchende Schwierigkeiten werden mit wachen Sinnen und frischer Energie bewältigt – oder die physische Übelkeit und psychische Mißgestimmtheit übertragen sich auf die Arbeit, und die kleinste Schwierigkeit bringt den ohnehin schon nervösen und abgespannten Menschen vollends aus dem Häuschen. Wer diese Zusammenhänge einmal richtig erkannt hat, der geht erstens in Zukunft immer so früh wie möglich zu Bett und bereitet sich richtig auf das Einschlafen vor, und der läßt sich zweitens viel Zeit zum Aufstehen, indem er lieber sogar eine halbe Stunde früher als bisher aufsteht, weil er weiß, wie sehr sich diese halbe Stunde lohnt, wenn sie sich den ganzen Tag über segensreich auswirkt.

E. Wachstum (Biorhythmen)

Daß auch der Mensch den natürlichen Wachstumsrhythmen unterworfen ist, war schon im Altertum bekannt. In neuerer Zeit hat sich insbesondere der um die Jahrhundertwende lebende Arzt Dr. Fließ um die Wiederentdeckung und genauere Erforschung der menschlichen Lebensrhythmen verdient gemacht. In seiner ärztlichen Praxis konnte er beobachten und nachweisen, daß nicht nur der weibliche, sondern auch der männliche Organismus einer regelmäßigen Periodik unterliegt und daß in jedem Menschen beide Perioden nebeneinander wirksam sind: die männliche von 23 Tagen und die weibliche von 28 Tagen. Diese Erkenntnis wurde im Jahre 1928 von Dr. Teltscher durch die Entdeckung einer dritten Periode ergänzt: der allgemeinmenschliche intellektuelle Rhythmus von 33 Tagen. Im einzelnen ist bei jedem Menschen der männliche Rhythmus (M) bestimmend für die körperliche Verfassung, Lebensenergie, praktischen Fähigkeiten, Initiative, Mut, sportlichen Leistungen usw. – der weibliche Rhythmus (W) für die Gemütsfunktionen, Gefühlsschwingungen, Liebesbeziehungen, künstlerische Betätigung usw. – der intellektuelle Rhythmus (I) für das verstandesmäßige Verhalten, Wachheit der Sinnesleistungen, Überlegung, Planung, Entschlußkraft, Urteilsfähigkeit usw.

Da alle drei Perioden mit dem Tag der Geburt beginnen, aber verschiedene Wellenlängen haben, ergeben sich im Laufe der Lebenszeit entsprechende »Wellenberge« und »Wellentäler« sowie Kreuzungspunkte:

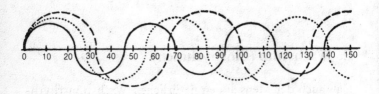

Erfahrungsgemäß bedingt nun das »Hoch« jeder Periode eine Förderung und Steigerung der entsprechenden Kräfte und Fähigkeiten, während ihr »Tief« eine Hemmung und Beeinträchtigung verursacht. Und die Übergänge vom »Hoch« zum »Tief« und umgekehrt – sowie die Kreuzungspunkte der verschiedenen Perioden (periodische und halbperiodische Tage) – sind besonders kritisch.

Da wir es mit drei Perioden zu tun haben, ergeben sich natürlich die verschiedensten Kombinationsmöglichkeiten: Es können alle drei vorwiegend im »Hoch« oder vorwiegend im »Tief« liegen, dann würde ein entsprechendes allgemeines Hochgefühl und Leistungsoptimum oder umgekehrt eine totale Depression und Anfälligkeit für Krankheiten, unglückliche Umstände usw. daraus resultieren. Es können aber auch z. B. die M- und W-Periode im »Hoch« und die I-Periode im »Tief« liegen oder die W- und I-Periode im »Hoch« und die M-Periode im »Tief« usw. Im ersten Falle würde dies bedeuten, daß

Vitalität und Impulsivität groß sind, die vernünftigen Erwägungen aber beeinträchtigen – also eine sowohl unüberlegte Liebesabenteuer als auch sonstige Affekthandlungen begünstigende Situation. Im zweiten Falle wären die Gefühlskräfte und intellektuellen Fähigkeiten stark wirksam, die körperliche Verfassung aber schlecht – so daß etwa die beruflichen Interessen und die Anteilnahme am Ergehen anderer Menschen besonders heftig auf uns einstürmen, unseren zu dieser Zeit ohnehin schon labilen Gesundheitszustand vollends aus dem Gleichgewicht bringen und so eine akute Erkrankung verursachen können.

Besonders wichtig ist die Rhythmenverwandtschaft natürlich in der Partnerschaft, denn es leuchtet ein, daß selbst noch so große wesensmäßige, charakterliche und intellektuelle Übereinstimmung kein dauerhaftes Glück verbürgen können, wenn die Lebensrhythmen gegensätzlich verlaufen. Wenn z. B. hinsichtlich der M-Periode die Höhepunkte der Frau ständig mit den Tiefpunkten des Mannes zusammentreffen oder umgekehrt, dann kann einfach die geschlechtliche Beziehung keine beglückende Befriedigung gewähren, sondern muß umgekehrt zu einem dauernden Störungsfaktor werden, muß Frigidität und Impotenz hervorrufen und schließlich sogar entweder das Scheitern der Beziehung oder schwere Gesundheitsschädigungen verursachen.

Oder wenn die W- und I-Perioden nicht übereinstimmen, werden die gefühlsmäßigen Reaktionen der Partner auch bei anlagemäßig durchaus möglicher Harmonie doch so sehr auseinandergehen, und werden bei an sich gleicher intellektueller Veranlagung doch die Zeiten des gesteigerten oder erlahmenden Interesses sich so sehr widersprechen, daß es zu dauernden, zermürbenden Reibereien und Enttäuschungen kommen muß, die von niemandem verschuldet und dennoch unvermeidlich sind – eine wahrhaft tragische Situation. Schon diese wenigen Beispiele zeigen, wie wichtig es für jeden Menschen ist, den Stand seiner biorhythmischen Lebenskurven einigermaßen zu kennen, um sich entsprechend einrichten bzw. vorsehen zu können. Man hat z. B. bei einer großen Zahl von Unglücksfällen die biorhythmischen Kurven der Beteiligten untersucht und tatsächlich festgestellt, daß in gehäuftem Maße die I-Periode oder sogar alle drei Perioden in den ungünstigen Phasen waren. Ebenso wurde der Verlauf vieler Krankheiten und Operationen mit dem biorhythmischen Kurvenstand verglichen und eine überraschend genaue Übereinstimmung zwischen den Wellenbewegungen der drei Perioden und dem günstigen oder ungünstigen Krankheits- bzw. Operationsverlauf nachgewiesen. Auch bei Eisenbahn- und Flugzeugkatastrophen hat man vielfach in dem schlechten Stand der Biorhythmen der verantwortlichen Personen zumindest einen mitverursachenden Faktor gefunden, so daß einige Fluggesellschaften bereits beim Flugeinsatz ihrer Piloten den Stand der biorhythmischen Kurven berücksichtigen.

Es leuchtet ohne weiteres ein, daß das für die genannten Situationen Zutreffende auch in allen Vorkommnissen und Betätigungen des täglichen Lebens sich auswirkt: bei der beruflichen Arbeit, bei geschäftlichen Verhandlungen und Abschlüssen, künstlerischen Schöpfungen und Leistungen, wissenschaftlichen Entdeckungen und Erfindungen usw. ebenso wie in den privaten Beziehungen und Geschehnissen von Ehe und Freundschaft, Gesundheit und Krankheit, Geburt und Tod.

Infolgedessen sollte nicht nur die theoretische Kenntnis der Biorhythmen im allgemeinen (siehe Literaturverzeichnis), sondern vor allem auch die praktische Beachtung der persönlichen Auswirkungen im besonderen zu den Selbstverständlichkeiten bewußter Lebensführung gehören (es gibt daher auch schon Uhren mit Rhythmen-Anzeiger und Taschenrechner mit einprogrammiertem Rhythmenablauf für jedes Geburtsdatum).

Vergleichstabelle der Lebensrhythmen:

Der Atemrhythmus vollzieht sich beim Durchschnittsmenschen im Ruhezustand

18 mal in jeder Minute,
1 080 mal in einer Stunde,
25 920 mal am Tag.

Der Rhythmus des Herzens schwingt schneller:

72 mal in der Minute,
4 320 mal in einer Stunde,
103 680 mal am Tag.

Ein physischer Biorhythmus von 23 Tagen wird von   2 384 640 Herzrhythmen und   596 160 Atemrhythmen durchlaufen.

Auf einen psychischen Biorhythmus von 28 Tagen kommen   2 903 040 Herzrhythmen und   725 760 Atemrhythmen.

Auf einen intellektuellen Biorhythmus von 33 Tagen kommen   3 421 440 Herzrhythmen und   855 360 Atemrhythmen.

Ein 72jähriger Mensch hat

1143 mal den physischen,
939 mal den psychischen und
797 mal den intellektuellen Biorhythmus durchlebt.

Dabei hat er 681 644 160mal geatmet, und sein Herz hat 2 726 576 640 mal geschlagen.
Für Kenner der Zahlensymbolik: sämtliche Zahlen (außer Biorhythmen) ergeben die Quersumme 9!

F. Jahreszeiten

Auch die für unsere Zone maßgebenden vier Jahreszeiten stellen einen prägenden Rhythmus dar, dem sich niemand der darin Lebenden entziehen kann.

1. Der *Frühling*, die Zeit der wiedererwachenden Natur, bringt auch für den Menschen eine entsprechende Umstellung des gesamten Organismus. Die Belebung der vitalen Funktionen und die ansteigende Lebensfreude machen sich in vielfacher Weise bemerkbar: durch die bei allen Redaktionen berüchtigte Flut von Frühlingsgedichten ebenso wie durch das verstärkte Interesse am anderen Geschlecht, demzufolge neue Bekanntschaften geschlossen und alte »aufgewärmt« werden – durch eine gesteigerte Unternehmungslust im allgemeinen und durch das Bestreben, alle guten und schönen Dinge des Lebens zu genießen, im besonderen. Nicht umsonst wird daher der Frühling eingeleitet durch die tolle Ausgelassenheit des Karnevals und findet seinen Höhepunkt im vielbesungenen »Wonnemonat Mai«, der schon im Volksbrauch mit Maibaum, Maitanz usw. gemäß seiner Bedeutung für alle Liebespaare und solche, die es werden wollen, gebührend gefeiert wird.

Doch die Macht des Frühlings wirkt sich auch in weniger erfreulicher Weise aus, indem sie zwar die Lebensfreude steigert, aber die Leistungsfähigkeit beeinträchtigt. Viele Menschen leiden unter der sogenannten Frühjahrsmüdigkeit, die sich in Arbeitsunlust, besonders rascher Ermüdbarkeit, Konzentrationsschwierigkeit, Abgespanntheit usw. bis zu Schwindelgefühl, Kopfweh und Kreislaufstörungen äußert. Nun, es geht uns dabei ähnlich, wie wenn wir ein den Winter über stillgelegtes Auto wieder in Betrieb nehmen: Es zeigen sich allerhand Mängel und »Mucken«, die vorher nicht vorhanden waren und die eben entweder durch die lange Untätigkeit oder die erneute plötzliche Beanspruchung entstanden sind.

So reagiert auch unser Organismus auf die Funktionssteigerung im Frühling zunächst um so negativer, je mehr wir ihn im Winter vernachlässigten und je plötzlicher bzw. stärker er nun beansprucht wird. Gerade bei unvernünftig und naturfremd lebenden Menschen, die ihren Organismus ohnehin dauernd schädigen oder ihm zuviel zumuten, kann daher die natürliche Frühjahrskrise sozusagen das Faß zum Überlaufen bringen und eine ernstliche Erkrankung verursachen.

Wir alle, ganz besonders aber diejenigen, die unter Frühjahrsmüdigkeit leiden, sollten in der Zeit der wiedererwachenden Lebensenergien auch für die Gesundheit ein übriges tun, indem wir eine sogenannte »Frühjahrskur« vornehmen. Sie besteht vor allem darin, daß der Organismus durch eine entsprechende Fasten- oder Diätkur gründlich von allen Winterschlacken gereinigt und ein beschleunigter Stoffwechsel herbeigeführt wird (genaue Anweisungen findet man in der einschlägigen Literatur). Die Fastenzeit hatte ursprünglich nicht nur religiöse, sondern auch wesentliche gesundheitliche Bedeutung, solange die wissenschaftlichen Erkenntnisse noch nicht in dem Maße Allgemeingut waren wie heute. Wir sollen gerade im Frühling auch in der Arbeit nichts absolut erzwingen wollen, sondern ruhig einmal »die Zügel schießen lassen«, wenn uns die Konzentration oder das Stillsitzen gar zu schwer fallen oder wenn es uns allzusehr »im Blute juckt«. Und auch als Vorgesetzter können wir in dieser Zeit ruhig ein Auge mehr zudrücken als sonst. Denn Ausgelassenheit zur rechten Zeit, natürlich in menschenwürdigem Rahmen bleibend, ist ein sehr gutes Regenerationsmittel, das die Leistungsfähigkeit und vor allem die Arbeitsfreude wesentlich erhöht.

Wenn man außerdem weiß, daß insbesondere die Denkfunktionen im Frühjahr durch die im Vordergrund stehenden Stoffwechselprozesse stark gehemmt sind und daher intellektuelle Tätigkeit jeder Art besonders schwer fällt, dann richtet man seine Arbeit nach Möglichkeit entsprechend ein.

Dies gilt ganz besonders für die heranwachsenden Menschen, weshalb in gesundheitlicher Hinsicht ausgiebige Osterferien ebenso wichtig sind wie die Sommerferien und außerdem Schuljahr- bzw. Klassenwechsel mit Versetzungs- oder gar Reifeprüfungen in den Herbst und Winter gehören.

2. Im *Sommer*, der Zeit des höchstgesteigerten vegetativen Lebens, sind einerseits die intellektuellen Denkfunktionen am meisten beeinträchtigt, andererseits die vitalen Regenerationskräfte besonders aktiv. Daraus ergibt sich folgerichtig die allgemeine Gepflogenheit, hauptsächlich die Sommermonate als Ferien- und Urlaubszeit zu benützen.

Über die lebensfördernde Wirkung des Sonnenlichtes einerseits und die leistungsmindernde Einwirkung der Hitze andererseits wird nachher noch einiges zu sagen sein. Ganz allgemein muß aber auf die in jeder Hinsicht gesundheits- und leistungsfördernde Bedeutung von viel Luft und Licht hingewiesen werden, wozu noch die gleichzeitig beruhigende und erfrischende Wirkung des Blattgrüns (Chlorophyll) kommt, so daß im Sommer wirklich jede Gelegenheit benützt werden sollte, um dieser Segnungen der Natur teilhaftig zu werden.

Von den fensterlosen Fabrik- und Geschäftsbauten mit künstlicher Beleuchtung und Belüftung ist man längst wieder abgekommen, weil sich in der Praxis herausgestellt hat, daß Sonnenlicht, frische Luft und möglichst auch der Blick ins Grüne während der Arbeit ebenso wichtig sind wie im Urlaub, nämlich notwendige Faktoren für eine gute Dauerleistung ohne Gesundheitsschädigung.

Darum ist man auch in der modernen Städteplanung zu der möglichst aufgelockerten, überall Sonne und Luft Zutritt gewährenden Bauweise übergegangen und sorgt für sehr viel Grün durch Baumanlagen und Rasenflächen. Wo man noch nicht in modernen Gebäuden und Städten arbeiten kann, sollte man im Sommer durch geöffnete Fenster, Ventilatoren, Verlegung der Arbeitsplätze an die Sonnenseite usw. und durch bewußtes Ausnützen jeder Arbeitspause zum »Luftschnappen« und Ausruhen im Grünen sein möglichstes tun, um der regenerierenden Wirkung dieser Jahreszeit in jeder Weise entgegenzukommen.

Dazu gehört vor allem auch das Wochenende im Grünen! Zumal bei der im allgemeinen viel zu kurzen Urlaubszeit ist es unbedingt nötig, nicht nur den Urlaub in der Natur zu verbringen, sondern möglichst jede freie Stunde – wobei Natur wirklich Wälder und Wiesen, Berge und Wasser, Erde und Himmel bedeutet und nicht etwa bloß eine am Auto, Omnibus oder Eisenbahnabteil vorüberrasende Landschaft oder gar eine Hotelhalle, Bar oder Wirtshausstube!

Jede Art von Verkehrsmittel sollte infolgedessen wirklich nur dazu benützt werden, um möglichst rasch in das nächstgelegene Erholungsgebiet zu kommen. Dankenswerterweise werden immer mehr solcher Gebiete erschlossen, Parkplätze mit Wanderwegen und Trimm-dich-Pfaden angelegt, Fahrräder an Bahnhöfen verliehen und sonst noch viele vernünftige Dinge getan, um Landschaftsschutz und Naturerschließung für die geplagten Stadtmenschen zu verbinden.

Es liegt nun an Ihnen, dies alles bestmöglich zu nutzen!

3. Wer so den Sommer richtig zur Erholung und Stärkung seines ganzen Organismus benützt hat, der hat genügend Kraftreserven gesammelt, um auch im *Herbst*, in der Jahreszeit der Reife und Fülle, der Ernte und Verarbeitung, im rechten Einklang mit dem Naturgeschehen bleiben zu können.

Dann ist die günstigste Zeit zu verstärkter Anstrengung und zum Erzielen von Höchstleistungen, da von seiten der Natur die wenigsten Hindernisse bestehen: Die sommerliche Hitze ist geschwunden und die winterliche Kälte hat noch nicht eingesetzt. Tag und Nacht sind annähernd gleich, die Fülle der Natur regt auch die Gestaltungskraft der Intelligenz an, und durch das allmähliche Zurruhekommen der Vitalität wird die Bahn frei für eine verstärkte Entfaltung der Denkfunktionen.

Wenn man also überhaupt die Möglichkeit hat, sich die Arbeit nach persönlichem Ermessen einrichten zu können, sollte man sich mit besonders kniffligen intellektuellen Problemen erst im Herbst herumschlagen; und darum wäre – wie schon erwähnt – jetzt auch die beste Zeit für Versetzungen, Prüfungen, Staatsexamen usw. Und gerade der schöpferisch Schaffende wird bestätigen, daß oft die »zündende Idee« schon im Frühling kam, daß er sie dann aber noch den ganzen Sommer über »mit sich herumgetragen« hat, bis sie im Herbst endlich »ausgereift« war und in die Tat umgesetzt wurde, das fertige Werk jedoch erst im Winter seinen »letzten Schliff« bekam.

4. Der *Winter* als die Jahreszeit, in der einerseits die natürlichen Lebensfunktionen am meisten reduziert sind und die Nacht den Tag überwiegt und in der andererseits die kalte, klare Luft und die glitzernden Schneeflächen die Sonnenstrahlen besonders wirksam werden lassen, ist sowohl für die Besinnlichkeit und Verinnerlichung am ge-

eignetsten als auch für »kristallklare« Denkarbeit und »geschliffene« Formulierung am günstigsten.

Auch für die körperlich Arbeitenden ist jetzt die beste Zeit, um sich theoretisch weiterzubilden oder durch Lesen, Besuch von Vorträgen und Kursen usw. etwas zur Erweiterung ihres Horizontes zu tun, was gerade in einer demokratischen Staatsform, die auf der selbständigen Urteilsbildung und freien Entscheidung jedes einzelnen beruhen sollte, besonders notwendig ist.

Man darf die förderliche Wirkung der winterlichen Atmosphäre allerdings nicht durch überhitzte Räume unterbinden! Wie oft wird in Büros, Amts- und Schulzimmern oder privaten Arbeitsräumen dieser Fehler gemacht, so daß man meint, in ein Treibhaus oder in einen Backofen zu kommen, und sich wundert, daß die Menschen in einer solchen Luft überhaupt arbeiten oder gar einen klaren Gedanken fassen können. Nun, meistens ist die Qualität der Arbeit auch danach, so daß hier Aufklärung dringend nötig erscheint. Der Mensch kann nur richtig arbeiten, wenn der Kopf kühl gehalten wird und wenn durch ständige Frischluftzufuhr die notwendige Sauerstoffmenge für eine ausreichende Atmung gewährleistet ist!

Außerdem muß für genügende Luftfeuchtigkeit gesorgt werden, da die sonst auftretende Reizung der Schleimhäute, Trockenheit im Hals (Hustenreiz), Erschwerung der Hautatmung usw. ebenfalls die Leistungsfähigkeit beeinträchtigen. Begreiflicherweise ist die Versuchung zur Überhitzung der Arbeitsräume bei sitzender Beschäftigung besonders groß, weil man da eher friert als bei körperlicher Bewegung. Trotzdem kann man für richtige Erwärmung sorgen, indem durch Fußbodenheizung oder Fußsäcke, elektrische Wärmespender usw. vor allem warme Füße gewährleistet werden; dann kann die übrige Raumtemperatur ruhig niedriger sein, und es wird dennoch kein Kältegefühl entstehen.

Außerdem ist besser als ständige minimale Lüftung, in regelmäßigen Abständen einen tüchtigen Durchzug zu bewerkstelligen, durch den die ganze Luft gründlich erneuert wird und sich dann wesentlich schneller erwärmt als ein lauwarmer »Mief«.

Es hat sich inzwischen herausgestellt, daß technisch noch so vollkommene Klimaanlagen biologisch niemals die unmittelbare Frischluftzufuhr durch geöffnete Fenster zu ersetzen vermögen, weshalb der ständige Aufenthalt in vollklimatisierten Räumen sogar gesundheitsschädlich ist. Umgekehrt kann auch der heftigste Durchzug niemals zu Erkältungen führen, wenn er nicht zum Dauerzustand wird und wenn man ihn nicht passiv über sich ergehen läßt. Man kann hier vielmehr gleich zwei Fliegen mit einer Klappe schlagen, indem man in der Lüftungspause die sitzende Betätigung unterbricht und durch entsprechende Ausgleichsgymnastik die sonst unvermeidlichen Dauerschäden durch ständiges Sitzen verhütet. Wenn man die Frischluftzufuhr auch noch durch gezielte Atemübungen verstärkt, hat man die Pause tatsächlich optimal genutzt.

Schließlich ist die Wirkung der winterlichen Schneeluft das genaue Gegenstück zur Wirkung des sommerlichen Blattgrüns, so daß dafür das gleiche gilt: Sobald überhaupt Schnee liegt bzw. erreichbar ist, sollte jede freie Stunde im Schnee verbracht werden! Es gibt kein besseres Heil- und Regenerationsmittel für alle Atmungsorgane sowie für den gesamten Kreislauf als jede Art von Wintersport oder auch nur einen Spaziergang in reinigender Schneeluft (bekanntlich ist Schneeluft und Wintersonne auch die beste Medizin gegen Tuberkulose).

Es ist im Winter genauso wichtig wie im Sommer, möglichst jedes Wochenende in der freien Natur zu verbringen. Allerdings ist es bei uns leider nicht immer so leicht, ins »Weiße« zu kommen wie ins Grüne. Wenn Schnee an den Wochenenden unerreichbar bleibt, dann müßte man den Urlaub teilen oder wenigstens so viel Urlaubstage übrig behalten, daß man in der Zeit »zwischen den Jahren« in den Schnee fahren kann.

G. Entwicklung (Reifungsphasen)

Der längste Rhythmus, in dem wir leben, sind die Reifungsphasen der verschiedenen Lebensalter, die man im allgemeinen mit Kindheit – Jugend – Reife – Alter bezeichnet und mit Keimen – Blühen – Fruchttragen – Welken bei der Pflanze vergleicht. In jeder Phase unterscheiden wir nochmals drei Unterabschnitte von ungefähr 7 Jahren, so daß die ganze Phase durchschnittlich 21 Jahre dauert und somit ein volles Leben 84 Jahre umfaßt. Früher stimmte dies auch tatsächlich mit der durchschnittlichen Lebenserwartung überein, doch heute haben die verschiedenen Zivilisationseinwirkungen Rhythmusverschiebungen verursacht, die hauptsächlich in einer Beschleunigung der frühen Phasen und einer Verzögerung der späten Phasen zum Ausdruck kommen.

1. Heute wissen wir, daß die *Kindheitsphase* die wichtigste ist, denn da erfährt der Mensch seine entscheidende Lebensprägung, die er später nur noch zu einem gewissen Grade korrigieren bzw. modifizieren, nicht aber völlig verändern kann, so daß diese Phase als gleichgewichtig mit den ebenfalls prägenden Erbanlagen anzusehen ist. Das Wort »was Hänschen nicht lernt, lernt Hans nimmermehr« besteht also durchaus zu Recht, zumal wenn mit »Hänschen« auch noch die Jugend verstanden wird. Andererseits wäre der Titel dieses Buches unzutreffend,

wenn nicht für jeden Menschen die Möglichkeit bestünde, durch intensives und konsequentes inneres Training eine mindestens ebenso weitgehende Korrektur und Modifizierung von Erbanlagen und Erziehung zu erreichen, wie durch ausdauerndes äußeres Training die erstaunlichsten sportlichen oder gar artistischen Leistungen zu erreichen sind. Im Kapitel »Schicksalsmeisterung« werden wir uns noch eingehender damit befassen (vgl. Kap. VII, S. 251 ff.).

Wenn auch eine so ausführliche Darstellung, wie sie der Bedeutung der menschlichen Reifungsphasen angemessen wäre, im Rahmen dieses Buches nicht möglich ist und daher wiederum auf das Literaturverzeichnis verwiesen werden muß, so benötigen wir dennoch zumindest einen kurzen Überblick über die einzelnen Sieben-Jahres-Rhythmen, in denen annähernd die menschliche Entwicklung verläuft, um eben jeweils das Beste daraus machen zu können.

a) Die ersten sieben Jahre des *Kleinkindes* dienen vorwiegend der Forsetzung dessen, was im Mutterleib schon neun Monate vorher geschehen ist: weitere Ausbildung und Stabilisierung des Körpers, seiner Organe und Gliedmaßen, sowie Anpassung des noch zarten Gebildes an die seit der Geburt vorhandene rauhere Umwelt und Erlernen des richtigen Gebrauches des körperlichen Instrumentes (Aufrichten, Stehen, Gehen, Greifen, Sprechen usw.). Schließlich folgt die Kontaktaufnahme mit Menschen und Dingen, das Umgehen mit ihnen und nicht zuletzt das Sichbehauptenkönnen diesen gegenüber. All das geht Hand in Hand mit dem weiteren ständigen Erproben und Üben der körperlichen Kraft und Geschicklichkeit beim täglichen Spielen und Tollen. Dies ist also für das Kind eine durchaus lebenswichtige Angelegenheit, wofür die Eltern und erst recht die »geplagten« Mitmenschen leider oft viel zu wenig Verständnis aufbringen. Insgesamt ist also die Bildung des ganzen psychophysischen Gefüges, das wir »*Konstitution*« nennen, die Hauptaufgabe dieser ersten Lebensphase nach der Geburt.

Dabei lernt das Kleinkind im wesentlichen nur durch *Nachahmung*, so daß es ein getreues Spiegelbild seiner Umgebung wird. Das Wort Pestalozzis »Erziehung ist Beispiel und Liebe und sonst nichts« gilt also für diese Phase ganz besonders. Wenn alle Eltern das doch endlich begreifen würden, könnten sie sich selbst die meisten Erziehungsschwierigkeiten und ihren Kindern viele bittere Erfahrungen ersparen!

Da das kindliche Gehirn abstrakte Denkfunktionen noch gar nicht nachvollziehen kann und das kindliche Gewissen auf natürliche Ethik und nicht auf die oft sehr gekünstelten und fragwürdigen Moralvorstellungen der Erwachsenen ausgerichtet ist, nützen noch so ausführliche intellektuelle Belehrungen über Verbote und Gebote oder entrüstete »Moralpredigten« über »Sitte und Anstand« gar nichts! Infolgedessen wird sich ein gesundes Kind sogar zumindest innerlich, nach Möglichkeit auch äußerlich dagegen wehren. Wohl aber wird es ein wirklich anständiges, menschlich einwandfreies und in jeder Hinsicht vorbildliches *Verhalten*, das es bei seinen Eltern und Erziehern tatsächlich *erlebt*, auf Grund seines natürlichen Nachahmungsstrebens ohne weitere Belehrungen und besondere Ermahnungen einfach annehmen und selbst zu üben bestrebt sein.

Genauso wichtig wie das Lernen durch Nachahmung ist in dieser Phase die Entwicklung der eigenen *schöpferischen Phantasie*. Darauf ist besonders bei der Auswahl des richtigen Spielzeugs zu achten: Je einfacher es ist und je mehr Möglichkeiten zu eigenem Tun es eröffnet, desto mehr wird dadurch die kindliche Kreativität gefördert. Was daher heute meist noch an kompliziertem mechanischem Spielzeug von den sprechenden Gehpuppen bis zu den batteriegetriebenen und fernlenkbaren Nachbildungen sämtlicher Waffengattungen angeboten wird, ist daher nicht nur das teure Geld nicht wert, sondern geradezu entwicklungshemmend und gemütsschädigend!

Eine weitere wichtige Unterstützung der Selbständigkeit und Selbsttätigkeit des Kleinkindes sind natürlich auch alle seinem Alter angemessenen Gebrauchsgegenstände, mit denen es wie Vater und Mutter »schaffen« kann. Hier berühren wir wieder einen entscheidenden Punkt: das Miteinbezogenwerden in das Tun der Erwachsenen, das Mitmachendürfen. Wenn wir versuchen, uns einmal selbst in das kindliche Gemüt hineinzuversetzen, so werden wir deutlich spüren, welchen Unterschied es für sie ausmachen muß, ob die Mutter etwa zu ihrem kleinen Mädchen sagt: »Komm, jetzt putzen wir miteinander das Wohnzimmer« und dann vielleicht sogar dem Vater erzählt: »Heute hat mir unsere Tochter tüchtig beim Putzen geholfen« – oder ob die Mutter umgekehrt ihre Kleine, die gerne »helfen« möchte, nur ungeduldig beiseite schiebt, weil sie ihr bei der Arbeit im Wege ist, oder ihr gar erklärt: »Das kannst du doch nicht, dazu bist du noch viel zu klein«, so daß das Kind sich nicht nur höchst überflüssig, sondern auch aus der Lebensgemeinschaft mit der Mutter ausgeschlossen fühlt.

Ärzte und Psychologen müssen leider immer wieder feststellen, daß die meisten Gemütsstörungen und anormalen Verhaltensweisen im späteren Alter ihre tiefere Ursache in derartigen negativen Kindheitserlebnissen haben. Denn dadurch kann das Kind den verhängnisvollen, sogenannten »Wir-Bruch« (Fritz Künkel) erleben, d. h. ein plötzliches Zerbrechen der ersten und entscheidenden Urgemeinschaft, die das Kleinkind vom ersten Augenblick seines Lebens an mit den Eltern und der Familie verbindet. Damit verliert es sehr oft das selbstverständliche Gefühl der Sicherheit und Geborgenheit, das wir »Nestwärme« nennen. Damit ist dann der Grund zu späteren Fehlhaltungen, zu Kontaktschwäche und Lebensuntüchtigkeit, zu Minderwertigkeitskomplexen und anderen Neurosen gelegt.

Fühlt sich aber das Kleinkind in seiner Umgebung wirklich zu Hause, indem es einbezogen ist in ein liebevolles, zuversichtliches, positiv tätiges und auf einer ethischen Grundhaltung aufgebautes Leben, so kann es sich gerade in den ersten Lebensjahren unbewußt ein Kapital an ungebrochener Vitalität und gesundem Selbstvertrauen sammeln, das sich auch in einem später vielleicht schweren Lebensgang als tragfähig erweisen wird.

b) Die zweiten sieben Jahre des *Schulkindes* haben eine ganz andere Bedeutung: nicht nur weil jetzt die Schule zum bestimmenden Faktor wird, sondern auch weil infolge der intellektuellen Weiterentwicklung die gesamte Einstellung zur Umwelt, die Art der Beeinflußbarkeit und die Aufnahmefähigkeit sich ändern. War die erste Lebensphase vom Lernen durch Nachahmung bestimmt, so wird die zweite Phase bestimmt von der Motivation durch *anerkannte Autorität*, d. h. durch die Bereitschaft, einzelnen Menschen – den sogenannten »Bezugspersonen« – besonderes Vertrauen zu schenken und sich von ihnen bedenkenlos »auf Treu und Glauben« leiten zu lassen.

Alle Versuche einer »antiautoritären Erziehung« einerseits und alle Klagen über den angeblichen »Autoritätsschwund« bei der heutigen Jugend andererseits beruhen auf dem gleichen folgenschweren Mißverständnis hinsichtlich Autorität bzw. auf der Verwechslung von individueller und funktioneller Autorität. Die einzig echte Autorität ist nämlich die individuelle, die auf tatsächlicher *persönlicher Überlegenheit* in irgendeiner Hinsicht (Wissen, Können, Charakterstärke, Auftreten usw.) beruht und daher immer *freiwillig* anerkannt wird. Sie ist das Gegenteil der funktionellen Autorität, die eine »Respektsperson« auf Grund ihrer Stellung oder Tätigkeit beansprucht, ohne die entsprechenden menschlichen Qualitäten zu besitzen.

Wenn also ein Vater nur auf Grund dieser Tatsache, ein Lehrer nur wegen seiner Tätigkeit, ein Vorgesetzter »kraft seines Amtes« oder irgend jemand nur wegen seines Alters Autorität beansprucht, so wird gerade diese unechte, angemaßte Autorität von den Kindern und jungen Menschen mit Recht immer mehr abgelehnt, wenn sie nicht zugleich die dahinterstehende Persönlichkeit achten und anerkennen können.

Das Geheimnis der Autorität ist das der echten Persönlichkeit: Wer den Mut hat, immer ganz »er selbst« zu sein und sein Leben in eigener Verantwortlichkeit zu führen, indem er im Beruf und Privatleben sich niemals nur auf Gebote und Vorschriften, auf allgemeine Meinungen und Gepflogenheiten usw. verläßt und sich niemals in äußere oder innere Abhängigkeit begibt, der wirkt auf seine Umgebung bewußt oder unterbewußt als maßgebende Autorität.

Auf die Begegnung mit solchen Menschen ist nun das Kind im Alter zwischen sieben und vierzehn Jahren besonders angewiesen, denn wenn es in den ersten sieben Jahren vor allem darauf reagierte, was die Menschen sichtbar *tun*, so reagiert es jetzt besonders stark auf das, was die Menschen ihrem eigentlichen Wesen und ihrer wahren Gesinnung nach *sind*.

Infolge des Vorherrschens der Gemütskräfte wird das

Kind in diesem Alter auch besonders angesprochen von allem, was das *Gemüt* anregt und befriedigt. Das ist also alles Bildhafte, Farbige und Tönende sowie rhythmisch Bewegte. Zunächst an Märchen, später an den Mythen und Sagen der Völker nimmt das Kind das Leben in idealen Bildern auf, denn die »harte Realität« soll und kann es jetzt noch nicht erfassen.

Dabei handelt es sich keineswegs nur um das äußere Leben, sondern vor allem auch um die inneren Wahrheiten und Werte des Daseins, die ja in der Bildersprache der Märchen und Mythen unmittelbar zum Ausdruck kommen. Wer selbst etwas von der Wirklichkeit und Wirksamkeit dieser Wahrheiten und Werte erfahren hat, kann daher – ohne viele Worte – durch seine ganze Geisteshaltung und Lebenseinstellung auch im kindlichen Gemüt eine Ahnung davon wecken und so die Grundlage legen für die religiöse Entwicklung des heranwachsenden Menschen.

c) Die dritten sieben Jahre der *Pubertät* sind oft die schwierigsten der gesamten Entwicklung. Schon die allgemein übliche Übersetzung dieses Fremdwortes mit »Geschlechtsreife« beweist das folgenschwere Unverständnis gegenüber dem, was sich in dieser Reifungskrise im jungen Menschen tatsächlich vollzieht. Gerade weil die Erwachsenen vielfach nur die negative Seite der Pubertät sehen und sich weder um die tieferen Ursachen noch um die größeren Zusammenhänge derselben kümmern, erschweren sie die Krise nur noch, anstatt wirksame Hilfe zu bieten und so das Überstehen zu erleichtern.

In Wirklichkeit ist nämlich die Geschlechtsreife vielleicht das auffallendste, aber keinesfalls das entscheidende Symptom der Pubertät. Mindestens ebenso wichtig ist vielmehr die gleichzeitig eintretende Gehirnreife, die von nun an den Vollzug der sogenannten höheren Denkfunktionen ermöglicht, durch die der Mensch ja erst eigentlich zum Menschen wird. So wie die Geschlechtsreife also das körperliche Instrument instand setzt, die natürliche Seite, den »Naturpol« des Menschenwesens in Gestalt des Geschlechtstriebes ganz und gar zu erfahren bzw. durch sich hindurch wirksam werden zu lassen, so befähigt die Gehirnreife zum gleichzeitigen Aufnehmen und Erfassen der übernatürlichen Seite, des »Geistpoles«, in Gestalt der unendlichen Möglichkeiten der Bewußtseinssteigerung, der gewaltigen Erkenntniskräfte und vernunftsgesteuerten Willensimpulse.

Dadurch also erfährt der heranwachsende Mensch in der Geschlechts-Gehirnreife erstmals die ganze Spannweite des Menschseins, die volle Spannung des »Kraftfeldes Mensch«, das zwischen den Polen Natur und Geist entsteht und dessen Stärke sowohl die Naturbeherrschung durch geistige Überlegenheit als auch die Selbstbemeisterung und Persönlichkeitsentwicklung durch gezügelte Triebkräfte und veredelte Lebensenergien bedingt.

Es ist somit sehr weise eingerichtet, daß beide Pole des Menschenwesens in der Pubertät gleichzeitig voll wirksam werden. Dadurch ist bei normaler Entwicklung das ausgewogene Gleichgewicht zwischen beiden gewährleistet, das die Grundlage körperlicher Gesundheit und psycho-physischer Reife darstellt sowie den besten Schutz gegen unsinnige Triebübersteigerung einerseits und lebensfeindlichen Intellektualismus andererseits bietet.

Heute ist allerdings dieser gesunde, normale Ablauf der Pubertät vielfach durch die bedenkliche Erscheinung der sogenannten Akzeleration gestört. Das bedeutet, daß die Geschlechts- und Gehirnreife nicht gleichzeitig eintritt, sondern erstere verfrüht und letztere verspätet. Die Gründe dafür (Überreizung bzw. Reizüberflutung einerseits, psychische »Unterernährung« andererseits) werden im *dritten Teil* ausführlicher dargelegt (vgl. dazu Kapitel I/B »Die Problematik der Sexualität«, S. 384 ff.).

Dadurch sieht sich nun der heranwachsende Mensch mehr oder weniger hilflos den ausbrechenden Triebgewalten ausgeliefert, weil das normale Gegengewicht der höheren Denkfunktionen und Erkenntniskräfte noch nicht verfügbar ist. Und versagt dann noch die Führung der Erwachsenen dadurch, daß sie sich »moralisch entrüsten« oder gar strafen, obwohl sie selbst durch ihre verkehrte Lebensweise und unvernünftige Geisteshaltung diese Fehlentwicklung verschuldet haben, dann geraten die jungen Menschen in eine verzweifelte Situation, die entweder in erschreckenden Exzessen oder in Selbstmord enden muß.

Es ist demnach wohl einzusehen, wie dringend der heranwachsende Mensch der ebenso behutsamen wie festen und sicheren Führung bedarf. Sie wird am besten gekennzeichnet durch das alte Wort »Zucht«, allerdings nicht in seiner verkehrten, mißverstandenen Anwendung als gewaltsame Unterdrückung oder gar sinnloser Versuch der Ausrottung des Trieblebens, sondern in seiner ursprünglichen Bedeutung als sorgsame Lenkung, richtige Zielweisung und feine, spielend leichte Zügelung (so wie ein richtiger Reiter mit seinem Pferd umgeht oder wie es der Mensch fertiggebracht hat, aus dem wilden Wolf bzw. Dingo einen seiner treuesten und gelehrigsten Helfer und Freunde, den Schäferhund, zu züchten). Solche Zucht macht die Flucht in wirklichkeitsfremde Wahnvorstellungen und illusionäre Verstiegenheiten unnötig und verhindert die Sucht, die, in welcher Form auch immer ein Mensch von ihr beherrscht wird, resignierende Selbstaufgabe und endgültiges Unterliegen im Lebenskampf bedeutet.

Nachdem in der vorhergegangenen Phase das mehr lernmäßige Aufnehmen von Wissen durch das Gedächtnis stattgefunden hat, beginnt nun die eigentliche *Verstandestätigkeit*, indem versucht wird, den Wissensstoff selbständig zu verarbeiten und ihn im eigenen Denken sich »einzuverleiben«. Nach der vorwiegend körperlichen und der mehr gemüthaften Entwicklung ist nun die intellektuelle *Reifung* fällig, welche die Geburt der selbständigen Persönlichkeit am Ende der Reifezeit zum Ziel hat.

Dem dient der große Erlebnishunger dieser »Sturm- und Drangzeit«, der von den Erwachsenen keinesfalls unterdrückt oder gar unterbunden werden sollte. Er muß vielmehr durch verständnisvolles Mitgehen, fördernde Anteilnahme und weitherzige Offenheit etwa in Weltanschauungsfragen, durch klare und ruhige Objektivität der oft rechthaberischen und aufbegehrenden, durchaus subjektiven jugendlichen Haltung gegenüber in die rechten Bahnen gelenkt werden. Wie dankbar sind dann die jungen Menschen, wenn sie spüren, daß man sie ernst nimmt und zu verstehen sucht – auch wenn sie das meist nicht zeigen oder zugeben wollen, ja sogar ihre innere Unsicherheit und Anlehnungsbedürftigkeit hinter einer Maske von Flegelhaftigkeit, Mißtrauen und brüsker Ablehnung zu verbergen suchen. Seien wir uns stets dessen bewußt, daß wir es hier mit einer Art »schöpferischem Urzustand« zu tun haben, der zwar zunächst noch mehr oder weniger chaotisch ist, der aber so viele positive Möglichkeiten in sich birgt, wie sie später niemals in solcher Fülle und Kraft wiederkehren. Alles menschliche Schaffen, vom schlichtesten handwerklichen Tun bis zur kompliziertesten gedanklichen Leistung oder zum größten Kunstwerk, stammt aus dieser Quelle. Ebenso aber auch die körperliche und seelische Liebeskraft in unserer Hinwendung zu den Mitmenschen und Mitgeschöpfen.

2. Mit Beendigung der ersten 3×7 Lebensjahre ist nor-

malerweise der Lebensaufbau in physischer, psychischer und intellektueller Hinsicht annähernd beendet, und es beginnt der weitere *Ausbau* im eigenen Lebenswerk aus der Fülle der gewonnenen Fähigkeiten, gespeist von der entwickelten und gewissermaßen angestauten Energie. Man hat deswegen auch die folgenden 3×7 Lebensjahre vom 21. bis 42. Jahr als die *Sonnenjahre* des Lebens bezeichnet, denn nun kann und soll im »Lebensmittag« all das, wozu in der Kindheit und Jugend der Keim gelegt wurde, »wachsen, blühen und gedeihen«.

Der dreifache Rhythmus der vorangegangenen Reifungsphasen wiederholt sich nun auch in der Lebensmitte: vom 21. bis 28. Lebensjahr steht wiederum mehr die leibliche bzw. materielle Entfaltung im Vordergrund, denn nachdem der Berufsweg entschieden und meist schon ein Stück weit beschritten wurde, gilt dem beruflichen Fortkommen bzw. gesellschaftlichen Aufstieg zunächst das Hauptinteresse. Und im allgemeinen wird jetzt auch der Lebenspartner gefunden, mit dem man gemeinsam in gegenseitiger Ergänzung die Zukunft bauen möchte. Damit gewinnt aber auch der zweite Abschnitt immer mehr an Bedeutung, demzufolge vom 28. bis 35. Lebensjahr die Gemütsbildung lebensbestimmend wirkt. Das zeigt sich sowohl im Aufgehen im »trauten Familienkreis« als auch im gesteigerten Interesse für alles Schöne und Erhebende und im Bestreben, dem Leben die angenehmsten Seiten abzugewinnen (sofern wir uns noch einigermaßen frei und selbständig entfalten können und nicht zum bloßen »Sklaven der Verhältnisse« bzw. der sogenannten »Sachzwänge« geworden sind).

Vom 35. bis 42. Lebensjahr tritt dann mehr und mehr die individuelle Entfaltung in den Vordergrund, sowohl durch innere Reifung und Bewußtseinssteigerung als auch wachsende persönliche Autorität. Jedenfalls wird der

Mensch in seinen »Sonnenjahren« ganz und ungeteilt vom Leben gefordert. Aber das *Leben* fordert uns, nicht etwa die Maschine oder das Geld! Das wird leider häufig verwechselt, und darin liegt die große Gefahr, die heute die Menschen besonders in ihrer kraftvollen Lebensmitte bedroht: in verhängnisvoller Einseitigkeit das halbe Leben schon für das ganze zu halten. Diese Einseitigkeit wirkt vielfach so zwingend, daß tatsächlich ein großes Maß an Einsicht und Energie dazu gehört, um sich die klare Sicht auf die wahre Wirklichkeit des ganzen Lebens zu bewahren und seinen eigenen Lebensstil durchzusetzen, in dem für die volle Lebensfülle Platz ist.

Wozu – so müssen wir fragen – haben denn die jungen Menschen eigentlich vor kurzem noch die stürmische und vielfach leidvolle Reifezeit mit ihrem jähen Aufschwung und ihren hohen Idealen, mit ihrem unbändigen Kraftüberschuß und ihrem schweren Ringen um die eigene Selbständigkeit durchlebt? Ist das alles schon wieder versunken und vergessen, oder sollte nicht vielmehr das so mühevoll Errungene gerade jetzt erst zur vollen Auswirkung gelangen? Hat das, was man damals unter »Leben« verstand und erwartete, nicht mehr umfaßt als bloß gehetztes Schuften einerseits und aufreibende Vergnügungen andererseits? Sollte aus diesem Leben, das damals so lockend und hoffnungsvoll vor den jungen Menschen lag, wirklich nicht mehr herauszuholen sein als die abstumpfende Tretmühle des Alltags auf der einen Seite und das Ausbrechen in sinnlose Zerstreuungen auf der anderen Seite? Ich glaube nicht, daß dies der unvermeidliche Verlauf unseres Lebens zu sein hat, ich bin vielmehr davon überzeugt, daß sich gerade darin unsere Lebenskunst am deutlichsten erweist, auch unter noch so schwierigen Umständen das jeweils Beste aus unserem Leben machen zu können.

Das Leben selbst versucht ja, uns seine wertvollen Seiten immer wieder nahezubringen: Da sind etwa die Kinder in ihren verschiedenen Lebensaltern, jedes eine einmalige und einzigartige Individualität und somit sowohl eine Gabe als auch eine Aufgabe, die uns immer wieder neu sowohl beansprucht als auch beglückt. Da sind auch die vielen Mitmenschen, mit denen wir beruflich und privat zu tun haben, und die um so mehr Zeit und Aufmerksamkeit in Anspruch nehmen, je wichtiger wir die mitmenschlichen Beziehungen nehmen (siehe den zweiten Teil). Da sind außerdem die Familienfeste, die Wochenenden und Feiertage, die Urlaubszeiten und alle sonstigen besonderen Anlässe zur Lebensfreude, wenn wir sie richtig zu nehmen verstehen. Da sind schließlich auch alle Schönheiten der Natur und alle Schöpfungswunder vom kleinsten Schneekristall bis zu den gewaltigen Sternenwelten. Das alles bedeutet das volle und ganze Leben und verlangt unsere Hingabe und Anteilnahme.

Nicht Enge und Beschränktheit sind der Sinn der »Sonnenjahre«, sondern Fülle und Weite! Wie im Sommer das Korn reift, so soll die Sommerzeit des Lebens alle in uns angelegten Kräfte zur vollen Reife bringen, anstatt daß wir damit Raubbau treiben und dadurch einen vorzeitigen Verschleiß an Leib und Gemüt verursachen. Nichts ist gerade in dieser Zeit wichtiger, als uns die freie Entfaltung unserer Persönlichkeit und unserer ureigensten Lebensweise zu erringen und zu bewahren, natürlich bei entsprechender Verantwortlichkeit dem Lebensganzen gegenüber.

Doch was verstehen wir denn unter Selbständigkeit und Eigengestaltung unseres Lebens in einer Zeit, die im Arbeitsprozeß und in der Gesellschaftsordnung immer mehr Eigeninitiative zurückdrängt und immer weniger Auswirkungsmöglichkeiten für ein frei gestaltendes Schaffen bietet, so daß der Lebensraum der individuellen Persönlichkeit bedenklich klein geworden ist? Nun, wir verstehen darunter den Mut, trotz alledem unsere Arbeit möglichst so einzurichten, wie es sowohl den allgemeinen Lebensgesetzen als auch unserer persönlichen Eigenart am besten entspricht, und uns darin nötigenfalls mit »sanfter Gewalt« oder »diplomatischer Geschicklichkeit« durchzusetzen. Vor allem aber gehört dazu, daß wir wenigstens in der uns verbleibenden freien Zeit unbedingt das tun, was *wir* tun möchten, was *uns* interessiert und erfreut, entspannt und erholt, und nicht das, was andere uns einreden oder aufzwingen wollen.

3. Nur so können wir uns auch richtig auf die allmählich einsetzende *Lebenswende* vorbereiten. Kaum spürbar und von vielen gehetzten Menschen entweder überhaupt nicht wahrgenommen oder ängstlich verdrängt, beginnt nämlich um die 50 herum eine Wandlung des Lebensgefühls und der Geisteshaltung sich anzubahnen. Zunächst nur innerlich, denn ähnlich wie in der Natur der Sommer erst nach der Sommersonnenwende im August seine volle Hitze und Reifekraft entfaltet, so kann sich auch beim Menschen die Schaffenskraft und Lebensfreude nach dem 50. Lebensjahr sogar noch in vielfacher Weise steigern. Die meisten werden im Beruf erst jetzt ihr Ziel oder zumindest das jeweils mögliche »Endstadium« erreichen. Und auch in den privaten Interessen zeichnen sich oft erst jetzt die Erfolge der bisherigen Bemühungen ab. Ebenso ist es bekannt, daß so mancher jetzt den »zweiten Frühling« erlebt oder doch zu erleben versucht. Und dennoch wird sich die innere Wende von Jahr zu Jahr deutlicher auch äußerlich zeigen, denn von nun an tritt – philosophisch ausgedrückt – der »Bios« immer mehr zurück und der »Logos« immer mehr in den Vordergrund. Das bedeutet praktisch: In der menschlichen Polarität zwischen

Geist und Materie, Innenwelt und Außenwelt verlagert sich das Schwergewicht zwangsläufig zum Geistpol und zur Innenwelt.

Wer dies allerdings nicht richtig erkennt und bewußt akzeptiert, der kann dadurch in eine schwere Lebenskrise geraten, wenn die äußeren Lebensinhalte entweder schal und langweilig wurden, weil alles erreicht ist, was in dieser Hinsicht erreicht werden kann – oder aber ihre Anziehungskraft verloren und vielleicht sogar jetzt abgelehnt werden, weil sie sich als unerreichbar herausgestellt haben. Wer da nicht schon vorher sein persönliches Eigenleben zielsicher entfaltet hat und in seiner charakterlichen Reifung als eigentlicher Lebensaufgabe vorangeschritten ist, für den bricht jetzt oft eine Welt zusammen, und er steht dem neuen Lebensabschnitt völlig hilflos gegenüber.

Dazu kommt noch insbesondere bei den Frauen eine erschwerende körperliche Belastung, denn so wie sich in den sieben Jahren vor den »Sonnenjahren« die Ausreifung der Geschlechtsorgane mit all ihren psychologischen Auswirkungen vollzog, so geschieht nun in den sieben Jahren danach, in den sogenannten »Wechseljahren«, der umgekehrte Vorgang der Rückbildung mit ähnlich einschneidenden Konsequenzen. Allerdings mit einem wesentlichen Unterschied: während der junge Mensch seinen inneren Entwicklungsnöten noch mehr oder weniger hilflos gegenüberstand, weil seine psychische Reifung erst begann, können die Wechseljahre von der vollgereiften seelisch-geistigen Seite her klar bewußt und bejahend durchlebt und dadurch nicht nur erleichtert, sondern auch mit einem positiven, weiterführenden Inhalt erfüllt werden.

Während sich den jungen Menschen gewissermaßen die Weite des Erdenraums eröffnete, kann nun ein neuer

Zugang zu den noch viel gewaltigeren Weiten des Kosmos gefunden werden, indem bisher brachliegende psychische Kräfte entdeckt und erweckt, höhere Erkenntnisse gefunden und vertieftes Verständnis sowohl für das eigene Wesen als auch für die Umwelt gewonnen werden. Bei normaler Entwicklung bedeutet das: Wenn nicht Streß und Nervenüberreizung, körperliche Abnützung oder gar Gebrechen, neurotische Fehlhaltungen oder falsche Vorstellungen den richtigen Ablauf der Lebensrhythmen verhindern, dann hören wir jetzt allmählich auf, das Leben für einen bitterernsten »Existenzkampf« zu halten, in dem wir uns gewaltsam unserer Haut wehren müssen, und beginnen statt dessen immer mehr einzusehen, daß es sich in Wirklichkeit um einen erfreulichen »sportlichen Wettkampf« handelt, bei dem man nur die Spielregeln beherrschen muß, um in fairer Weise gewinnen zu können.

Wir werden demgemäß nicht mehr durch Ungeduld, Ehrgeiz, übersteigertes Macht- und Besitzstreben, rücksichtsloses Durchsetzenwollen usw. uns selbst und unseren Mitmenschen unnötig das Leben erschweren, sondern sehr viel ruhiger und gelassener, nachgiebiger und verständigungsbereiter, friedfertiger und liebevoller werden und so die eigentliche Bedeutung des Altwerdens immer besser erkennen: Wir sollen immer mehr *Weisheit* gewinnen und so gerade jetzt, auch wenn wir äußerlich zurücktreten müssen, vermehrte Wirkungsmöglichkeiten nach innen und vielleicht sogar nach außen finden.

Das wird möglich, indem wir helfend und heilend, vermittelnd und versöhnend, ratgebend und weiterführend zwar im Hintergrund bleiben, aber dennoch den Menschen und Dingen mit herzlichem Interesse und lebendiger Anteilnahme zugewandt bleiben. Dadurch verstehen wir sie nun wesentlich besser und können sie wirksamer meistern als früher, da wir noch selbst »mittendrin« standen und noch nicht den nötigen Abstand gewonnen hatten.

Je konsequenter und bewußter wir diesen »Weg nach innen« beschreiten, desto stärker werden auch wir von der Erfahrung beglückt werden, die der erblindete Faust in seinen letzten Lebenstagen ausspricht:

> »Die Nacht scheint tiefer, tief hereinzudringen,
> allein im Innern leuchtet helles Licht.«

Es gibt alte Menschen, an denen man diese Tatsache eindrucksvoll erleben kann: Die Augen bekommen wieder etwas von dem »himmlischen Glanz« und der »überirdischen Klarheit«, die den Erwachsenen beim kleinen Kinde so ergreifen. Doch es ist etwas hinzugekommen, was das Kind noch nicht haben, sondern was erst als Frucht eines langen und erfahrungsreichen Lebens gewonnen werden konnte: die leuchtende Wärme einer alles verstehenden Güte und die strahlende Klarheit einer durchdringenden, alles durchschauenden »liebenden Erkenntnis« oder »erkennenden Liebe« – was ja im Grunde dasselbe und das höchste Ziel des Menschenlebens ist (siehe den *dritten Teil*, S. 379 ff.).

VI. Lebensmotivation

Damit die bisherige vielseitige Information auch für Sie zu einer eindeutigen Motivation werden kann, soll nun gewissermaßen die praktische Nutzanwendung der ganzen Ausführungen folgen. Wir können diese sogar als Merkvers formulieren:

Worin besteht die Kunst zu leben?
Dem Dasein einen *Sinn* zu geben,
Sich von ihm sicher leiten lassen
Und ihn in klare *Ziele* fassen,
Den Weg zum Ziel stets sorgsam *planen*
Und so in vorbedachten Bahnen
Durch Ziel und Plan den Sinn enthüllen –
Das heißt das Leben voll erfüllen.

A. Sinngebung

Haben Sie sich schon einmal gefragt, warum Sie überhaupt existieren und welche Lebensaufgabe mit dieser Existenz verbunden ist? Vielleicht haben Sie sich bisher noch keine Gedanken darüber gemacht oder gehören gar zu den Menschen, die auf diese Frage antworten: »Das weiß ich nicht. Ich bin ins Leben gerufen worden, ohne gefragt zu werden. Und jetzt muß ich lauter Dinge tun, die ich nicht mag. Was ich aber gerne tun möchte, das darf ich nicht.«
Glauben Sie, daß man mit einem solchen Standpunkt das Beste aus seinem Leben machen kann? Bestimmt nicht!

Im Gegenteil: Warum gibt es heute so viele Selbstmorde gerade bei jungen Menschen, oft aus den nichtigsten Anlässen? Eben weil diesen Menschen das Leben völlig sinnlos und wertlos erschien. Derjenige, für den das Leben keinen Sinn hat, muß nicht nur erfolglos bleiben, sondern wird sogar dieses Leben wegwerfen, sobald ihm irgend etwas darin nicht paßt. Sein Leben als sinnvoll zu erkennen ist demnach nicht nur die Grundlage des Lebenserfolges, sondern geradezu eine Vorbedingung der Lebenserhaltung.

Was glauben Sie nun, was der Sinn Ihres Lebens sei? Sagen Sie bitte nicht: »Möglichst viel Geld verdienen.« Dann müßte sofort die Frage kommen: »Wozu brauchen Sie denn das viele Geld?« Auch wenn Sie etwa antworten: »Große Macht gewinnen«, käme die gleiche Frage: »Was wollen Sie denn mit Ihrer Macht anfangen?« Geld und Macht können also niemals Selbstzweck sein, sondern immer nur Mittel zum Zweck.

Vielleicht werden Sie antworten: »Um mir ein schönes Leben zu machen, eine prächtige Villa mit Dienerschaft zu besitzen und mit dem eigenen Düsenflugzeug in der Welt herumzureisen« – und was es sonst noch alles an derartigen Wunschträumen gibt.

Dabei haben Sie aber wohl kaum genügend bedacht, daß es Ihnen selbst höchstwahrscheinlich zum größten Schaden gereichen würde, wenn Sie alle diese Wünsche gleich erfüllt bekämen. Denken Sie nur an all die Berichte von Lotto- und Toto-Gewinnern, die ihr Geld genauso schnell wieder verloren, wie sie es gewonnen hatten.

Auch in vielen Märchen wird die verhängnisvolle Wirkung voreiliger und unbedachter Wünsche geschildert. Und jeder Arzt kann Ihnen bestätigen, daß die Gesundheitsschädigung durch Überfluß und unvernünftigen Genuß schlimmer ist als durch Mangelerscheinungen. Darüber hinaus werden Sie sich um so mehr Feinde schaffen, je egoistischer Sie ihr Geld nur zum eigenen Vergnügen verwenden und je rücksichtsloser Sie Ihre Macht mißbrauchen. Diese Feinde werden dann schon dafür sorgen, daß Sie Ihrem Egoismus nicht mehr lange ungestört frönen können.

Infolgedessen sollte sich der Sinn Ihres Lebens niemals bloß in egoistischer Wunscherfüllung erschöpfen. Sie sollten sich vielmehr von der Wahrheit des Satzes überzeugen: *Man kann sich selbst am besten helfen, indem man anderen zur Selbsthilfe verhilft.*

Jeder, der wirklich zu leben versteht, wird Ihnen dies bestätigen können. Und Sie werden es ebenso erfahren, wenn Sie tatsächlich Hilfsbereitschaft, Unterstützung anderer, Verbesserung der Lebensbedingungen und der menschlichen Verhältnisse, soziale Verantwortung und ähnliche allgemeingültige Aufgaben zu Ihrem Lebenssinn machen, wenn es Ihnen also nicht bloß um materielle Güter geht, sondern auch um die Verwirklichung von Idealen.

Außerdem begnügt sich ein kluger Mensch nicht mit einem engbegrenzten Lebenssinn, wie es viele Männer tun, die ihre einzige Lebensaufgabe in ihrem Beruf erblikken, und auch viele Frauen, die völlig in ihrer Familie aufgehen. Wenn solche Männer dann etwa pensioniert werden, sind sie völlig entwurzelt. Sie können nichts mit sich und ihrer Umwelt mehr anfangen, geraten in Depressionen und werden schließlich krank. Und solchen Frauen geht es genauso, wenn sie keine Familie mehr zu versorgen haben. Sorgen Sie also rechtzeitig dafür, daß ihr Lebenssinn nicht plötzlich zu Ende ist. Er sollte vielmehr so allgemeingültig und allgemein menschlich sein, daß Sie sich ihr ganzes Leben lang und unter allen Lebensumständen daran orientieren können.

Dennoch sollten Sie nicht bloß Ihren Illusionen nachjagen und sich unverbindlichen Philosophien hingeben, wie das viele schwärmerisch veranlagte Menschen tun. Wenn Ihr Lebenssinn tatsächlich lebensbestimmend für Sie sein soll, dann muß er

1. ein persönliches Anliegen für Sie bedeuten,
2. Ihrer Individualität entsprechen,
3. beständig und verbindlich sein.

Nachdem Sie diese grundsätzlichen Darlegungen zur Kenntnis genommen haben, übertragen Sie sie doch bitte jetzt gleich in Ihre Lebenspraxis: Setzen Sie sich irgendwohin, wo Sie ganz ungestört sein können, und besinnen Sie sich auf Ihren persönlichen Lebenssinn. Dann formulieren Sie ihn sehr sorgfältig schriftlich entweder in Ihrem Notizbuch oder auf einem besonderen Kärtchen, das Sie stets bei sich tragen. Wiederholen Sie dann diese Formulierung *täglich*, ehe Sie nach dem Aufwachen Ihren Tagesplan machen. Und wenn Ihnen dabei eine bessere Formulierung, eine Ergänzung oder gar eine Abänderung einfallen sollte, dann fixieren Sie diese unverzüglich und lesen die Neuformulierung so lange laut, bis sie Ihnen genauso geläufig geworden ist wie die bisherige.

Wenn Sie einmal unter diesem Gesichtspunkt aufmerksam Ihr bisheriges Leben überschauen, dann werden Sie feststellen, daß von Anfang an ein einziger großer Sinn darüber stand, eben die Lebensbestimmung Ihrer Individualität, und daß alle Lebensschwierigkeiten eigentlich immer nur so lange dauerten, bis Sie diesen Sinn allmählich zu erkennen, fortschreitend besser zu verstehen und entsprechend wirksam in Ihrem Leben zu realisieren vermochten. Diese Sinn-Verwirklichung ist gleichbedeutend mit Selbst-Erfüllung.

B. Zielsetzung

Der Sinn Ihres Lebens steht wie ein Leitstern hoch oben am Firmament: Man kann sich zwar an ihm orientieren, ihn aber auf der Erde niemals erreichen. Deswegen brauchen Sie für Ihren irdischen Lebenserfolg noch mehr. Sie müssen sich im Rahmen Ihres Lebenssinns *erreichbare Ziele* setzen, sonst können Sie vielleicht ein bewundernswerter Idealist sein, Sie werden aber kein einziges Ihrer hohen Ideale tatsächlich realisieren können.

Umgekehrt nützen ihnen ohne einen idealen Lebenssinn noch so viele reale Ziele wenig. Wenn Sie etwa als überzeugter »Realist« ein gestecktes Ziel nach dem anderen erreichen, aber eigentlich nicht recht wissen, wozu das alles, dann werden Sie um so unglücklicher und unzufriedener, von Ihren eigenen Zielen gejagt, ohne jemals Ruhe zu finden. Wie viele Reiche und Mächtige gibt es gerade heutzutage, die sich auf diese Weise selber kaputtmachen und sich am Ende ihres Lebens fragen müssen: »Wofür habe ich eigentlich gelebt?«

Die weiteste Reise beginnt mit dem ersten Schritt in doppeltem Sinne. Zunächst muß ich natürlich wissen, wohin die Reise gehen soll. Das ist mein *Fernziel*. Dann aber muß ich ebensogut wissen, mit welchen Schritten ich die Reise einleiten muß und wie ich weiter Schritt für Schritt dem Fernziel immer näher kommen kann. Diese Schritte sind meine *Nah- und Mittelziele*.

Tragen Sie eine solche Zielkarte ständig bei sich, und überprüfen Sie täglich sowohl Ihre Fortschritte auf dem gekennzeichneten Weg als auch eventuelle Abweichungen und nötige Korrekturen!

Um erfolgreich zu sein und zu bleiben, brauchen wir zuerst ein möglichst hochgestecktes Fernziel, das gleichbedeutend ist mit der konkreten Verwirklichung unseres

Beispiel einer Zielkarte:

Vorderseite   Rückseite

Mein Lebenssinn (Aufgabe, Bestimmung)	Mein(e) Mittelziel(e) Zu erreichen bis 1989 1990 1991 1992

Vorderseite:

Mein Lebenssinn
(Aufgabe, Bestimmung)

Mein(e) Fernziel(e) bis
2000

I	II
persönlich-familiär	beruflich-geschäftlich
a) äußerlich	a) Funktion/Position
b) innerlich	b) Besitz/Einkommen

Rückseite:

Mein(e) Mittelziel(e)
Zu erreichen bis
1989 1990 1991 1992

Mein(e) Nahziel(e) für
dieses Jahr

I	II
a)	a)
b)	b)

Lebenssinnes. Haben Sie schon einmal bei einem Sonnen-aufgang am Meer erlebt, wie von der Sonne am Horizont eine Lichtbahn bis zu Ihrem Standort sich hinzog?

So also sollte von Ihrem höchsten Fernziel bis zu Ihrem heutigen Standort eine ununterbrochene Kette von Mittel- und Nahzielen bestehen, die Ihnen das schrittweise Fortschreiten in der von Ihnen festgelegten Zielrichtung ermöglicht. Dann müssen Sie aber auch unbeirrbar in dieser Richtung weitergehen. Damit ist allerdings nicht gemeint, daß Sie stur gegen unüberwindliche Hindernisse anrennen sollen. In der Methode muß man stets beweglich bleiben, und man darf auch Umwege nicht scheuen, wenn der direkte Weg verbaut ist. Nur die Zielrichtung darf man nie aus dem Auge verlieren, so wie man etwa bei einer Bergbesteigung auch nicht immer den kürzesten Weg direkt die Wand hoch klettern kann. Klugerweise sucht man sich die günstigste Route, die zwar etwas länger dauert und vielleicht sogar zwischendurch wieder einmal abwärts führt, aber schließlich sicher den Gipfel erreichen läßt.

Wir merken uns also: theoretisch müssen wir ständig das jeweils gesteckte Ziel anvisieren und genau fixieren. Der praktische Weg zum Ziel muß aber möglichst wendig und flexibel an allen Hindernissen vorbeiführen wie ein »Slalomlauf«. Je geschickter und anpassungsfähiger wir bei unveränderter theoretischer Zielfixierung auf die jeweiligen Veränderungen der Umweltverhältnisse und Lebensumstände reagieren, desto sicherer werden wir unsere Ziele erreichen.

Mißerfolge zeigen Ihnen, wie weit Sie »daneben getrof-

Hindernisse

— — — — — theoretische Ziel-Fixierung
➤ praktischer »Slalom«-Weg zum Ziel

fen« haben. Werten Sie sie aus als wichtige Korrekturdaten für den nächsten Versuch mit neuen Mitteln oder auf einem neuen Weg.

Bitte notieren Sie alle Fälle, an die Sie sich erinnern können, in denen Sie durch inkonsequentes Verhalten und mangelnde Ausdauer Ihre gesteckten Ziele nicht erreicht haben.

a) Mißerfolge, Ziele nicht erreicht durch Inkonsequenz/ mangelnde Ausdauer.

Und nun notieren Sie alle bisher erreichten Ziele, indem Sie ebenfalls möglichst genau beschreiben, welche Bedingungen dazu geführt haben.

b) Erfolge, erreichte Ziele durch konsequentes Verhalten/Ausdauer.

Wichtig ist auch noch die Frage, ob man seine Ziele für sich behalten oder mitteilen soll. Es spricht ebensoviel dafür wie dagegen.

Gegengründe sind folgende: Durch Schweigen verstärkt sich die innere Energie und wächst die lebendige Vorstellungskraft, von der gleich noch die Rede sein wird. Auch läuft man nicht Gefahr, seine Ziele solchen Leuten mitzuteilen, die uns auslachen, an unserer Befähigung zweifeln, uns in unseren Zielen irremachen oder sie uns ganz auszureden versuchen. Wir können sogar an mißgünstige Konkurrenten oder Feinde geraten, die das größte Interesse daran haben, daß wir unsere Ziele nicht erreichen.

Vorteile des Mitteilens sind folgende: Wenn man seine Ziele mündlich kundtut oder gar schriftlich festlegt, werden sie dadurch verbindlicher. Man hat dadurch einen viel größeren Ansporn, sie tatsächlich zu erreichen, als wenn niemand etwas davon weiß. Freunde und Gesinnungsgenossen werden uns dann auch bei der Erreichung der mitgeteilten Ziele mit Rat und Tat unterstützen, unseren Elan verstärken und uns über Schwierigkeiten hinweghelfen.

Man sollte demnach einerseits auf keinen Fall geschwätzig sein und seine Ziele sorglos ausplaudern, vielmehr mit größter Vorsicht diejenigen Menschen auswählen, denen man sich anvertraut. Andererseits wäre es unklug, überhaupt niemanden ins Vertrauen zu ziehen, weil die Gefahr des vorzeitigen Aufgebens dadurch größer wird und die notwendige Unterstützung fehlt, die man früher oder später doch brauchen wird.

C. Planung

Ein erfahrener Tourist wird sich nicht erst unterwegs orientieren, sondern schon vorher seine Reiseroute genau auf der Karte studieren. Das nennt man *Planung*, die also mit jeder realistischen Zielsetzung von vornherein verknüpft ist. Dabei steht die Planung zur Zielsetzung in einem gesetzmäßigen Verhältnis: Die Fernziele bedürfen langfristiger Planung, die mittleren Ziele mittelfristiger Planung und die Nahziele kurzfristiger Planung (vgl. S. 219 oben).

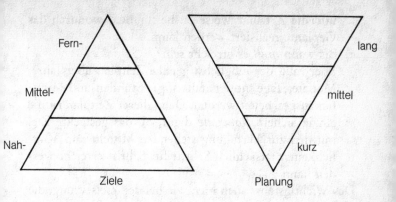

Ist es nicht merkwürdig: Beim Bau eines Hauses oder einer Maschine ist es doch ganz selbstverständlich, daß man einen bis ins kleinste Detail ausgearbeiteten Konstruktionsplan anfertigt und diesen laufend überprüft, ergänzt, erweitert und nötigenfalls korrigiert oder durch einen noch besseren ersetzt. Nur bei der Lebensführung erscheint uns das nicht ebenso notwendig, so daß viele Menschen tatsächlich ziel- und planlos in den Tag hinein leben und dann auch noch für ihre mangelnde Lebensbewältigung den lieben Gott, die bösen Mitmenschen, die widrigen Umstände und was sonst noch alles verantwortlich machen, nur nicht sich selbst!

Sie aber wissen jetzt, daß Ihr Selbstaufbau und Ihr Lebenserfolg genauso sorgfältig geplant werden müssen, wie Sie es bei Ihrer Arbeit gewohnt sind.

1. Genaugenommen brauchen wir sogar drei Pläne:

a) Was *will* ich erreichen?

Hier muß bis in alle Einzelheiten genau festgelegt werden, was man tatsächlich erlangen oder selbst werden will.

b) Wie *kann* es erreicht werden?

Hier sind die Mittel und Möglichkeiten abzuwägen

und die Art und Weise zu bestimmen, wodurch das Geplante realisiert werden kann.

c) Bis wann *muß* es erreicht sein?

Hier muß der möglichst genaue Zeitplan über Jahre, Monate, Tage, nötigenfalls sogar Stunden und Minuten ausgearbeitet werden. Denn dieser Zeitplan ist die einzig sichere *Kontrolle* dafür, ob das gesteckte Ziel mit den zur Verfügung stehenden Mitteln und Möglichkeiten tatsächlich Schritt für Schritt erreicht werden kann.

Das Wichtigste ist auch hier, wie bei der Zielsetzung, die *Flexibilität*. Es wird demnach nicht nur ein einziger, unveränderter Plan gemacht, an dem man stur festhält, auch wenn sich seine Voraussetzungen inzwischen geändert haben. Man macht vielmehr nach der Formel »wenn – dann« verschiedene Pläne gleichzeitig, in denen vorsorglicherweise jede mögliche Eventualität »durchgespielt« wird.

Befassen Sie sich doch einmal mit der sogenannten *Netzplantechnik*, denn was sich für die Arbeitsorganisation als nützlich erwiesen hat, ist bestimmt auch für die Lebensorganisation brauchbar.

Nach dieser Methode können Sie übrigens bei allen Entscheidungen vorgehen, indem Sie Vorteile und Nachteile einander gegenüberstellen. Wenn Sie z. B. entscheiden wollen, ob Sie im Urlaub ins Gebirge oder ans Mittelmeer fahren, machen Sie sich folgende Tabelle:

Gebirge		Mittelmeer	
Vorteile	Nachteile	Vorteile	Nachteile
Summe	Summe	Summe	Summe

Da es in dieser Welt kaum etwas von vornherein Optimales gibt, handelt es sich immer darum, die Summen der Vor- und Nachteile gegeneinander abzuwägen, so daß das zum gegenwärtigen Zeitpunkt mit den meisten Vorteilen und den wenigsten Nachteilen Verbundene herauszufinden ist.

Dabei muß allerdings in Betracht gezogen werden, daß zwar die festgestellten *Fakten* objektiv sein können, deren menschliche *Bewertung* jedoch subjektiv ist, weshalb bei gleichbleibenden Fakten zwei verschiedene Menschen zu entgegengesetzten Entscheidungen gelangen können: Objektive Fakten sind, daß es im Gebirge kühl, felsig und steil – am Mittelmeer dagegen heiß, sandig und flach ist. Subjektive Verhaltensweisen sind, daß der eine es gerne kühl hat und in den Felsen herumklettern will, während der andere die Hitze liebt und sowohl schwimmen als auch sich im Sande sonnen möchte. Demgemäß wird der eine als Vorteile einordnen, was der andere als Nachteile betrachtet – und umgekehrt.

Daraus ergibt sich folgerichtig, daß im Grunde *jeder Mensch nur für sich selbst entscheiden kann* und vernünftigerweise keinem anderen seine Entscheidungen aufdrängen oder gar vorschreiben sollte (was wir ja auch schon als Konsequenz der Kernfunktionen Gewissen und Wille eingesehen haben).

Heute kann man mit Hilfe der Computer jede gewünschte Variation einer künftigen Situation bzw. Entwicklung simulieren und braucht nicht erst zu warten, bis sie wirklich eingetreten ist, um entsprechende Schlußfolgerungen zu ziehen. Wenn uns auch für unsere Lebensplanung noch kein Computer zur Verfügung steht, so können wir doch das Unerwartete und Unvorhersehbare um so mehr einschränken, je sorgfältiger wir vorausschauend zu planen lernen.

Allerdings dürfen wir dadurch das ständige Offenbleiben für unmittelbare intuitive Eingebung nicht blockieren, denn totale »Verplanung« ist genauso verkehrt wie planloses »Sichtreibenlassen«. Wie überall, so besteht eben auch hier die eigentliche Lebenskunst in der geschickten Balance zwischen den Extremen: Einerseits befähigt uns unser Denken zu ausgefeilter theoretischer Planung – andererseits brauchen wir aber auch das nötige Feingefühl bei der praktischen Realisierung des Geplanten.

Und die »Balancierstange«, die uns jeweils im Gleichgewicht hält, das ist der unmittelbare *intuitive Spürsinn*, der uns unter den vielen vorhandenen Möglichkeiten im gegebenen Augenblick (nicht vorher!) die einzig richtige mit absoluter Sicherheit erkennen läßt – wenn wir diese höchste menschliche Fähigkeit entsprechend entwickelt haben und ihr unbeirrbar Folge leisten.

2. Schließlich ist noch etwas besonders wichtig: Es genügt nicht, wenn Sie ihre Ziele nur im Kopf haben und nur verstandesmäßig planen. Das ist nur die erste Hälfte der Motivation, das Motiv. Die zweite Hälfte, den Motor, bildet Ihre *möglichst lebhafte Vorstellung*, Ihre *schöpferische Imagination*.

Denn nur dadurch werden auch Ihre Gefühle und inneren Antriebskräfte mobilisiert, welche die nötige psychische Energie liefern, die Ihre Planung schließlich in die Wirklichkeit überträgt. Gewöhnen Sie sich also erstens an, von Ihren Zielen nicht mehr in der Zukunft zu sprechen, sondern in der Gegenwart. Nicht »ich werde einmal 100 000 DM verdienen«, sondern »spätestens in zwei Jahren verdiene ich 100 000 DM«. Nicht »ich möchte gerne Abteilungsleiter werden«, sondern nennen Sie ein genaues Datum und sagen Sie: »Dann bin ich Abteilungsleiter«.

Sie dürfen aber nicht nur davon reden, sondern müssen

zweitens in Ihrer Vorstellung so zu leben versuchen, wie wenn die Zukunft bereits Gegenwart wäre. Machen Sie also schon einen genauen 100 000 DM-Etat. Erkundigen Sie sich über lukrative Anlagemöglichkeiten, Steuererleichterungen usw. Gewöhnen Sie sich so langsam daran, schließlich mit 100 000 DM genauso sicher schalten und walten zu können wie mit den 25 000 DM oder 40 000 DM, die Sie jetzt schon verdienen.

Ebenso genügt es natürlich nicht, vom Abteilungsleiter bloß zu träumen. Selbstverständlich müssen Sie zuerst einmal alle dazu notwendigen Qualifikationen erwerben und auch Ihre Vorgesetzten davon überzeugen, daß Sie ein tüchtiger Abteilungsleiter sein werden. Und dann müssen Sie selbst sich jetzt schon als Abteilungsleiter empfinden und wie ein Abteilungsleiter zu denken und zu fühlen beginnen. Je gewohnheitsmäßiger Sie sich schließlich in Ihrer Vorstellung so verhalten, desto rascher werden Sie tatsächlich befördert werden, und desto weniger wird Ihre Beförderung dann noch eine Umstellung für Sie bedeuten.

Auch wenn Sie Ihre Selbstverbesserung planen, müssen Sie genauso vorgehen. Nicht umsonst heißt es: »Der Weg zur Hölle ist mit guten Vorsätzen gepflastert.« Das besagt: Wenn Sie sich bloß vornehmen: »Ich will nicht mehr lügen, rauchen, trinken« usw. und sonst nichts dagegen tun, dann wird sich bestimmt wenig ändern. Auch hier müssen Sie zunächst einen genauen Jahres-, Monats- und Tagesplan aufstellen. Und dann dürfen Sie sich zweckmäßigerweise auch nicht alles auf einmal vornehmen, sondern sollten jede zu verbessernde Eigenschaft oder Gewohnheit einzeln angehen und systematisch eine nach der anderen bearbeiten.

Auch hier müssen Sie sich wiederum möglichst genau und eindringlich vorstellen, Sie hätten Ihr Ziel schon erreicht und wären bereits so, wie Sie es sich vorgenommen haben. Sie werden also Ihren Idealtyp um so eher äußerlich realisieren können, je intensiver Sie zunächst innerlich in Ihrem ganzen Denken, Fühlen und Wollen mit der stärksten Vorstellungskraft, deren Sie fähig sind, ihn sich zu eigen machen.

Haben Sie sich schon einmal mit einem Schiff von Ferne einer Hafenstadt genähert? Oder haben Sie im Cockpit miterlebt, wie ein Flugzeug zur Landung ansetzt? Bei der Annäherung mit dem Schiff sehen Sie zuerst die Umrisse der Stadt, die beim Näherkommen immer deutlichere Konturen annehmen. Sie sehen die einzelnen Häuser und die größeren Schiffe, dann die Einzelheiten der Architektur bei den Häusern und der Aufbauten bei den Schiffen, dann die Menschen und kleinen Boote und schließlich die letzten Details an den Häusern und Schiffen ebenso wie an den menschlichen Gestalten. Bei der Landung mit dem Flugzeug ist dieser Vorgang noch viel eindrucksvoller, weil man aus der Luft einen noch viel weiteren Überblick hat und sich rascher annähert, so daß der beschriebene Eindruck der zunehmenden Verdeutlichung beim Näherkommen sich noch lebhafter einprägt.

Genauso sollen wir also unsere geplanten Ziele zunächst in großen Umrissen und weiten Zusammenhängen innerlich schauen und dann immer konkreter mit zunehmender Berücksichtigung aller Einzelheiten uns ausmalen, je näher wir ihnen tatsächlich kommen.

Fassen wir nochmals zusammen: Wenn Sie Ihren Lebenssinn gefunden haben und künftig diesen Ihren Leitstern immer fest im Auge behalten – wenn Sie danach alle Ihre Ziele ausrichten, sorgfältig planen und Schritt für Schritt verwirklichen –, dann ist Ihr Lebenserfolg die unbedingt gesetzmäßige Auswirkung dieser Ursachenkette!

VII. Schicksalsmeisterung

Der ganze Persönlichkeitsaufbau mündet in der Schicksalsmeisterung wie eine Pyramide in ihrer Spitze, denn jeder Mensch muß sich früher oder später dem Schicksal stellen. Und wie wir dann vor dem Schicksal bestehen – das ist der Maßstab unserer Persönlichkeitsreife und die Ursache unseres persönlichen Ergehens.

A. Verhalten gestaltet Verhältnisse

Daß wir unsere Verhältnisse weitgehend durch unser Verhalten bestimmen, leuchtet uns in begrenztem Umfang durchaus ein. Daß z. B. jemand, der sein ganzes Vermögen verjubelt, eines Tages vor dem Nichts stehen wird oder einer, der sich entgegen sämtlichen Verkehrsregeln im dichten Verkehrsgewühl bewegt, kaum mit heiler Haut davonkommen wird, das sind klare Zusammenhänge. Ebenso leuchtet es ein, daß ein Mensch, der dauernd seine Gesundheit schädigt, etwa weil er süchtig ist oder irgendeinem Laster frönt, schließlich unheilbar krank werden muß – oder daß einer, der seinen verbrecherischen Neigungen hemmungslos nachgibt, unfehlbar seine Tage im Gefängnis beschließen wird. Immer da, wo wir also entweder ein absichtlich schuldhaftes oder zumindest ein leichtsinniges, allzu unbedenkliches oder gar unsinniges Verhalten feststellen, sehen wir die dadurch verursachten widrigen Verhältnisse als notwendige Folge oder gerechte Strafe an.

Wenn dagegen jemand z. B. auf dem Wege zum Bahnhof

ausrutscht, hinfällt und sich ein Bein bricht und dadurch im Krankenhaus landet, statt, wie beabsichtigt, zum Urlaub ins Gebirge zu fahren, so werden wir es wahrscheinlich nicht nur für roh und lieblos, sondern auch für baren Unsinn halten, wenn jemand behaupten wollte, dieser Bedauernswerte habe sich seinen Unfall selbst zugezogen. Überhaupt all die vielen Zufälle, denen wir tagtäglich ausgeliefert sind – dafür können wir doch wirklich nichts. Und wie oft hängen unsere Verhältnisse gerade von solchen Zufällen ab. Schon in der Schule können wir uns ja unsere Klassenkameraden oder Lehrer nicht selbst aussuchen, und ebenso bleibt es später weitgehend dem Zufall überlassen, mit welchen Arbeitskollegen und Vorgesetzten wir zusammenkommen, welche Mitbewohner oder Mietsherren und welche Nachbarn wir bekommen, ja, welche Menschen wir überhaupt auf unserem Lebenswege treffen. Wie viele Erfindungen und Entdeckungen sind schon »durch Zufall« gemacht worden – und wie viele Unglücksfälle verursacht worden. Darauf scheint doch unser eigenes Verhalten kaum irgendeinen Einfluß zu haben.

Und wenn wir gar an die große Macht des Schicksals denken, der die Menschen hilflos preisgegeben scheinen, was nützt da das Verhalten des einzelnen? Schon auf die Verhältnisse, in die wir hineingeboren werden, haben wir doch keinerlei Einfluß, obwohl dadurch unser ganzes Leben weitgehend vorausbestimmt wird (etwa, ob wir als einziges, wohlbehütetes Kind reicher Eltern oder als sechstes Kind einer armen oder gar asozialen Familie geboren wurden). Und was dann weiter an allgemeinen schicksalhaften Ereignissen über uns hereinbricht – in Natur- oder Verkehrskatastrophen, Verbrechen, Kriegen, Kriegsfolgen usw. – oder was uns ganz persönlich trifft, etwa durch eine Verkrüppelung, ein unheilbares Leiden,

Verlust von Angehörigen, unglückliche Liebe oder Ehe usw.: Das alles scheint doch völlig unserem Zutun entzogen zu sein, so daß der Zusammenhang von persönlichem Verhalten und schicksalhaften Verhältnissen eher eine theoretische Konstruktion als eine praktisch wirksame Realität sein dürfte.

1. So scheint es allerdings bei oberflächlicher Betrachtungsweise. Doch Sie werden, lieber Leser, inzwischen schon gemerkt haben, daß man nur dann das Beste aus dem Leben machen kann, wenn man sich niemals mit den vordergründigen Erscheinungen und Auswirkungen begnügt, sondern die eigentlichen Hintergründe, das Wesentliche und Ursächliche zu erkennen sucht. Wir müssen gewissermaßen aus der Oberflächenebene des gewohnten Denkens und Meinens hinuntersteigen in die tiefer gelegenen Daseinsschichten, in denen sowohl die Edelsteine und Edelmetalle als auch die Brennstoffe zu finden sind, d. h. in übertragener Bedeutung die wahrhaft wertvollen und bleibenden Lebenserfahrungen ebenso wie die eigentlich wirksamen Triebkräfte und Lebensenergien.

So verhält es sich also insbesondere auch hinsichtlich unserer Einstellung zu Zufall und Schicksal. Es ist eines der Geheimnisse des Lebens, daß vielfach gerade das, was uns im alltäglichen Leben zunächst völlig unverständlich, ja unsinnig erscheint, sich bei einer tieferen Betrachtungsweise als durchaus gesetzmäßig und sinnvoll offenbart – und daß umgekehrt manches von dem, was wir normalerweise für richtig und vernünftig halten, sich der »Tiefenschau« als verkehrt und unklug darstellt. Es kommt eben immer darauf an, von welchem Standpunkt aus man urteilt und welchen Maßstab man anlegt.

Erinnern wir uns nur an das, was über das unsichtbare Schwingungsnetz gesagt wurde, das über die ganze Erde – und vielleicht sogar über die Erde hinaus – zwischen den

Menschen ausgespannt ist: gewoben aus den Wirkungen unseres tiefsten, ureigensten Wesens und unserer seelischen Tiefenschichten mit all ihren Trieben und Ahnungen, Wünschen und Hoffnungen, Ängsten und Sorgen, mit ihrem Fühlen und Sehnen, Denken und Streben. Und erinnern wir uns weiter an das Wirksamwerden dieser Schwingungen in all den alltäglichen Erlebnissen, die wir stets und überall erfahren und die sich auf unser Verhältnis zu den Mitmenschen, zur Umwelt und auf die persönliche Schicksalsgestaltung durch unser eigenes Verhalten beziehen.

Das Menschenleben ist tatsächlich »tiefer, als der Tag gedacht« (wie Nietzsche sagt), indem es mitbestimmt und mitgeleitet wird von diesen zwar in der eigenen Wesenstiefe wirkenden, aber dem Tagesbewußtsein nicht ohne weiteres zugänglichen Schwingungszentren und Sendestationen der Seele.

Diese Tatsache als eine wichtige Lebensrealität in unser Denken aufzunehmen und uns in unserer bewußten Geisteshaltung und Lebenseinstellung danach zu richten, ist ein wesentlicher Schritt zu echter Lebenskunst. Wer diesen Schritt getan hat, der merkt, wie sein Lebensgefühl und sein Bewußtsein allmählich eine bisher ungeahnte Ausweitung erfahren, so daß sein innerer Horizont immer weitere Räume umfaßt und seine geistige Landkarte immer weniger weiße Flecken unerforschter oder unzugänglicher Gebiete enthält. Ein solcher Mensch wird sich auch für das immer mehr mitverantwortlich fühlen, worauf er keinen direkten Einfluß hat, denn er weiß, daß er dennoch indirekt daran mitbeteiligt ist, weil für ihn die unterbewußten Tiefenschichten des Gemüts und die überbewußten Höhen der Seele nicht mehr durch eine undurchdringliche Mauer vom wachbewußten Tageserleben getrennt sind, sondern in unmittelbarem Kontakt und ständigem Schwingungsaustausch stehen.

2. Für einen solchen Menschen wird es demnach auch keinen *Zufall* mehr geben, der ihn ohne sein Zutun treffen könnte, denn er hat begriffen und erfahren, *daß uns im Grunde nur das zufallen kann, was wir uns entweder selbst zuziehen oder noch nicht wirksam genug abwehren können.*

In dieser Sicht ist Zufall eben nur der Teil eines gesetzmäßigen Ablaufs, den wir noch nicht klar überschauen können und der daher nur für unser Wachbewußtsein überraschend kommt – vielfach aber von unserem Überbewußtsein nicht nur längst geahnt, sondern geradezu mitverursacht wurde. Genauso sicher wie im physikalischen Bereich des Elektromagnetismus das Gesetz von der Anziehung des Ungleichen und der Abstoßung des Gleichen gilt, gilt nämlich im psychischen Bereich des Denkens und Fühlens das umgekehrte Gesetz von der Anziehung des Gleichen und der Abstoßung des Ungleichen.

Das bedeutet praktisch, daß der Mensch all das, worauf er seine ganze Aufmerksamkeit richtet, womit er dauernd in Gedanken und Gefühlen sich beschäftigt, mit Sicherheit anzieht. Er zieht also auch das an, worauf er negative Gedanken und Gefühle der Angst und Sorge, der Ablehnung und Abneigung richtet, so daß gerade das am meisten Gefürchtete erst recht eintreffen und das am schärfsten Abgelehnte uns erst recht immer wieder begegnen wird.

Dagegen kann das uns wesensmäßig Ungleiche, mit dem wir uns demgemäß auch kaum gedanklich oder gefühlsmäßig beschäftigen werden, weil es uns ja viel zu fremd ist und wir gar nichts von ihm wissen, auch tatsächlich nicht an uns heran: Sei es im positiven Sinne, daß dem wirklich Furchtlosen viel weniger zustoßen wird als dem Ängstlichen – sei es in negativer Hinsicht, daß auch das Gute, von dem der Mensch nichts weiß, ihn nicht erreichen kann.

Betrachten wir nun mit dem Wissen um diese Gesetzmäßigkeit nochmals das vorhin erwähnte Beispiel eines »unglücklichen Zufalls« (Ausrutschen auf dem Wege zum Bahnhof), dann werden wir alsbald erkennen, daß dieses Ereignis doch sehr wesentlich durch die Verfassung des Betreffenden zumindest mitbestimmt war. Fragen wir einmal, warum denn jener Unglücksrabe überhaupt hingefallen ist (denn nicht jeder, der ausrutscht, braucht gleich hinzufallen) und warum er sich dabei auch noch das Bein brach (denn nicht jeder, der hinfällt, braucht sich dabei gleich das Bein zu brechen).

Dabei stoßen wir zunächst auf die bereits mehrfach erwähnte Tatsache, daß unser gesamter Tagesablauf weitgehend davon bestimmt wird, wie wir den Tag begonnen haben, und daß der Tagesanfang wiederum davon abhängt, wie wir die Nacht verbrachten (vgl. Kapitel »Wachen – Träumen – Schlafen«). In unserem Beispiel dürfen wir also annehmen, daß der Betreffende in der vorhergehenden Nacht wenig und schlecht geschlafen hat. Wahrscheinlich hat er noch bis zuletzt gearbeitet und dann erst gepackt, die Wohnung auf längere Abwesenheit eingerichtet usw., so daß er viel zu spät ins Bett kam und dann wegen des »Reisefiebers« und sonstiger Aufregungen sicherlich keinen ruhigen Tiefschlaf fand. Infolgedessen ist er dann wohl auch zu spät, auf jeden Fall aber unausgeruht und überreizt aufgestanden, wozu noch sein schlechter Allgemeinzustand kam, denn er gehört wohl auch zu den vielen überanstrengten Berufstätigen, die ihren Urlaub meist viel zu spät und in unzureichendem Ausmaß bekommen bzw. sich gönnen (vgl. das Kapitel »Konzentration und Entspannung«). So ist er dann in Hetze und Nervosität im letzten Moment auf den Bahnhof gerast, hat natürlich den Ölfleck oder die Bananenschale auf der Straße übersehen – und schon ist das Unglück geschehen, das also, rein äußerlich gesehen, höchstwahrscheinlich nicht hätte passieren können, wenn der gleiche Mensch in ausgeruhtem und ausgeglichenem Zustand, mit sich und der Welt zufrieden, rechtzeitig und langsam zum Bahnhof gegangen wäre.

Doch wir können die ursächliche Verkettung noch weiter verfolgen und noch tiefere Zusammenhänge aufdecken – und dann werden wir sogar die innere Folgerichtigkeit des Geschehens erkennen. Wir haben gehört, daß unser Tiefenbewußtsein nicht nur in den nächtlichen Träumen, sondern auch am Tage wirksam ist. Dabei sind die Wirkungen der Tiefenschichten um so »durchschlagender«, je weniger sie vom Wachbewußtsein kontrolliert werden, weil dieses entweder zu sehr in intellektueller Begrifflichkeit versponnen oder durch Überlastung oder sonstige störende Einflüsse beeinträchtigt ist.

Praktisch erleben wir das z. B. in negativer Weise (es gibt natürlich auch die entsprechenden positiven Erfahrungen), wenn wir abgespannt, übermüdet, krank oder auch nur von irgend etwas zu sehr abgelenkt sind: Dann passieren uns dauernd Fehlleistungen und Irrtümer, wir verrechnen oder versprechen uns, vergessen etwas Wichtiges oder versagen in sonstiger Weise.

Das alles sind Äußerungen unserer unterbewußten Tiefenschichten, deren Funktionen mit dem jeweiligen Zustand oder Tätigkeitsbereich unseres Wachbewußtseins sich nicht im Einklang befinden. Das macht sich also in der genannten Weise störend bemerkbar, wenn sich auch oft hinterher herausstellt, daß die Tiefenschichten, von ihrer Aufgabe her verstanden, sogar sehr sinnvoll reagierten und durch die scheinbaren Fehlleistungen nur auf eine bestehende Verkehrtheit im Wachbewußtsein aufmerksam machten.

Aus dieser Erkenntnis wird deutlich, daß gerade auch ein

Unfall zwar durchaus überraschend und vom Wachbewußtsein keineswegs beabsichtigt uns treffen kann und dennoch entweder vom Unterbewußtsein als notwendige Folge eines verkehrten Verhaltens verursacht oder vom Überbewußtsein als heilsame Erfahrung im Hinblick auf Persönlichkeitsreifung und Lebensziel sogar gewollt wurde.

In unserem Beispiel ist es demnach sehr gut möglich, daß der Beinbruch nicht nur infolge der vorhin beschriebenen Zusammenhänge im Grund selbst verschuldet, sondern sogar im Tiefsten selbst gewollt war, weil der beabsichtigte Urlaub im Gebirge gar keine wirkliche Erholung, sondern nur erneute Belastung und Anstrengung gebracht hätte, was der wachbewußte Verstand aber nicht einsehen wollte.

So mußte die überbewußte »Leibesvernunft« (Nietzsche) des Organismus sich gegenüber dem Verstand gewaltsam durchsetzen und durch die beschriebene Ursachenverkettung den Unfall herbeiführen, durch den eine tatsächlich wirksame Erholung erzwungen wurde (in Gestalt mehrwöchiger Bettruhe bei guter Verpflegung, mit Gelegenheit zu vielem Schlafen, Lesen, Besuche empfangen und sich innerlich und äußerlich mit all den Dingen beschäftigen können, zu denen man sonst niemals gekommen wäre). So stellt sich häufig das, was zuerst als bedauerliches Mißgeschick erschien, nachträglich als segensreiche Fügung heraus.

Daß hier eine allgemeingültige Gesetzmäßigkeit waltet, hat man inzwischen durch umfangreiche Untersuchungen nachgewiesen, indem man bei der Unfallbekämpfung nicht nur den äußeren Ursachen, sondern auch den inneren Zusammenhängen systematisch nachging und dabei fast immer auf die erwähnte psychische Unfallbereitschaft, ja sogar auf einen unterbewußten Unfallwunsch stieß (etwa bei einem unerträglich gewordenen Arbeits-verhältnis, bei Familienzwistigkeiten oder sonstigen persönlichen Konflikten, wie Schuldgefühlen und dergl.). Ohne diese Gegebenheiten hätte der Unfall nicht passieren können, denn die äußeren Umstände allein können bei entsprechender Umsicht und Vorsicht, innerer und äußerer Ruhe, gesammelter Konzentration und voller Wachsamkeit kaum einen Unfall herbeiführen.

Und was für Unglücksfälle gilt, trifft auch auf alle anderen scheinbaren Zufälle zu. Wenn wir uns darüber klar sind, daß wir durch unsere ständigen Gedanken und Gefühle gewissermaßen ein Kraftfeld um uns schaffen, dessen Wirksamkeit um so größer ist, je intensiver unsere Gefühle und je bewußter unsere Gedanken sind, dann werden uns die Menschen und sogar die Dinge, mit denen wir zusammenkommen, nicht mehr ganz so zufällig erscheinen.

Wenn schon ein elektromagnetisches Kraftfeld stark genug ist, um schwere Eisenstücke anzuziehen und festzuhalten oder umgekehrt heftige Bewegungen abzubremsen, so brauchen wir dem menschlichen Kraftfeld nicht weniger zuzutrauen. Je mehr wir uns seiner Wirksamkeit bewußt sind und von seinen Möglichkeiten Gebrauch machen, desto erstaunter werden wir feststellen, in welch hohem Maße wir imstande sind, den Zufall zu korrigieren, und zwar nicht durch irgendwelche unlauteren Manipulationen, sondern indem wir nichts tun, als unsere Haltung und Wesensart so klar und fest zum Ausdruck zu bringen, daß uns dadurch auf die Dauer ganz von selbst das uns Wesensverwandte bzw. Zugehörige »zufällt« und das uns Wesensfremde bzw. Störende und Hemmende von uns »abfällt«.

Auch dem Zufall gegenüber gilt also die Überlegenheit der wahrhaft selbstbewußten, eigenständigen und in sich geordneten Persönlichkeit, die wir schon hinsichtlich der Lebensrhythmen und der mitmenschlichen Beziehungen als das Kernstück erfolgreicher Lebenskunst erkannt haben.

B. »In deiner Brust sind deines Schicksals Sterne«

1. Was für den Zufall gilt, das hat auch dem Schicksal gegenüber Gültigkeit: Der seiner selbst voll bewußt gewordene Mensch hat sich zumindest das »*Mitbestimmungsrecht*« auch hinsichtlich des Schicksals erworben. Und zwar ist diese Mitbestimmung in zweifacher Weise möglich: erstens im Abwenden drohenden Unheils und zweitens im Verwandeln unabwendbaren Schicksals durch die eigene Haltung.

Betrachten wir zunächst die erste Möglichkeit. Um mitbestimmen zu können, muß ich zuerst Mitverantwortung tragen wollen, denn solange ich von allem, was »gespielt wird«, keine Ahnung habe und höchstens beteuere, daß ich nichts dafür kann – solange muß ich es mir auch gefallen lassen, daß die Entscheidungen über meinen Kopf hinweg getroffen werden und daß ich Spielball anstatt Mitspieler bin.

Ich muß zunächst wissen, daß mich ein Schicksal niemals nur von außen treffen kann, wenn nicht auch in meinem eigenen Innern etwas Entsprechendes ihm entgegenkommt, wenn nicht gewissermaßen der herankommende Ton in mir selbst soviel Resonanz findet, daß ein machtvoller Zusammenklang von außen und innen daraus entsteht, der erst das Geschehen auslöst.

Demgemäß wird auch um so weniger Unvorhergesehenes

und Unerwartetes seitens des Schicksals mich treffen können, je besser ich mich selbst kenne und in meinen eigenen Wesenstiefen Bescheid weiß; denn dadurch werde ich einerseits viele Gefahren vermeiden können, die mir auf Grund meiner eigenen Schwäche sonst verhängnisvoll geworden wären, und andererseits viele günstige Wendungen herbeiführen, die meinen eigenen Stärken entsprechen, jedoch bei weniger wachsamer Lebenseinstellung unbeachtet oder ungenützt geblieben wären. Auf diese Weise können wir tatsächlich eine ganze Menge von dem verhüten, was uns sonst unweigerlich zugestoßen wäre. Und nicht nur uns selbst können wir so vor manchem Unheil bewahren, sondern oft auch unsere Mitmenschen.

2. Die deutsche Sprache hat für diese Fähigkeit das treffende Wort *Geistesgegenwart*. Das soll heißen: Wir leben so bewußt in der Gegenwart des Geistes, daß wir dieses Bewußtsein auch in den kritischsten und gefährlichsten Situationen nicht verlieren – also nicht mehr kopflos, d. h. denkunfähig werden, sondern gerade umgekehrt durch unsere Furchtlosigkeit den Kopf frei behalten für die intuitive Eingebung, die richtige Idee, die weiterführende Überlegung, den rettenden Impuls, die jeweils notwendig sind, um die aussichtslos scheinende Lage zu meistern, der unerwarteten Gefahr wirksam zu begegnen, die drohende Katastrophe aufzuhalten usw.

Es leuchtet ein, daß ein innerlich unruhiger oder gar negativ eingestellter, egoistischer und nur auf den eigenen Vorteil bedachter Mensch zu solcher Geistesgegenwart kaum fähig sein wird. Solche Menschen werden im Gegenteil beim geringsten Anzeichen einer drohenden Gefahr rücksichtslos nur sich selbst zu retten suchen und dadurch vielleicht sogar mitschuldig werden am Entstehen einer sinnlosen Panik, in der sie alle erst recht umkommen, obwohl meist nur ein wenig Überlegung und Verantwortungsbewußtsein auch für den Mitmenschen genügt hätte, um alle zu retten.

Der Geistesgegenwärtige muß vielmehr sowohl selbstbewußt, d. h. in bewußtem Kontakt mit dem Überbewußtsein der Seele und mit der Kernsubstanz seines Wesens, als auch selbstlos sein, d. h. sich selbst nur als Teil des Gesamtlebens (der Menschheit und der Welt) empfinden und demgemäß fremdem Schicksal mit dem gleichen Interesse begegnen wie dem eigenen. Er wird z. B. zur Rettung vieler Menschenleben ohne Zögern ein einzelnes Leben – und wenn es das eigene ist – einsetzen.

Es gibt dafür unzählige Beispiele in der Geschichte, welche Wunder an Schicksalsüberwindung die Geistesgegenwart eines einzelnen Menschen zustande bringen kann: sei es bei der Verhütung von Unglücksfällen, von Schiffs-, Eisenbahn- und Flugzeugkatastrophen, sei es bei der Rettung von Menschenleben und der Abwendung noch größeren Unheils in bereits eingetretenen Katastrophen.

Unvergeßlich bleibt z. B. das Verhalten jenes Königs, der, als in einer überfüllten Theatervorstellung plötzlich das Licht ausging und schon ein Unverantwortlicher mit dem Schreckensruf »Feuer« eine beginnende Panik entfesselt hatte, sich aufrecht in seine Loge stellte und mit einer Taschenlampe sein ruhiges, furchtloses Gesicht beleuchtete, so daß jeder ihn sehen konnte und sich seiner eigenen Angst schämen mußte: Er verhielt sich so, bis die Störung behoben wurde und das Licht wieder anging. Damit hat er wohl Tausenden das Leben gerettet.

Vielleicht noch bewunderungswürdiger ist aber auch die Tat jenes einfachen Zirkus-Clowns, der, als hinter der Manege – vom Publikum noch unbemerkt – Feuer ausgebrochen war, im vollen Bewußtsein der Gefahr es fertigbrachte, durch seine Späße die Aufmerksamkeit des Publikums so lange zu fesseln und von dem bereits spürbaren Brandgeruch abzulenken, bis die Feuerwehr eingetroffen war und die Räumung des Hauses ordnungsgemäß vornehmen konnte.

Der Weltkrieg hat zahllose solcher Situationen geschaffen: Im unmittelbaren Kampfgeschehen wie in Bombenkellern, brennenden Häusern, beschossenen Lazaretten, auf sinkenden Schiffen oder auf der Flucht sind viele Menschen – Männer, Frauen und Kinder – durch ihr geistesgegenwärtiges Verhalten zum Zünglein an der Waage zur Rettung oder zum Verderb ihrer selbst und ihrer Mitmenschen geworden.

Aber auch heute kann man fast täglich nicht nur von Verbrechen und Auswüchsen menschlicher Minderwertigkeit in der Zeitung lesen, sondern auch von Zeugnissen überlegener Geistesgegenwart, wie z. B. von dem Piloten eines Düsenflugzeugs, der bei einer Flugveranstaltung seine brennende Maschine mit letzter Kraft neben dem Flugplatz in den Erdboden jagte und mit ihr zerschellte, anstatt rechtzeitig auszusteigen und dadurch zwar sein Leben zu retten, aber zu riskieren, daß die führerlose Maschine in die Zuschauermenge raste und dort durch eine Explosion Hunderten von Menschen das Leben gekostet hätte.

Wenn wir auch solche Taten mit Recht bewundern, so sollten wir doch dabei dessen eingedenk bleiben, daß eigentlich jeder von uns einfach auf Grund seines Menschseins zu solcher Geistesgegenwart aufgerufen ist – denn in der kopflosen Angst, die zur Panik führt, wird ja der Mensch wieder zur vernunftlosen, triebbesessenen Nur-Kreatur, während er gerade im schicksalhaften Anruf der Gefahr die überlegene Kraft seines geistbewußten Menschentums beweisen sollte, um dadurch sich selbst und die ihm anvertraute Kreatur, die sich nicht selbst helfen kann, zu retten.

In diesem Sinne ist jede Gefahrensituation, überhaupt jede Art von Schwierigkeit im Leben, eine uns vom Schicksal gegebene Chance zur Selbstüberwindung der kreatürlichen Unbewußtheit und bloßen Triebhaftigkeit einerseits – zur Selbstfindung durch Übung und Stärkung der menschlichen Geistbewußtheit und Willensfähigkeit andererseits. Je nachdem, ob uns dies noch mißlingt oder schon gelingt, werden sich unserem Verhalten gemäß unsere Verhältnisse gestalten – und vielfach nicht nur die unsrigen, sondern auch diejenigen der in der jeweiligen Situation schicksalhaft mit uns verknüpften Mitmenschen.

Diese schicksalsmeisternde Kraft eines wahrhaft geistesgegenwärtigen und zielbewußten Verhaltens meint auch Schiller mit seinem vielzitierten Satz: »Glaub mir, in deiner Brust sind deines Schicksals Sterne.«

3. Und das bleibt auch wahr selbst dem unabwendbaren Schicksal gegenüber, das scheinbar übermächtig über uns hereinbricht. Denn gerade da kommt es erst recht darauf an, was der Mensch daraus macht, wie er das Unvermeidliche trägt und eben durch seine ungebeugte, unerschütterliche Haltung es schließlich verwandelt.

Keinesfalls kann man dem Schicksal dadurch entgehen, daß man sich etwa wie ein Käfer »totstellt« und untätig wartet, bis der Sturm vorüber ist, oder daß man wie ein Kind sich die Augen zuhält und meint, wenn man selbst nicht sieht, würde man auch von den anderen nicht mehr gesehen, d. h. daß man also dem schicksalhaften Anruf gegenüber innerlich die Augen und Ohren verschließt und meint, das Schicksal würde einen dann auch seinerseits übersehen.

Beide Methoden werden von sonst sehr gescheiten, erwachsenen Menschen immer wieder versucht, obwohl sie eigentlich längst hätten erkennen können, daß man das

Schicksal weder betrügen noch sich vor ihm verstecken kann, daß es vielmehr immer wieder in der gleichen oder meist sogar in verschärfter Form vor uns steht, bis wir ihm nicht mehr ausweichen und alle nutzlosen Täuschungsmanöver aufgeben.

Die Weisheitslehren und heiligen Schriften aller Zeiten und Zonen stimmen darum auch darin überein, den Menschen das rechte Verhalten dem Schicksal gegenüber zu lehren. Die alten Ägypter hatten dafür das eindrucksvolle Symbol des Sphinx, des Menschenwesens mit den Löwenpranken, das jedem Menschen, der auf seiner Lebensbahn bis zu der großen Bewährungsprobe der bewußten Begegnung mit dem Schicksal gelangt ist, die entscheidende Rätselfrage nach seinem eigenen Menschsein stellte und ihn zerriß, wenn er sie nicht beantworten konnte, d. h. seiner selbst noch nicht voll bewußt war.

Damit ist bereits das erste Erfordernis einer erfolgreichen Schicksalsmeisterung verdeutlicht: ein klares Bewußtsein dessen, was Menschsein im allgemeinen bedeutet und was die eigene persönliche Menschform im besonderen auf dieser Erde soll. Wer nur gedankenlos in den Tag hineinlebt und den lieben Gott einen guten Mann sein läßt, für den hat demnach die bewußte Begegnung mit dem Schicksal noch nicht einmal begonnen, und es wird daher noch mancher Schicksalsschläge bedürfen, um ihn aus seinem Lebenstraum wachzurütteln.

Das zweite Erfordernis nach dem bewußten Erkennen des Schicksals bzw. der eigenen Stellung zu und in ihm ist das Annehmen und Bejahen des jeweiligen persönlichen Erdenschicksals – und erschiene es auch zunächst noch so schwer, ja untragbar oder gar sinnlos. Ein lateinisches Sprichwort bringt dies kurz und treffend so zum Ausdruck: »Den Willigen führt das Geschick, den Unwilligen schleift es« – und Eckehard sagt dasselbe: »Wenn wir wissen, was wir sollen, dann geschieht auch, was wir wollen.«

Es kommt also keineswegs darauf an, daß wir mit knirschenden Zähnen und geballten Fäusten die aufgebürdete Last tragen, weil wir sie nicht abwerfen können, oder daß wir uns wie ein unartiges Kind in ohnmächtiger Wut mit Händen und Füßen, Kratzen und Beißen gegen etwas wehren, was wir absolut nicht einsehen wollen und dennoch tun bzw. geschehen lassen müssen.

Wer so mit seinem Schicksal hadert, der wird es niemals überwinden oder gar ins Positive wenden können, sondern sich nur immer mehr in Negation und Fehlreaktionen verstricken, bis er schließlich als ein hilfloses Wrack auf dem Meere des Lebens dahingetrieben wird und untergehen muß, wenn sich nicht ein »Bergungsschiff« mit schicksalskundigen und lebenserfahrenen Menschen seiner erbarmt.

Solange wir nur um Verlorenes trauern, auf zugefügtes Unrecht nur mit Haß und Verbitterung reagieren, durch sonstige Beeinträchtigungen physischer oder psychischer Art nur mutlos und apathisch oder menschenscheu und lebensuntüchtig werden – solange kann sich unser Schicksal nicht zum Besseren wenden.

Solange wir im Negativen befangen sind, haben wir gar kein Aufnahmeorgan für die positiven Möglichkeiten, die sich uns inzwischen geboten haben und immer wieder bieten. Wir verhalten uns dann ebenso unvernünftig wie ein Wanderer, der sich vor einem plötzlichen Gewitter in eine Höhle geflüchtet hat und nun jammernd in der dunklen Höhle sitzen bleibt, obwohl das Gewitter längst vorüber ist und draußen wieder die helle Sonne scheint! In dem Augenblick aber, da wir sowohl das Geschehene bejahen, weil es nun einmal geschehen ist, und wir der Überzeugung sind, daß es uns nicht hätte treffen können, wenn es nicht in irgendeiner Weise notwendig für uns bzw. für unsere irdische Aufgabe gewesen wäre, als auch gleichzeitig nach Kräften uns bemühen, das Beste daraus zu machen, indem wir das Unerwünschte zu wandeln versuchen: In dem Augenblick werden wir sehen, daß sich schon allein durch diese unsere positive Einstellung und Aktivität das Schicksal zu wenden beginnt, selbst wenn die äußeren Früchte dieser positiven Saat oft noch lange brauchen, um deutlich sichtbar auszureifen.

Auch dem zunächst unverständlichen und scheinbar sinnlosen Schicksal gegenüber ist es auf jeden Fall unnütze Kraft- und Zeitverschwendung, sich dagegen aufzulehnen. Es ist aber auch in keinem Falle nötig, zu verzweifeln oder gar das trotz allem höchste Gut, das Leben, einfach wegzuwerfen – denn solange man lebt, ist immer noch Grund zur Hoffnung vorhanden.

Sobald nach einem schweren Schicksalsschlag unsere psychophysische Verfassung ein einigermaßen ruhiges und klares Denken wieder zuläßt, werden wir uns ganz still und gesammelt besinnen, welchen Sinn dieses uns auferlegte Schicksal wohl haben könnte. Und zwar kann man diese Frage nach dem »Warum« immer in zweifacher Weise bzw. Blickrichtung stellen:

a) »Woher« oder »Wieso« im Hinblick auf die Vergangenheit, also auf die ursächliche Verkettung, die das schicksalhafte Geschehen herbeiführte bzw. auslöste. Die oft in verkehrter Haltung – entweder in sich selbst bemitleidender Klage oder leidenschaftlich Rechenschaft fordernder Anklage – erhobene Frage »Was habe ich getan, daß gerade mir dies geschah?« könnte so einen wirklich positiven Sinn gewinnen, wenn ich sie ernstlich an mich selber richte und mit der nötigen Sorgfalt und Gründlichkeit prüfe. Dann muß ich mich auch fragen: »Wie konnte es überhaupt zu dem Geschehen kommen, und inwieweit

bin ich durch mein eigenes Verhalten daran mitbeteiligt?«
Auf diese Weise bemühe ich mich jedenfalls, all das aus
den Erfahrungen der Vergangenheit zu lernen, was mir
im Augenblick möglich ist. Das ist stets das beste Mittel,
um die negativen Erfahrungen zu verringern und die positiven zu vermehren.

b) »Wohin« und »Wozu« im Hinblick auf die *Zukunft*,
also auf die Folgen und Folgerungen, die sich aus dem
Geschehenen für mich ergeben. Wenn ich demgemäß
frage: »Was soll ich durch das Geschehene noch lernen
oder werden, wozu will es mir verhelfen?« – so werde ich
immer eine positive Antwort finden, selbst wenn ich
wirklich völlig »schuldlos« davon betroffen wurde, denn
es gibt kein Schicksal, dem man nicht auf diese Weise eine
positive Seite abgewinnen und eine entscheidende Wendung zum Besseren geben könnte!

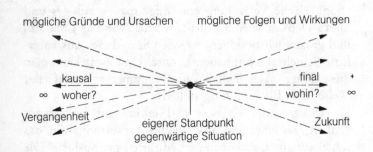

C. Der Sinn des Schicksals

Was ist überhaupt der Sinn des Schicksals?
Hölderlin hat es in wundervoller Weise ausgedrückt:
»Des Herzens Woge schäumte nicht so schön empor und

würde Geist, wenn nicht der alte stumme Fels, das Schicksal, ihr entgegenstände.«

Einen »stummen Fels« nennt Hölderlin das Schicksal. Darin liegt die ganze Unverständlichkeit, Unnahbarkeit und Unerbittlichkeit, die dem Schicksal gemeinhin zugeschrieben wird. Da nützt kein Bitten und Betteln, kein Klagen und Schimpfen. Dem »stummen Felsen« gegenüber »beißen wir auf Granit«.

Und dennoch ist es möglich, ihn zu bezwingen und ihm sogar Segen abzugewinnen, wenn wir uns ihm gegenüber wie die »Meereswoge« verhalten. Sie »schäumt an ihm empor«, und so, emporgehoben in Luft und Licht, verwandelt sie sich in schneeweißen Gischt, dessen einzelne Tröpfchen in neuer Gestalt als leichter Sprühregen zur Erde zurückkehren. Und dabei wird nicht nur die Woge verwandelt, aufgelöst in schwebenden Schaum, sondern auch der harte Fels wird auf die Dauer bezwungen. Er wird zunächst abgeschliffen, verliert seine scharfen Ecken und Kanten, und im Laufe der Jahrtausende wird er kleiner und kleiner, bis er schließlich ganz verschwunden ist. »Steter Tropfen höhlt den Stein«, heißt es – und Laotse spricht die gleiche Lebensweisheit aus, wenn er sagt: »Das Weiche besiegt das Harte.«

In diesen Bildern ist also sehr eindrucksvoll der Sinn des immerwährenden Ringens von Mensch und Schicksal dargestellt: Am Widerstand wächst die Kraft, und an der Härte des Schicksals entzündet sich die überwindende Macht des Geistes wie der Funke am Feuerstein. Der Mensch, dessen Lebensstrom nicht aufgehalten und angestaut wird durch entgegenstehendes Schicksal, wird immer in Gefahr sein, zu verflachen, zu »versanden« oder gar zu »versumpfen«.

Wer aber umgekehrt gelernt hat, gleich der Woge in unermüdlichem Anprall sich vom Schicksal emporheben zu lassen und so immer aufs neue Leben in Geist, Stoff in Kraft, Niederziehendes, Schweres in Aufsteigendes, Erhebendes zu wandeln, der wird dadurch auch dem Schicksal seine Härte und Schärfe nehmen und es schließlich ganz »einebnen«, d. h. vollkommen mit einbeziehen in die allumfassende Weite und bis zum »Urgrund« vorgedrungene Tiefe des geistbewußten »Lebemeisters« (Eckehard). Ihn kann auch das schwerste Schicksal höchstens noch äußerlich treffen, niemals aber in seiner inneren Substanz erschüttern, weil er eben seinen Sinn erkennt und seine Forderung erfüllt und sich so mit dem Schicksal nicht nur aussöhnt, sondern sogar mit ihm eins wird.

Das Schicksal ist nur stärker gegenüber dem seiner selbst noch nicht vollbewußten Menschen, und es kann nur den zermalmen, der ihm ohne Einsicht zu trotzen oder gar sich ihm in sinnloser Auflehnung entgegenzustellen versucht. Wer aber durch das Ringen mit dem Schicksal immer mehr zähe Materie in schöpferischen Geist verwandelt und sich aus den Niederungen des Daseins emportragen läßt in jene höheren Lebensebenen, in denen bereits die Freiheit der »Kernsubstanz« der Bedingtheit der »Hüllen« gegenüber wirksam zu werden beginnt, dem eröffnen sich ganz neue Möglichkeiten der Überwindung und Verwandlung.

Dabei scheint im äußeren Leben oft alles unverändert geblieben zu sein. Dem Amputierten wächst das verlorene Glied nicht mehr an, der Arme wird nicht über Nacht ein reicher Mann, und unsere Lieben, die von uns gegangen sind bzw. genommen wurden, kehren nicht zurück. Und doch ist etwas wesentlich anders geworden und hat dadurch die ganze Situation von Grund auf verwandelt: wir selbst! *Wir* haben uns gewandelt, überhöht, sind über unseren eigenen bisherigen Standpunkt und

Zustand hinausgewachsen – und damit eben auch über unsere bisherige Problematik und Gebundenheit. Dadurch ist vieles von dem, womit wir bisher glaubten nicht fertig werden zu können, plötzlich ganz von selbst von uns abgefallen, und vieles von dem, was bisher unser Leben überschattete, hat sich in Nichts aufgelöst wie Nebelschwaden vor dem Licht der aufsteigenden Sonne. Die äußeren Umstände sind nur scheinbar unverändert geblieben. Tatsächlich wirkt sich unsere innere Wandlung auch in einem entsprechend gewandelten Verhalten und Handeln aus. Und dadurch werden wiederum auf die Dauer unweigerlich auch die schicksalhaften Verhältnisse und Lebensumstände zumindest gemildert, erleichtert und gebessert. Sehr häufig tritt darüber hinaus eine ungeahnt positive Wendung ein, so daß wir anstatt der bisherigen »Schicksalsschläge« einen »Glücksfall« nach dem anderen erleben.

D. Identität von Schicksal (Einwirkung der Umwelt) und Charakter (Auswirkung des Wesens)

Charakter und Schicksal sind im Grunde identisch: Der Charakter wird ständig geprägt durch das schicksalhafte Geschehen – und das Schicksal wird ständig verändert durch das charakterbedingte Verhalten.
Darum kann man auch keinen Menschen auf sein Schicksal oder seinen Charakter festlegen, solange er lebt, denn beides verändert sich laufend in beständiger Wechselwirkung. Je bewußter wir unser Leben selbst in die Hand nehmen, desto stärker wird sich die Komponente Charakter der Komponente Schicksal gegenüber behaupten.

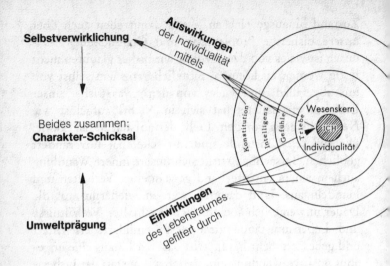

Was tun Sie, wenn Ihnen eine Sendung im Fernsehen nicht gefällt? Sie schalten um, daß heißt, Sie verändern die Einstellung Ihres Empfangsapparates – und schon haben Sie das von Ihnen gewünschte Programm.

Ganz genauso müssen Sie es auch im Leben machen: Wenn Sie mit einer Situation nicht zufrieden sind oder nicht zurecht kommen, müssen Sie innerlich umschalten und Ihre Einstellung ändern – dann erleben Sie sogleich eine neue, von Ihnen selbst herbeigeführte Situation!

Der Amputierte lernt durch zähe Willensenergie in ungebrochenem Lebensmut seine Behinderung auszugleichen und vielleicht sogar in mancher Hinsicht sich noch besser bewegen zu können als vorher. Viele Beispiele von armlosen Künstlern, die mit den Füßen oder dem Munde ihre Werke schaffen, oder das Beispiel des österreichischen Skilehrers, der beide Beine verloren hat und nun mit zwei Vollprothesen sogar seinen Beruf wieder ausübt, zeigen dies in eindrucksvollster Weise.

Die weltberühmte Schriftstellerin Helen Keller war nicht nur blind, sondern auch noch taubstumm, und vollbrachte trotzdem Leistungen, die in ihrer Art einzig dastehen.

Persönliche Verluste lassen sich durch eine gesteigerte geistige Verbindung ausgleichen, ja sie führen oft sogar zu noch beglückenderen persönlichen Begegnungen, die gewissermaßen alles Erlebte auf einer höheren Ebene oder in verstärkter Intensität wiederbringen.

Und wer alles verloren hat, der kann gerade dadurch nur um so mehr zu sich selbst finden, bis er ungeahnte Fähigkeiten entwickelt, neue Ideen faßt, unerwartete Hilfen bekommt und so schließlich noch besser dasteht als jemals zuvor.

Jeder von uns wird aus seinem eigenen Lebenskreis solche Beispiele bewundernswerter Schicksalsüberwindung kennen und kann sie sich zum Vorbild nehmen. Und jeder kann so die Wirksamkeit dieses Lebensgesetzes an sich selbst erproben: Wer an seinem Schicksal wächst, anstatt sich von ihm zu Boden drücken zu lassen, der kann schließlich auch über das Schicksal hinaus wachsen und sich in Bewußtseinsbereiche erheben, die für negative Ein- und Auswirkungen unerreichbar sind.

Kennzeichnend für einen Menschen dieser Art ist die stille Heiterkeit des Weisen und das warme Leuchten eines gütigen Herzens. Das hat wiederum nichts mit Weltflucht oder Schwäche zu tun, sondern ist im Gegenteil das Zeichen einer unüberwindlichen inneren Stärke, die sich gerade im täglichen Daseinskampf als das wirksamste Mittel zur Lebensmeisterung erweist. Wer so weit gelangt ist, hat wohl wirklich das Beste aus seinem Leben gemacht.

Christian Morgenstern, der viele Jahre seines Lebens schwer Leidende und dieses Leiden in ungebrochener

Schaffenskraft Überwindende, ist einer von denen, die dieses Lebensziel erreichen durften. Er konnte daher auch aus eigener gereifter Überwindungskraft all das Gesagte in dem feinsinnigen Wort zusammenfassen:

»Siehe, das ist Lebenskunst:
Fein hinzulächeln übers große Muß.«

Wie weit Sie schon auf diesem Wege gelangt sind, das können Sie an den folgenden *vier Grundfragen des Glaubens* messen, in deren Beantwortung die Quintessenz aller bisherigen Darlegungen enthalten ist:

1. *Wer* bin ich?
   Wofür halte ich mich – wozu sage ich »Ich«?
2. *Was* soll und will ich?
   Worin erblicke ich meine Aufgaben
   a) generell als Angehöriger der Gattung Mensch?
   b) individuell als einmaliges und einzigartiges Menschenwesen?
3. *Wozu* gehöre ich?
   Wovon fühle ich mich getragen und gehalten, worin einbezogen und geborgen? Als Teil welcher Ganzheit betrachte ich mich?
4. *Wem* weiß ich mich verantwortlich?
   Welche letzte, höchste, verpflichtende und richtende (= richtungweisende) Instanz kann ich erkennen und anerkennen?

Ihr Glaube bestimmt Ihr Denken, Ihr Denken veranlaßt Ihr Handeln, und Ihr Handeln verursacht Ihr Ergehen.
Wenn Sie also mit Ihrem Ergehen noch nicht ganz zufrieden sind, dann müssen Sie diese Ursachenkette zurückverfolgen: Ihr Handeln verbessert sich auf Grund Ihres gesteigerten Bewußtseins, das wiederum das Resultat Ihres lebensbestimmenden Glaubens ist.
Darum dienen obige Fragen nicht nur der Selbstprüfung,

sondern sind auch das rascheste und sicherste Mittel zum Erkennen anderer, denn die Antworten offenbaren sofort, »wes Geistes Kind« Sie vor sich haben. Wenn z. B. jemand sich selbst mit seinem Körper verwechselt oder sich für einen »nackten Affen« hält, keine Ahnung davon hat, was er überhaupt als Mensch auf dieser Erde soll, sich nirgends zugehörig und völlig isoliert fühlt, weder an eine höhere Macht glaubt, noch über ein funktionierendes Gewissen verfügt – dann wissen Sie auf Grund der bisherigen Ausführungen doch ganz genau, was Sie von ihm zu erwarten haben.

Wenn Sie jedoch dem folgenden Glaubensbekenntnis weitgehend zustimmen können, dann sind Sie bestimmt schon dabei, das Beste aus Ihrem Leben zu machen:

ICH BIN
nicht bloß mein Körper – nicht bloß mein Gemüt (Gefühle und Triebe) – nicht bloß meine Gedanken (Intelligenz), sondern *eine unsterbliche Seele, Trägerin eines ewigen Gottesfunkens,*
und habe diese Hüllen angenommen, um damit die *einmalige und einzigartige Bestimmung* meiner gegenwärtigen Verkörperung zu erfüllen.

ICH SOLL
mich selbst verwirklichen. Es ist meine *einzige Lebensaufgabe,* meine Bestimmung richtig zu erkennen und ihr gemäß mich zu vervollkommnen, d. h. täglich ein bewußterer Mensch oder bewußter Mensch zu werden, also die kosmische Schöpfungsidee Mensch in irdischer Menschform zu realisieren.

ICH GEHÖRE
als winziges, aber wichtiges Teilchen einer Ganzheit an,

von der ich mit fortschreitendem Bewußtsein immer größere Zusammenhänge zu erfassen vermag:

So wie Milliarden Zellen den Organismus des Menschen bilden, sind Milliarden Menschen Zellen im Organismus der Erde, sind Milliarden Sonnen, Planeten und Monde Zellen im Organismus unserer Galaxie und Milliarden Galaxien Zellen im Organismus des Kosmos (Gottes).

ICH ERKENNE

und anerkenne als letzte und höchste Instanz, der ich mich verantwortlich weiß, mein *angeborenes Gewissen* (die Entelechie meiner jetzigen irdischen Existenz), gleichbedeutend mit der *generellen Wesenheit Gottes* (höchstes Bewußtsein und stärkste Energie), deren individueller Ausdruck

ICH BIN.

ZWEITER TEIL:

MITEINANDER LEBEN

I. Mensch und Mitmensch

A. Die menschliche Doppelnatur

Warum diese Doppelbezeichnung? Gibt es denn einen Unterschied zwischen Mensch und Mitmensch? O ja! Vom ersten Teil her wissen Sie, was ein Mensch ist: ein Individuum, eine einmalige, einzigartige Persönlichkeit, sozusagen ein Original von unersetzlichem Wert.

Das ist der gewaltige Unterschied zwischen Mensch und Tier, denn jedes einzelne Tier ist immer nur ein Exemplar seiner Gattung, keine selbständige Individualität mit Selbstbewußtsein und freiem Willen. Da kann man nicht sagen »Tier und Mittier«, denn es sind sozusagen alles »Mittiere«, das heißt alle auf Grund ihrer Instinkte sich praktisch gleich verhaltend und infolgedessen jederzeit untereinander auswechselbar.

Nun sagen Sie bitte nicht: »Aber mein Hund hat eine ausgeprägte Individualität« – denn Haustiere sind eben schon »vermenschlicht«. Sie beginnen, sich nicht mehr wie richtige Tiere zu verhalten, indem sie sich an den Menschen angleichen. Daher sind sie teilweise schon gar nicht mehr in Freiheit lebensfähig, wenn sie schon zu sehr ihre Instinktsicherheit eingebüßt haben.

Gerade das aber ist der weitere entscheidende Unterschied zwischen Mensch und Tier, daß der Mensch fast keine Instinkte mehr hat, sich also von allein gar nicht zum Menschen entwickeln kann. Es wurde schon im ersten Teil darauf hingewiesen, daß ein normal veranlagter Säugling, den man völlig sich selbst überläßt, auch das nicht entwickelt, wozu er von Natur aus veranlagt ist – also das Stehen, Gehen, Sprechen. Das alles muß der

Mensch erst lernen, um es zu können, das heißt, er muß es von anderen Menschen gezeigt oder mitgeteilt bekommen.

Deswegen ist der Mensch zwar als Einzelmensch ein Individuum, aber er braucht die Mitmenschen dazu, um seine Individualität entwickeln und entfalten zu können – er ist zugleich ein Gemeinschaftswesen. Man nennt das auch die Polarität des Menschenwesens.

Der Mensch ist also kein einfaches Gebilde, das man etwa mit einem Kreis um einen Mittelpunkt symbolisieren könnte. Er hat vielmehr eine Doppelnatur, die man am besten mit einem Kraftfeld um zwei Pole vergleichen kann. Jeder von uns ist immer beides zugleich: *Mensch* als selbständige Persönlichkeit – und *Mitmensch* als Mitglied der Gemeinschaft, in der er lebt.

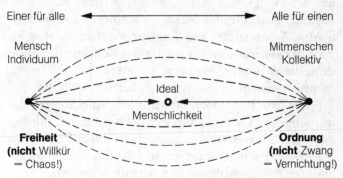

Das soziale Kraftfeld

Einer für alle ⟷ Alle für einen

Mensch / Individuum — Mitmenschen / Kollektiv

Ideal / Menschlichkeit

Freiheit (**nicht** Willkür = Chaos!) — **Ordnung** (**nicht** Zwang = Vernichtung!)

Jede Schwächung oder Verstärkung **eines** Poles zugunsten oder auf Kosten des anderen bewirkt **Spannungsabfall**, also Verminderung der Qualität Mensch und damit Gefährdung der menschlichen Existenz.

Nur gleichgewichtige Verstärkung **beider** Pole bewirkt immer größere **Spannweite**, d. h. progressive Annäherung an das Ideal der Menschlichkeit und damit Fortdauer des menschlichen Lebens auch bei wachsenden Anforderungen.

Wie das elektromagnetische Kraftfeld nur durch die Spannung zwischen den entgegengesetzten Polen entstehen kann, so besteht auch das menschliche Kraftfeld in der Gegensatzspannung zwischen den Polen Individuum und Kollektiv. Daß dies tatsächlich Gegensätze sind, dürfte wohl klar sein.

Das Interesse des Einzelmenschen ist größtmögliche Selbstbehauptung, also gesteigerter Egoismus. Er pfeift auf die Gemeinschaft, denn »jeder ist sich selbst der Nächste«. Je stärker die Individualität ausgeprägt ist, desto stärker wird auch die gemeinschaftsfeindliche Tendenz, und desto schwieriger wird die Einordnung in die kollektiven Lebensformen. Im Extremfall entsteht daraus der Sonderling, der Außenseiter oder gar der Verbrecher, der sich seine eigenen Gesetze macht.

Das Interesse der Gemeinschaft ist natürlich das Umgekehrte, nämlich möglichst wenig Individualität, weil diese nur Schwierigkeiten macht. Vielmehr leicht zu beherrschende, gleichförmige Masse – die folgsame »Hammelherde«. Wenn man diese Tendenz ins Extrem steigert, wäre der »ideale« Zeitgenosse für das Kollektiv der Idiot, denn dieser besitzt überhaupt keine Individualität mehr, ist also nicht mehr Mensch mit Selbstbewußtsein und Eigenwillen, wohl aber immer noch Angehöriger der menschlichen Gattung, also nur noch gefügiger, hilfsbedürftiger Mitmensch. In manchen Zukunftsromanen wurde diese schreckliche Vision künstlich willenlos gemachter Arbeitssklaven schon heraufbeschworen.

Wir müssen also einsehen, daß kein Pol für sich allein bestehen kann, denn übersteigerte Individualität wird ebenso krankhaft und führt schließlich zur Vernichtung der menschlichen Existenz wie die übersteigerte Kollektivität. Der normale Mensch muß ständig in dieser Gegensatzspannung leben, ohne in das eine oder andere Extrem zu verfallen.

Schon der gesunde Säugling hat seinen Eigenwillen als Ausdruck seiner Individualität, dem der Fremdwille der Eltern als Repräsentanten des Kollektivs gegenübersteht. Und so muß sich der kleine Mensch praktisch vom ersten Lebenstag an gegen den Fremdwillen zur Wehr setzen und mit allen ihm zur Verfügung stehenden Mitteln versuchen, den Eigenwillen durchzusetzen. Die Erziehung muß umgekehrt von Anfang an versuchen, den Eigenwillen einzudämmen und die Einordnung in die Gemeinschaft der Mitmenschen zu veranlassen, notfalls zu erzwingen.

Diese Spannung bleibt unser Leben lang bestehen: Unsere Individualität strebt nach größtmöglicher Freiheit, und das sogar mit Recht, denn dazu sind wir veranlagt. Je mehr also der Mensch sich zum Menschen entwickelt, desto größer wird sein Freiheitsstreben und desto unbequemer wird er gerade dadurch für die Mitmenschen. Denn das Kollektiv strebt genau entgegengesetzt nach größtmöglicher Einschränkung der individuellen Freiheitsgelüste. Und das auch mit Recht, weil das menschliche Zusammenleben natürlich um so leichter funktioniert, je gutwilliger sich die Einzelmenschen den jeweils herrschenden Sitten und Gesetzen unterordnen.

Erleichterung des mitmenschlichen Zusammenlebens ist unweigerlich gleichbedeutend mit Freiheitsbeschränkung des Einzelmenschen. Und umgekehrt bedeutet der individuelle Freiheitsdrang eine Erschwerung des kollektiven Zusammenlebens – eine unausweichliche Polarität, der niemand sich entziehen kann.

Der ganze Mensch ist immer Mensch und Mitmensch zugleich und muß die Spannung zwischen beidem nicht nur aushalten, sondern zur umfassenden Spannweite eines wirkungsvollen Kraftfeldes steigern. Das bedeutet, daß keiner der beiden Pole übersteigert oder vermindert werden darf, denn das würde eine Schwächung des Kraftfeldes bewirken. Beide Pole müssen vielmehr gleichermaßen entwickelt und in ausgewogenem Gleichgewicht gehalten werden, denn nur so wird das ganze Kraftfeld verstärkt.

Machen wir uns nochmals klar, daß die Übersteigerung eines Poles auf Kosten des anderen das Kraftfeld nicht nur schwächt, sondern schließlich aufhebt. Übersteigerter Individualismus oder Liberalismus führt zu immer krasserem Einzel- oder Gruppen-Egoismus und so letzten Endes zum Kampf aller gegen alle. Wenn man jegliche Autorität ablehnt und sich gegen alle bestehenden Ordnungen auflehnt, dann entartet Freiheit zur schrankenlosen Willkür, dann wird Unabhängigkeit zur bedenkenlosen Unmenschlichkeit, und die allgemeine Rücksichtslosigkeit führt schließlich zum totalen Chaos, also zur Vernichtung sowohl des einzelnen als auch der gesamten Menschheit.

Umgekehrt führt übersteigerter Kollektivismus, also jegliche Diktatur eines weltanschaulichen, politischen oder wirtschaftlichen Kollektivs über die Einzelmenschen, zur immer radikaleren Unterdrückung jeglicher individuellen Freiheit. Wer sich dem jeweils herrschenden System nicht absolut unterordnet oder den Ausschließlichkeitsanspruch der jeweils bestimmenden Richtung nicht bedingungslos anerkennt – der wird verfolgt, ausgeschaltet und schließlich vernichtet. Da aber die Systeme und Richtungen wechseln, führt auch dieses Prinzip letzten Endes zum Kampf aller gegen alle und zur gegenseitigen Ausrottung.

Wir sehen also: *Der ins Extrem übersteigerte Individualismus und der ins Extrem übersteigerte Kollektivismus führen gleichermaßen zur Selbstvernichtung.*

Da für den sozialen Organismus der mitmenschlichen

Beziehungen die gleiche Gesetzmäßigkeit gilt wie für den körperlichen Organismus des Einzelmenschen, können wir die geschilderten extremen Erscheinungsformen des sozialen Organismus durchaus mit den entsprechenden Erscheinungen im körperlichen Organismus vergleichen: Wenn etwa das den Organismus beherrschende »Ich« infolge einer Sucht den gesamten Organismus schädigt, immer kränker macht und schließlich sogar dessen Tod herbeiführt, so kommt das der Selbstvernichtung eines herrschenden Systems gleich.

Wenn umgekehrt einzelne Zellen plötzlich aus dem Ordnungssystem des Gesamtorganismus ausbrechen, sich selbständig machen und wild zu wuchern beginnen, so entsteht Krebs. Diese individuelle Willkür verursacht ebenfalls den Tod des Organismus und damit natürlich auch aller seiner Einzelzellen. Krebs ist gleichbedeutend mit Anarchie im sozialen Organismus.

Das Bestehen des sozialen Organismus und die Gesundheit des körperlichen Organismus sind infolgedessen nur gewährleistet durch das ausgewogene Gleichgewicht der polaren Gegensätze.

Im körperlichen Organismus ist es das Gleichgewicht der Polarität zwischen Base und Säure, positiver und negativer Ladung, Aufbau und Abbau, Anspannung und Entspannung, Anziehung und Abstoßung, Bewegung und Ruhe usw. Jede Erkrankung bedeutet praktisch eine Gleichgewichtsstörung – und Gesunderhaltung ist gleichbedeutend mit ständigem Ausbalancieren des labilen Gleichgewichts.

Im sozialen Organismus sind es die Pole von Mensch und Mitmensch, Individuum und Kollektiv, Freiheit und Ordnung, Unabhängigkeit und Gesetzmäßigkeit, Entfaltung und Lenkung, Gestalten und Erhalten, Veränderung und Anpassung usw. Auch hier sind das Gedeihen und die Lebensdauer einer Gemeinschaft oder Gesellschaft, eines Ordnungssystems oder Staatsgebildes von der ausgewogenen Wechselwirkung all dieser Gegensatzspannungen abhängig.

B. »Einer für alle – alle für einen«

Ein im Gleichgewicht befindliches soziales Kraftfeld bezeichnen wir als *Demokratie* und wenden diesen Begriff auf jede Art von Gruppe an: Familie, Schule, Verein, Verband, Betrieb, Gemeinde, Staat, Volk, Rasse, Menschheit. Es sind dies gewissermaßen immer weiter werdende konzentrische Kreise von Mitmenschen, in denen jeder einzelne Mensch lebt und die alle um so besser funktionieren, je demokratischer hier die Beziehung von Mensch und Mitmensch gestaltet werden.
Man kann dies auch schlagwortartig ausdrücken. Der extreme Individualist sagt: »Ich bin alles. Die Mitmenschen existieren für mich höchstens als Objekte, die ausgenützt und dienstbar gemacht werden müssen, oder als Rivalen, die ausgeschaltet, notfalls vernichtet werden müssen.« Der extreme Kollektivist sagt: »Ihr seid nichts, der Staat, das Volk, die Kirche, die Partei, der Betrieb – oder wie immer das herrschende Kollektiv heißt – ist alles. Die Einzelmenschen haben sich ihrer jeweiligen Obrigkeit restlos zu unterwerfen und auf jegliche Berücksichtigung oder gar Durchsetzung ihrer Individualität völlig zu verzichten. Sie sind nichts anderes als Ameisen oder Bienen.«
Demgegenüber lautet das Prinzip der demokratischen Lebensordnung, die dem polaren Menschenwesen gemäß ist: *»Einer für alle, alle für einen.«*

Damit ist klar ausgedrückt, daß es sich um eine polare Wechselwirkung handelt: Es bleiben der einzelne Mensch als der eine Pol und die Mitmenschen als der andere Pol bestehen. Aber beide Pole können nur durch das zwischen ihnen entstehende Kraftfeld der ausgewogenen Wechselwirkung von Mensch und Mitmensch weiter existieren.

Deswegen »einer für alle«, das heißt: Der eine ist auf die Dauer nur lebensfähig, wenn er der Gemeinschaft nützt, der Gemeinschaft dient, sich für die Gemeinschaft einsetzt, der er ja seine Existenz verdankt. Sobald sich einer aus der Gemeinschaft ausschließt, schaltet er praktisch sich selbst aus und kann seine eigene Individualität nicht mehr weiterentwickeln.

»Alle für einen« heißt umgekehrt: Jede menschliche Gemeinschaft ist nur insofern berechtigt, als sie die bestmögliche Entwicklung und Entfaltung aller ihr angehörenden einzelnen Menschen bezweckt. Wenn einer Unterstützung braucht oder gar in Not ist, wenn einer sich persönlich aufbauen und seine Individualität erfüllen soll, braucht er dazu die anderen. Infolgedessen ist es letzten Endes die einzige Aufgabe jeder mitmenschlichen Gemeinschaft, dies zu garantieren. Sie kann und darf also niemals Selbstzweck sein, ebensowenig wie der einzelne nur sich selbst sehen darf, wenn menschliches Leben auf die Dauer gewährleistet sein soll.

Diese Grunderkenntnis kann man gar nicht deutlich genug herausstellen und gar nicht eindringlich genug wiederholen, denn es gibt leider eine Menge Menschen, die das noch nicht eingesehen haben. Sie neigen den Extremen der einen oder anderen Richtung zu, streben also auseinander, anstatt sich einander anzunähern und schließlich auf dem »goldenen Mittelweg« zu treffen. Die ganze bisherige Menschheitsgeschichte hat doch deutlich genug bewiesen, daß Extreme in jeglicher Form niemals von Bestand sein können, sondern daß nur die gegenseitige Annäherung zu dauerhaften Lebens- und Gesellschaftsformen führen kann.

Wir können das gerade heute alle miterleben.

C. Koexistenz – Partnerschaft – Toleranz

1. In der *Politik* ist die Zeit der Eroberungskriege und des »Imperialismus« ebenso vorbei wie die Zeit der Klassenkämpfe und der »Weltrevolution«. Die kapitalistischen Systeme müssen zwangsläufig immer sozialer und die sozialistischen Systeme notgedrungen immer freiheitlicher werden, wenn sie beide weiterbestehen wollen. Man mußte einsehen, daß die »heißen Kriege« immer unmöglicher werden, weil es im Zeitalter der Atombomben und Lenkraketen praktisch keinen Sieger mehr geben kann. Aber auch der »kalte Krieg« hat sich als für alle Beteiligten gleich nachteilig herausgestellt, so daß man nun immer mehr versucht, die gegenseitigen Standpunkte und Gesellschaftsformen einander so weit anzunähern, daß eine *Koexistenz* möglich wird. Das ist also keineswegs nur ein modernes Schlagwort, sondern die einzige Möglichkeit des Überlebens angesichts der Vernichtungswaffen, gegen die es keinen Schutz mehr gibt.

Und wenn man nicht nur überleben, sondern auch die menschliche Kultur weiterführen will, geht dies erst recht nicht mehr ohne immer intensivere internationale Zusammenarbeit. Ob in der Weltraumforschung oder in Großraumprojekten auf der Erde, ob in der gesamten Naturwissenschaft oder in den praktischen Aufgaben des Umweltschutzes und der Ungezieferbekämpfung, der Ernäh-

rung und Geburtenregelung: Überall ergeben sich weltweite Probleme, die nicht mehr isoliert, sondern nur noch gemeinschaftlich gelöst werden können.

2. Auch im *Wirtschaftsleben* sind die Zeiten rücksichtsloser Ausbeutung und unbegrenzter Profite seitens der Mächtigen und Privilegierten, der blutigen Aufstände und Revolutionen seitens der Unterdrückten und »Entrechteten« trotz aller gelegentlich noch aufflackernden Nachwehen der Vergangenheit im Grund vorbei. Denn die fortschreitende Technisierung und Automatisierung hat eine derartige Verzahnung und Verflechtung aller wirtschaftlichen Vorgänge mit sich gebracht, daß alle bisherigen Strukturen und Verhaltensweisen völlig überholt sind.

Keine der altgewohnten Bezeichnungen wie Arbeitgeber und Arbeitnehmer, Vorgesetzte und Untergebene, Produzenten und Verbraucher, Abhängige und Unabhängige usw. stimmen daher noch mit den tatsächlichen Verhältnissen überein, und man muß sich überall um neue, zeitgemäße Organisationsformen bemühen. Allen diesen Bemühungen gemeinsam ist es wiederum, bestehende Gegensätze abzubauen und eine fortschreitende Annäherung herbeizuführen.

Man hat dafür das Schlagwort »*Partnerschaft*« geprägt, um damit auszudrücken: Trotz aller nach wie vor im einzelnen bestehender Interessengegensätze müssen sich doch alle dem übergeordneten gemeinsamen Interesse einfügen, wenn man nicht gemeinsam untergehen, sondern gemeinsam weiterbestehen will.

3. Die gesamte *Geisteshaltung und Weltanschauung* überwindet immer mehr den radikalen Dualismus und die damit verknüpften Kämpfe zwischen unüberbrückbaren Gegensätzen. Die Zeit der Glaubenskriege und Ketzerverfolgungen als Folge des unversöhnlichen Standpunk-

tes: »Wer nicht für mich ist, der ist wider mich« oder – volkstümlich ausgedrückt –: »Willst du nicht mein Bruder sein, so schlag ich dir den Schädel ein«, ist vorbei. Sie wird abgelöst durch die Zeit der *Ökumene*, das Aufeinander-Zugehen auf Grund des Standpunktes: »Wir alle sitzen in einem Boot« oder: »Jeder ist ein Glied des Ganzen.«

Gerade durch die erstaunlichen Ergebnisse der wissenschaftlichen Forschung auf allen Gebieten wurde man zu der Einsicht genötigt, daß es ein krasses »Entweder – Oder« eigentlich überhaupt nicht gibt, sondern daß alles »sowohl – als auch« sein kann. Das heißt, es gibt eben überhaupt keine absoluten Gegensätze, sondern nur relativ verschiedene Betrachtungsweisen – gleichgültig, ob es sich um Gut und Böse, Recht und Unrecht, Richtig und Falsch, Schön und Häßlich, Geist und Materie, Kraft und Stoff, Tod und Leben handelt. Nachdem man heute nicht einmal mehr Kraft und Stoff – Welle und Teilchen heißt es wissenschaftlich – sicher unterscheiden kann und ebenso die Grenze zwischen Tod und Leben nicht mehr eindeutig festzustellen vermag, ist das Festhalten an unversöhnlichen Gegensätzen nur noch Zeichen von mangelnder Geistesreife oder von Unwissenheit.

4. Als untrügliches Kennzeichen eines geistig reifen Menschen, der auch als Mitmensch mündig geworden ist, gilt seine *Toleranz*, das heißt die Fähigkeit und Bereitschaft, mit allen Mitmenschen auszukommen. Toleranz stammt aus dem Lateinischen und bedeutet soviel wie Tragen, Dulden. Wir können drei Stufen der sich immer mehr steigernden Toleranz feststellen:

a) Die erste Stufe ist das *Ertragen* des anderen in seiner Andersartigkeit. Das müssen wir alle zuerst lernen, daß wir nicht ständig aneinander herumkritisieren und daß nicht jeder jeden so umzumodeln versucht, wie er es für richtig hält. Lassen wir doch dem anderen seine Andersartigkeit ebenso wie wir ja auch von ihm erwarten, daß er uns unsere Eigenart läßt. Denken wir immer daran, daß ein Kraftfeld nur zwischen zwei entgegengesetzten Polen entstehen kann.

Je geduldiger und reibungsloser wir also einander ertragen können, selbst wenn wir Gegensätze darstellen, desto stärker wird auch das Kraftfeld unserer mitmenschlichen Beziehung. Desto umfassender wird die Spannweite unseres Bewußtseins und desto wirksamer die Anstrengung unseres Willens. Denn jetzt kann jeder wenigstens ungestört seine eigenen Gedanken entwickeln, ohne sich dauernd gegen andere wehren zu müssen. Und die verschiedenen Willensrichtungen laufen jetzt wenigstens auf verschiedenen Bahnen *nebeneinander* her, ohne sich ständig zu kreuzen oder aufeinanderzuprallen. Hiermit ist zwar noch nicht der Friede, aber wenigstens die *Neutralität* untereinander hergestellt.

b) Die zweite Stufe ist das Sich-*Vertragen*, wenn man nicht bloß sich gegenseitig dulden und nebeneinander existieren will, sondern wenn man die Absicht hat, darüber hinaus zu einer fruchtbaren und befriedigenden Wechselwirkung zu gelangen.

Wenn wir uns also vertragen wollen, dann schließen wir miteinander *Verträge*: Kaufvertrag, Mietvertrag, Lehrvertrag, Arbeitsvertrag, Tarifvertrag, Anstellungsvertrag, Ehevertrag, Friedensvertrag und noch vieles mehr. Denn in Form eines Privatvertrages kann man alles, was sich überhaupt an mitmenschlichen Beziehungen ergibt, vertraglich regeln und bestätigen.

Alles, was an Sitten, Umgangsformen, Gepflogenheiten, Richtlinien, Regeln und Gesetzen entstanden ist, entspringt ebenfalls diesem ständigen Bemühen, sich immer besser zu vertragen, Streitigkeiten zu vermeiden und das

Zusammenleben reibungsloser zu gestalten. Die menschliche Kultur als intensiver Austausch von Gedanken und Gütern beruht auf diesem Bestreben, das verständnisvolle *Miteinander* zu pflegen und so in dauerhaftem *Frieden* leben zu können.

c) Doch erst die dritte Stufe ist die vollkommene Toleranz und damit die Vollendung der mitmenschlichen Beziehungen: das *Einander-Tragen*. Deswegen verspricht man im Überschwang der Liebe, einander »auf Händen zu tragen«, und deswegen heißt es mit Recht: »Einer trage des anderen Last.« Erst wenn wir also, anstatt uns gegenseitig Lasten aufzubürden und das Leben schwerzumachen, versuchen, uns gegenseitig zu entlasten, Lasten abzunehmen und das Leben zu erleichtern – erst dann beginnen wir, wirklich menschenwürdig zu leben.

Also nicht bloß tatenlos zusehen, wenn der andere sich abmüht oder in Schwierigkeiten gerät, sondern nach Kräften zupacken, unterstützen und helfen – das ist aktive Toleranz.

Damit beginnen wir, nicht nur nebeneinander und miteinander, sondern auch noch *füreinander* zu leben und so die Grundlagen zu schaffen für die *Idealform* mitmenschlicher Beziehungen, die in allen nur denkbaren Variationen zu beschreiben die Menschen nie müde geworden sind: sei es in den Weisheitslehren der Philosophen und Offenbarungen der Religionsstifter, sei es in den Programmen der Politiker und Konzeptionen der Wissenschaftler, sei es in den Werken der Dichter und Zukunftsvisionen der Techniker.

D. Die Harmonie der Originale

Versuchen wir, die Grundzüge einer solchen Idealform kurz zu skizzieren: Es sollen weder die Rechte des einzelnen eingeschränkt, noch die Rechte der Gemeinschaft angegriffen oder gar in Frage gestellt werden. Es soll vielmehr der Freiheitsspielraum des einzelnen fortschreitend vergrößert werden, ohne allerdings den Bestand der Gemeinschaft zu gefährden. Das bedeutet, daß die Klammer der Gemeinschaft, durch die ja die vielen einzelnen zusammengehalten werden, gleichzeitig verstärkt und gefestigt werden muß.

Das Gemeinschaftsgefüge muß also immer strapazierfähiger werden, um immer mehr inneren Druck aushalten zu können wie ein Dampfkessel oder das Gehäuse einer Turbine.

»Gemeinnutz geht vor Eigennutz« ist genauso verkehrt wie »Eigennutz geht vor Gemeinnutz«. Man kann ebensowenig den Egoismus des einzelnen ausschalten wie man die Gesetze der Gemeinschaft abschaffen darf.

Richtig ist vielmehr: »Gemeinnutz und Eigennutz sind *gleich wichtig* und müssen daher im *Gleichgewicht* gehalten werden.«

Anstatt den Einzelegoismus zu bekämpfen, muß man also Organisationsformen schaffen, in denen er sich ohne Schaden für die Gemeinschaft auswirken kann. Und anstatt gegen die Gemeinschaftsordnung zu rebellieren, müssen noch wirksamere Kontrollfunktionen und Korrekturmöglichkeiten geschaffen werden.

Wechselseitige Kontrolle, ständige Reformen und Verbesserungen, unmittelbare Kontakte, gutwilliges Sich-aufeinander-Einstellen und Miteinander-Einspielen – das alles sind ja die Grundlagen einer funktionierenden Familie, eines funktionierenden Betriebes, einer funktionierenden Demokratie, kurz: jeder funktionierenden Gruppe von Menschen und Mitmenschen.

Wenn wir nochmals zu dem Vergleich mit dem Kraftfeld zwischen den Polen Individuum und Kollektiv zurückkehren, so können wir die künftige Entwicklung dadurch kennzeichnen, daß *beide* Pole immer mehr verstärkt werden und so gleichsam eine menschliche Hochspannungsanlage entsteht, für die durchaus die gleichen Gesetze gelten wie für die tatsächlich schon existierenden Millionen-Volt-Anlagen: Alle Einrichtungen müssen robust genug sein, um diese menschliche Höchstspannung aushalten zu können, das heißt, man muß von vornherein damit rechnen, daß gegensätzliche Interessen und Meinungen heftig aufeinander prallen.

Man muß daher Subjektivität, Empfindlichkeit, Ressentiment usw. abbauen und zur Objektivität, Neutralität, Verständigungsbereitschaft usw. erziehen, damit die »Entladungen« ohne Schaden bewältigt werden können. Die Isolatoren müssen verstärkt und die Abstände vergrößert werden. Das heißt, je größer der Freiheitsspielraum des einzelnen wird, desto mehr Sicherheitsvorkehrungen müssen getroffen werden, und desto weniger eng dürfen die Menschen zusammen wohnen und arbeiten. Und vor allem müssen sorgfältige Kontrollen verhindern, daß in der Gemeinschaft »Kurzschlüsse« in Form von Umsturz, Revolution und Gewaltmethoden jeder Art entstehen und daß bei den Einzelmenschen »die Sicherungen durchbrennen«, indem sie aus der notwendigen Ordnung ausbrechen.

Darum ist eben Demokratie um so schwieriger zu praktizieren, je freiheitlicher sie ist. Aber wenn sie richtig funktioniert, ist sie sicherlich die bestmögliche menschliche Gesellschaftsform. Man muß nur ständig auf der Hut sein, um jede Gleichgewichtsstörung sofort aufzufangen.

Und man muß wie bei einem großen Orchester, das ja auch aus den verschiedenartigsten Einzelinstrumenten besteht, die gewaltige Symphonie, den harmonischen Zusammenklang sämtlicher Tonelemente zustande bringen. Nur so entsteht die Idealform der Demokratie: *die freiwillige Gruppierung freier Individuen – die Harmonie der Originale.*

II. Durchsetzung

A. Möglichkeiten der Durchsetzung

Da die Grundpolarität zwischen Mensch und Mitmensch immer besteht, bleibt auch die Gefahr bestehen, entweder in das eine Extrem allzu starker Selbstbehauptung oder in das andere Extrem völliger Selbstaufgabe zu verfallen. Für jeden von uns ist daher die richtige Durchsetzung der eigenen Individualität innerhalb des großen Ganzen das Hauptproblem, denn davon hängt sowohl die Entwicklung und Entfaltung der Persönlichkeit als auch deren Lebenserfolg in der Gemeinschaft ab.

Daß rücksichtsloser Egoismus auf die Dauer nicht die richtige Methode der Durchsetzung ist, das kann man gerade heute deutlich genug miterleben angesichts all der unnötigen Schwierigkeiten im großen und im kleinen, die eigentlich nur aus unvernünftigem Egoismus entstehen. Und wenn Sie den Inhalt dieses Buches nicht nur gelesen haben, sondern auch zu leben versuchen, dann wissen und erfahren Sie, warum man auf Kosten seiner Mitmenschen weder selbst glücklich werden noch einen dauerhaften Erfolg erreichen kann.

Mancher zieht jedoch daraus den verkehrten Schluß, daß man sich alles gefallen lassen müsse, damit der Friede nicht gestört wird. Er steht etwa auf folgendem Standpunkt: »Ich leide lieber selbst, als anderen Leid zuzufügen, denn nichts ist mir unerträglicher als Unfriede. Gegen Unanständigkeit und Ungerechtigkeit bin ich hilflos, denn ich kann mich nicht mit gleichen Mitteln wehren. Da verzichte ich lieber, um weiter in Frieden leben zu können.« Einem solchen Menschen können also auch seine wohlmeinenden Mitmenschen nicht helfen und müssen oft tatenlos zusehen, wie nicht nur er, sondern auch noch andere unter dem zugefügten Unrecht leiden. Es erhebt sich also die Frage: Ist diese Haltung wirklich besser als der rücksichtslose Egoismus gewalttätiger oder raffinierter Durchsetzung um jeden Preis? Denn der passive Dulder schadet nicht nur sich selbst, sondern auch anderen, weil er sich an dem geschehenden Unrecht dadurch mitschuldig macht, daß er nicht aktiv zu dessen Verhinderung beiträgt.

Machen wir uns die Verkehrtheit beider Extreme nochmals deutlich: Durch die total verkehrte Art und Weise der Durchsetzung, die heute leider noch allgemein üblich ist, wird letzten Endes alles Leid der Erde verursacht. Je krasser man nämlich seinen Egoismus auslebt, desto sicherer gräbt man sein eigenes Grab! Wenn Sie sich noch an die Ausführungen im ersten Teil über die Wirkung der Gedanken und Gefühle erinnern, dann wissen Sie, daß alles Negative, das man anderen antut, mit absoluter Sicherheit früher oder später auf den Urheber zurückfällt. Man mag noch so viel Macht und Geld erlangt haben: Wenn es unter Mißachtung des eigenen Gewissens geschah, dann wird man unweigerlich davon krank – und wenn es den Mitmenschen zum Schaden gereichte, dann hat man sich diese zu Feinden anstatt zu Freunden gemacht und wird ihnen schließlich erliegen.

Rücksichtsloser Egoismus ist immer gleichbedeutend mit Selbstvernichtung!

Aber auch das entgegengesetzte Verhalten des Duldens ist ebenso verkehrt. Es beruht auf der irrigen Ansicht, daß man als anständiger Mensch auf Vorwärtskommen überhaupt verzichten und sich immer um der anderen willen selbst zurücksetzen müßte, sogar wenn es zum eigenen Schaden gereicht. Das Schlimmste dabei ist, daß dieses verkehrte Verhalten vielfach als wirklich gut und selbstlos gilt. Wir aber wissen, daß gerade Selbstlosigkeit nichts mit Passivität zu tun hat und daß man echte Güte und Rücksichtnahme nicht mit Schwäche oder gar Feigheit verwechseln darf. Wer zu schwach ist, um sich offen und ehrlich durchsetzen zu können, und wer sich feige vor jeder Verantwortung oder eigenen Aktivität drückt, der wird zum willkommenen Opfer der menschlichen Wölfe und Haie.

Wer nicht aktiv Gutes bewirkt, der fördert dadurch automatisch das Böse!

Demgegenüber gibt es nur einen richtigen Weg der Durchsetzung: durch unermüdliche eigene Weiterbildung und durch verständnisvolles Eingehen auf die Bedürfnisse seiner Mitmenschen kann man letzten Endes immer mehr erreichen als durch unlautere, menschenunwürdige Methoden. Auf diese Weise kommt man selber weiter, und es werden zugleich die anderen zufriedengestellt, so daß man sich gegenseitig nicht mehr zu behindern oder gar zu bekämpfen braucht, sondern unterstützen und fördern kann.

Daß die Menschen diese einzig richtige Methode der Durchsetzung noch so wenig ausüben, liegt hauptsächlich daran, daß sie zu wenig vom Menschen im allgemeinen und von den Gesetzen des menschlichen Verhaltens im besonderen wissen. Ihnen fehlt das richtige Menschenbild, das heißt ein gründliches und begründetes Wissen vom Wesen des Menschen überhaupt. Und es mangelt ihnen ebenso an ausreichender Selbsterkenntnis, das heißt am Wissen um die vielfachen Kräfte und Fähigkeiten, die in ihnen selbst veranlagt sind und nur darauf warten, geweckt und entfaltet zu werden.

Darum eben wurde im ersten Teil versucht, die notwendigen Voraussetzungen dafür zu schaffen, daß Sie nun in vollem Bewußtsein Ihrer generellen Menschenwürde und Ihrer individuellen Lebensaufgabe sich so durchsetzen können, wie es Ihr persönliches Gewissen gebietet und das Allgemeinwohl erfordert.

Richtig verstandenes Eigeninteresse und das Interesse der Gemeinschaft, in der man lebt, sind im Grunde identisch!

B. Die Verkehrsregelung gegenläufiger Willensrichtungen

Daß zur Durchsetzung die Macht des Willens gehört, wissen Sie schon aus dem ersten Teil. Genauer gesagt handelt es sich dabei um die Begegnung des Eigenwillens des Menschen mit dem Fremdwillen der Mitmenschen. Die Art der Durchsetzung wird also davon bestimmt, in welcher Weise die Begegnung erfolgt: ob als gewalttätiger Vernichtungskampf oder als totale Unterwerfung, ob als sportliches Kräftemessen oder als friedliche Einigung.

1. Zunächst steht einfach Wille gegen Wille: Der eine will dies, der andere will jenes, und die beiden Willen prallen direkt aufeinander. Dies ist die primitivste Form der Auseinandersetzung, die schließlich mit Notwendigkeit zur totalen Blockierung der beteiligten Willen führen muß: Wenn zwei Autos frontal aufeinanderprallen, gibt es einen Totalschaden, und beide Wagen sind fahruntüchtig. Genauso ist es, wenn zwei Willen sich sozusagen ineinander verkeilen: Solange jeder der Beteiligten stur auf seinem Willen beharrt, sind beide festgefahren und kommen nicht weiter.

Es gilt also eine Möglichkeit zu finden, entweder mittels eines *Kompromisses* in verschiedener Richtung aneinander vorbeizukommen, ohne sich allzusehr zu behindern oder durch eine *Vereinbarung* zu einer beiderseits akzeptablen Regelung zu gelangen (z. B. »Einbahnstraße«):

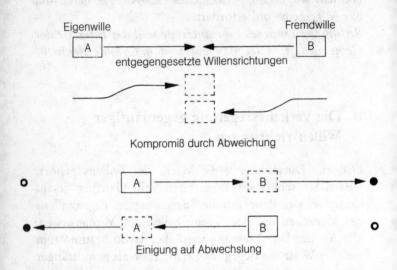

Das sind an sich Selbstverständlichkeiten, aber wer richtet sich schon im praktischen Leben danach? Für unsere Fahrzeuge haben wir zwar eine Verkehrsordnung geschaffen, die einigermaßen funktioniert. Allerdings auch noch nicht besonders gut, wie die vielen Verkehrsunfälle zeigen. Die Verkehrsordnung für unsere gegenseitigen Willensrichtungen ist aber offenbar noch viel schwieriger. Sie ist in unseren gesellschaftlichen Umgangsformen, im bürgerlichen Gesetzbuch und im Strafgesetzbuch, in der Sozialgesetzgebung und ähnlichen Einrichtungen geschaffen worden. Aber wir wissen aus eigener Erfahrung, wie unzulänglich noch all diese Versuche sind, das menschliche Zusammenleben, das heißt eben das Aufeinanderprallen der menschlichen Willen, einigermaßen zu ordnen.

Darum ist Gemeinschaftserziehung bzw. Erziehung zur Gemeinschaft eine der wichtigsten Willensübungen, die wir brauchen. Man lernt da das nötige Ab- und Zugeben, das heißt, einmal dem einen, einmal dem anderen zu folgen oder aber eine gemeinsame Richtung in der Mitte zu finden. Ohne das ist ein einigermaßen friedliches und gedeihliches Zusammenleben zwischen Mensch und Mitmensch überhaupt unmöglich. Auch hier werden wir ohne tägliche Übung im kleinen die großen Aufgaben nicht meistern können. Wir wissen, daß unser ganzes soziales Leben und die große Politik hier bisher weitgehend versagt haben. Denn immer noch prallen dort allzuoft die Willen unvereinbar und unversöhnlich aufeinander, und man findet keinen anderen Ausweg mehr als gegenseitige Gewaltanwendung. Durch diesen Mangel an gemeinschaftsbezogener Willensübung entstehen dann die beiden bereits beschriebenen Extreme verkehrter Durchsetzung:

2a) Die egoistische *Willensverkrampfung* ist die Folge rücksichtsloser, gewaltsamer Durchsetzung des Eigenwillens. Fälschlicherweise bezeichnet man oft gerade solche Gewaltnaturen als Willensmenschen, obwohl Sie schon aus dem ersten Teil wissen, daß da von wirklichem Wollenkönnen praktisch nichts vorhanden ist. Denn echter Wille ist gleichbedeutend mit Können, weil er sich im Einklang befindet mit dem Zentralwillen, das heißt mit der Zielrichtung oder Bestimmung der Individualität, und daher gar keiner gewaltsamen Durchsetzung bedarf (zum »Zentralwillen« vgl. S. 128 ff.).

Der gewalttätige Eigenwille ist also im Grunde gar kein echter Wille, sondern eine Selbsttäuschung. Und nur weil er im Gegensatz zum Zentralwillen der Individualität oder des Gewissens steht, muß er versuchen, sich mit Gewalt durchzusetzen. Er wird dadurch aber nur auf immer stärkeren äußeren Widerstand stoßen, und weil er keine innere Kraft hat, muß er früher oder später daran zerbrechen.

Schon die Sprache weist sehr deutlich auf die Verkehrtheit einer solchen Durchsetzung hin: »Die Ellenbogen gebrauchen« – anstatt Kopf und Herz. »Mit geballten Fäusten« – die am menschenwürdigen Gebrauch der Hände als universelle Empfangs- und Gestaltungsorgane hindern. »Das Genick steif halten« – also sich versteifen, verhärten und verkrampfen, anstatt beweglich, anpassungsfähig und elastisch zu bleiben. »Die Zähne zusammenbeißen« – das heißt verstärkter Krampf, so daß man weder sprechen noch essen kann, also ebenso unfähig zum Ausdrücken wie zum Aufnehmen geworden ist.

Wir merken uns: Je gewaltsamer und verbissener die Durchsetzung, desto weniger echter Wille ist darin wirksam, desto mehr tobt sich nur blinder Eigensinn darin aus. Ein solcher Mensch ist in Wirklichkeit kein Wollender, sich selbst Bestimmender, sondern ganz im Gegenteil ein willenlos von seinen Trieben Getriebener oder auf äußere Anstöße Reagierender.

Die Willensverkrampfung entsteht also aus übersteigerter Ichbetonung und entsprechender Mißachtung der Mitmenschen. Es wird so die Persönlichkeitsreifung, die sich ja nur in ständiger Wechselwirkung mit der Gemeinschaft vollziehen kann, durch krasse *Selbstsucht* verhindert.

b) Ebenso verhängnisvoll wie die Willensverkrampfung ist die *Willensschwäche*, die von vornherein auf jede Durchsetzung des eigenen Wollens verzichtet und somit totale Unterwerfung unter den Fremdwillen bedeutet. Abgesehen davon, daß der willensschwache Mensch nie zu voller Selbstentfaltung gelangen und infolgedessen auch niemals seine Lebenserfüllung finden kann – so entsteht durch die Häufung solcher willenloser, haltloser

Naturen die sogenannte Masse. Diese aber ist der Bestimmung des Menschen geradezu entgegengesetzt und daher sowohl eines der schlimmsten Hindernisse für den menschlichen Fortschritt als auch eine der größten Gefahren für den Fortbestand der Menschheit überhaupt. Denn der Massenmensch folgt nicht nur hemmungslos jeder Modeströmung – und sei sie noch so menschenunwürdig, unsinnig, gesundheitsschädlich oder gemeingefährlich –, sondern er unterliegt auch jeder negativen oder destruktiven Massensuggestion. Und schließlich verfällt er immer wieder den wahnsinnigen Massenhysterien, die in Form von Kriegen, Massakern oder sonstigen Scheußlichkeiten die Menschheit heimsuchen und gerade heute der Gefahr der Selbstvernichtung näher bringen als jemals zuvor.

Auch für den Willensschwächling kennt unsere Sprache wenig schmeichelhafte Bezeichnungen, die auf die Verkehrtheit dieser Haltung hinweisen: »Ohne Rückgrat – Duckmäuser – Kriecher – Schleicher – Flasche – Niete« usw. Diesen Menschen fehlt es offenbar an allem, was dem Selbst entspricht: Selbstvertrauen, Selbstsicherheit, Selbstachtung. Sie haben gewissermaßen ihr Ichbewußtsein verloren und gehen ganz im Wir, im Kollektiv auf. Ihre Individualität ist zu wenig entwickelt, so daß sie in der Masse untergehen und der fortschreitende Persönlichkeitsverlust zu passiver *Selbstflucht* führt.

c) Die richtige Durchsetzung stellt sozusagen den »goldenen Mittelweg« dar zwischen den Extremen des unpersönlichen Wir und des allzu persönlichen Ich, denn hier wird die ausgewogene Du-Beziehung gewonnen. Das bedeutet: Durch die Achtung und Anerkennung des einzelnen Menschen, des »Nächsten« in der biblischen Bezeichnung, wird sowohl die Vermassung vermieden als auch der Egoismus eingedämmt. Die gewissenhafte Beachtung des »Du«, also der Lebensnotwendigkeit und Geistesfreiheit des »Nächsten«, stellt gesteigerte Anforderungen an das »Ich«, erfordert also eine verstärkte Willensaktivierung. Weil diese Aktivierung aber in beiderseitiger Übereinkunft geschieht, bedeutet sie zugleich eine wirksame *Willensregulierung* durch die gegenseitige Rücksichtnahme und Einschränkung, Anpassung und Duldung. Dies ist nur möglich durch konsequente *Selbstzucht* der Partner – also wiederum eine intensive Willensanstrengung, die aber diesmal in der richtigen Richtung wirkt, nämlich nach innen auf sich selbst anstatt nach außen auf die anderen.

Die richtige Durchsetzung besteht somit weder in gewaltsamer Selbstbehauptung noch in schwächlichem Selbstverzicht, sondern in einer *vernünftigen Verständigung*, in der man gegenseitig das Selbst des anderen achtet und bestätigt. Das bedeutet sorgfältiges Abwägen der beteiligten Willenskomponenten, um so eine gemeinsame Basis zu finden, auf der es gelingt, die verschiedenen Willen miteinander in Einklang zu bringen. Die Mathematik bietet uns hierfür ein deutliches Gleichnis: Um zwei verschiedene Brüche addieren zu können, muß man sie erst auf einen gemeinsamen Nenner bringen, also etwa $\frac{2}{5} + \frac{7}{8} = \frac{16}{40} + \frac{35}{40}$.

Genauso kann man nicht zwei verschiedene Willen ohne weiteres verbinden, sondern muß eben auch erst das *beiden Gemeinsame* herausfinden. Man darf also nicht mehr stur nur den eigenen Willen verfolgen, sondern muß sich auch auf den anderen einstellen und muß versuchen, Verständnis auch für seine Willensrichtung aufzubringen. Erst wenn man auf diese Weise einen gemeinsamen Ausgangspunkt gefunden hat, den jeder akzeptieren kann, wird die eigene Willensrichtung nicht mehr gegen den Widerstand des anderen durchgesetzt und dadurch entsprechend gehemmt oder gar blockiert. Man will dann vielmehr mit der Billigung des anderen wollen, was tatsächlich einer Addition, das heißt einer Vermehrung der beiderseitigen Willenskraft, gleichkommt.

Wenn wir alle uns nur noch auf diese Weise durchsetzen würden, könnte tatsächlich jene »Harmonie der Originale« entstehen, die wir im ersten Kapitel als Idealform der mitmenschlichen Gemeinschaft kennengelernt haben (siehe S. 291 ff.).

III. Menschenführung

Meist versteht man unter *Menschenführung* nur das Verhalten irgendwelcher Vorgesetzter den ihnen unterstellten Menschen gegenüber. Doch wir verstehen darunter die allgemeine Notwendigkeit, sich gegenseitig zu führen und aufeinander einzustellen, sich zu unterstützen und einander über schwierige Wegstrecken hinwegzuhelfen – so wie Liebende oder befreundete Menschen sich oft an der Hand nehmen, weil man eben gemeinsam besser geht als allein.

Die Grundregel der Menschenführung ist die einfachste, die es überhaupt geben kann. Wir alle kennen das Sprichwort: »Was du nicht willst, das man dir tu, das füg auch keinem andern zu.« Und psychologisch noch besser, weil nicht negativ, sondern positiv ausgedrückt, lautet die sogenannte goldene Regel Christi: »Was ihr wollt, daß euch die Leute tun, das tuet ihnen zuvor.« Damit ist tatsächlich schon alles gesagt: Man schützt sich am besten vor dem Bösen, indem man selbst nichts Böses tut. Und man erlangt das Gute, indem man zuerst selbst das Gute tut. Eine einfachere und einleuchtendere Regel ist wohl kaum denkbar. Und dennoch scheint es fast unmöglich zu sein, sich danach zu richten, denn die Erfahrung lehrt uns, daß selbst sehr fromme und gute Menschen dies nicht so fertigbringen, wie sie es selber gerne möchten. Es stehen also offenbar der Durchführung dieser einfachen Lebensregel schwerwiegende Hindernisse entgegen, die wir zunächst einmal näher untersuchen müssen.

A. Überwindung der allgemeinmenschlichen Primitivreaktionen

1. Wenn der Mensch auch biologisch eine Mutation, d. h. eine völlig neue Art darstellt, die sich vom Tier mindestens ebenso unterscheidet wie dieses von der Pflanze, so trägt er doch physisch und psychisch noch viele Reste seiner entwicklungsgeschichtlichen Vergangenheit in sich und zeigt infolgedessen auch tierähnliches Verhalten, wenn er unterbewußt reagiert und nicht aus vollbewußter Überlegung heraus handelt.

Worin bestehen nun diese tierähnlichen Reaktionen? Es gibt da eigentlich nur zwei entgegengesetzte Möglichkeiten: fressen oder gefressen werden – ins Menschliche übertragen: überwältigen oder überwältigt werden. Das Überwältigenwollen äußert sich als *Machtstreben*, indem man die anderen zwar nicht mehr physisch fressen, aber sich psychisch »einverleiben«, d. h. von sich abhängig, sich unterlegen oder untergeordnet machen will (Vorgesetzter – Untergebener, Obrigkeit – Untertanen, Gebildeter – Ungebildeter, Herr – Knecht, selbständig – unselbständig, hochstehend – niedriggestellt usw.).

Wenn wir ganz ehrlich sind, handelt es sich bei all diesen Spielarten des Machtstrebens weniger um notwendige Formen unseres Zusammenlebens, als vielmehr schlicht und einfach um verschiedenartige Ausdrucksformen unseres *Egoismus*, der das Zusammenleben nicht erleichtert, sondern erschwert. Ob es sich dabei um die persönliche Selbstsucht einzelner im Kleinen, um den Kollektiv-Egoismus von Interessengruppen oder die Machtpolitik von Staaten und Völkern im Großen handelt: Stets haben wir es hier mit der gleichen allgemeinmenschlichen Primitivreaktion zu tun, die sowohl eine unterbewußte Haupttriebfeder unseres Handelns als auch ein Hauptübel unseres Zusammenlebens ist.

Der Gegenpol zum egoistischen Machtstreben ist die im Grunde ebenso egoistische *Angst* vor dem Überwältigtwerden, vor Verlust oder Schmerz, vor jeglicher Bedrohung der persönlichen Existenz, ja schließlich vor allem Unbekannten überhaupt, weil darin eine Gefahr lauern könnte. So ist also die Angst bzw. Furcht ebenfalls eine allgemeinmenschliche Erscheinung, ja vielleicht sogar das Hauptproblem unseres Daseins, das in den verschiedenartigsten Formen immer wieder an uns herantritt und bewältigt werden muß.

Man kann demnach die Bedeutung dieser Primitivreaktionen, Machtstreben und Furcht, gar nicht ernst genug nehmen, denn unser gesamtes privates, berufliches und politisches Leben ist so sehr von ihnen durchsetzt, daß sie schon ganz selbstverständlich erscheinen und wir all die daraus resultierenden Gewaltmethoden und Zwangseinrichtungen, Abwehr-, Sicherungs- und Vorsichtsmaßnahmen geradezu als unentbehrlich für unser Zusammenleben ansehen. Wir kennen alle den Spruch, der diese Gesinnung zum Ausdruck bringt. »Wer nicht Hammer sein will (oder kann), der muß Amboß sein.«

Doch wird wohl niemand ernstlich zu behaupten wagen, daß dadurch die mitmenschlichen Beziehungen erleichtert und verbessert würden. Es ist vielmehr genau umgekehrt: Diese Reste (»Relikte« oder »Atavismen« heißt es wissenschaftlich) eines tierhaften Verhaltens erschweren nicht nur unser Leben erheblich, sondern verhindern geradezu ein wahrhaft menschenwürdiges Zusammenleben im Geiste der anfangs genannten Grundregel. Infolgedessen ist die Überwindung dieser Primitivreaktionen die erste Aufgabe der Menschenführung, denn wir können ja nur dann andere an die Hand nehmen und sicher führen, wenn wir zuerst uns selbst sicher in der Hand haben.

Doch wie bekommen wir die Primitivreaktionen tatsächlich in den Griff? Nun, es ist genau wie in der Technik: Wenn man z. B. die Schwerkraft überwinden will, so muß man eine stärkere Gegenkraft einsetzen, nämlich die Geschwindigkeit, und so lange einwirken lassen bzw. steigern, bis die abwärtstreibende Wirkung der Schwerkraft und die aufwärtstreibende Wirkung der Antriebskraft ein sogenanntes »Parallelogramm der Kräfte« bilden, d. h. in ein labiles Gleichgewicht kommen. Dann kann man das Flugzeug oder die Rakete steuern: Steigert man die Geschwindigkeit durch vermehrte Antriebskraft, dann steigt der Apparat – überwiegt die Schwerkraft infolge verringerter Geschwindigkeit, dann sinkt er. Und wird die »kritische Geschwindigkeit« unterschritten, dann stürzt er ab.

Dieses physikalische Gesetz gilt genauso im Psychischen. Wenden wir es also auf die Überwindung der Primitivreaktionen an, so wird sofort einleuchten, daß wir auch sie durch schwächere Kräfte niemals überwinden können. Man kann eine unerwünschte Wirkung oder Haltung nicht einfach dadurch beseitigen, daß man in ihr Gegenteil verfällt, denn das eine Extrem ist immer so verkehrt wie das andere. Macht wird niemals der Ohnmacht weichen und sich um noch so kluge oder fromme Reden wenig kümmern – Furcht wird weder durch »vernünftiges Zureden« noch durch gewaltsame »Mutproben« verschwinden. Wer nur von einem Extrem ins andere fällt, wird daher weder das eine noch das andere überwinden können, sondern nur auf die Dauer seine gesamten Kräfte verzehren und schließlich selbst kaputtgehen. Zumindest wird er zwar vielleicht das Übel in seiner krassen »entzündlichen« Form verlieren, dafür aber ein zermürbendes »schleichendes« Leiden eintauschen.

Es bedarf somit stets einer stärkeren Gegenkraft, die jedoch das Unerwünschte nicht bloß bekämpft (so würde es ja wenig nützen, wenn man ein Flugzeug etwa durch eine Ladung Sprengstoff zwar in die Luft, zugleich aber auch in Stücke jagen würde. Und viele Raketen sind nur infolge einer nicht genau genug dosierten Antriebskraft explodiert). Wirkung und Gegenwirkung müssen vielmehr so sorgsam ausgewogen werden, daß durch das harmonische Kräftespiel anstatt gegenseitiger Störung oder gar Zerstörung nur eine exakt abstimmbare Richtungsänderung bewirkt wird. Je stärker dabei die Kraft des erkennenden und steuernden Bewußtseins ist, desto rascher und störungsfreier wird der Prozeß ablaufen, je träger und unkluger das Bewußtsein arbeitet, desto langsamer wird die Entwicklung dauern, und desto mehr Störungen werden vorkommen.

Im Falle der Primitivreaktionen bedeutet dies also: Wenn wir sie etwa als »tierisch« ablehnen, schlechtmachen oder zu bekämpfen suchen (indem wir unseren Körper kasteien und dadurch schädigen, unsere Nerven und unser Gemüt überstrapazieren oder gedanklichen Irrlehren verfallen), werden wir die Primitivreaktionen dadurch vielleicht »verbiegen« (nämlich von neutralen, offen und unbefangen sich auswirkenden Kräften in bösartige, heimlich und heimtückisch wirkende »Perversitäten« verkehren), niemals aber tatsächlich wandeln und veredeln können. Dies ist nur auf die gleiche Weise zu erreichen, wie es z. B. durch verständnisvolle *Zähmung* gelungen ist, aus dem tückischen Wildpferd den nützlichsten und treuesten Gefährten des Menschen zu machen.

2. Verdeutlichen wir diesen Vorgang bei den Primitivreaktionen durch ein Schlagwort: »Von der Macht zur Vollmacht – von der Furcht zur Ehrfurcht.«

Was heißt das praktisch? Der primitive Machtanspruch und niedere Egoismus werden auf eine höhere Ebene gehoben und in gesunde Selbstbehauptung aus wahrhafter Selbsterkenntnis verwandelt. Demgemäß empfindet man dann in sich die *Vollmacht*, die individuelle Aufgabe im generellen Entwicklungsprozeß zu erfüllen, ein Lebenswerk zu schaffen, ein »möglichst vollkommenes Exemplar der Gattung Mensch« zu werden – eben im Dienst einer machtvollen höheren Instanz zu stehen, in deren Auftrag man handelt, anstatt sich in blinder Machtgier zu verzehren und doch im Grunde nicht zu wissen wozu.

Die letztlich maßgebende Instanz, von der wir als Mensch unsere Vollmacht beziehen und der gegenüber wir uns entsprechend verantwortlich fühlen, ist eine doppelte: die *höhere* Macht, deren Wirkung wir *in* uns verspüren als das *Gewissen*, dessen verpflichtender Weisung man sich zwar lange entziehen, der man aber niemals auf die Dauer entgehen kann, und die *größere Ganzheit* um uns, in die wir uns einbezogen und eingeordnet empfinden, als die *Gemeinschaft*, in der wir leben und die gleichsam in immer weiter werdenden konzentrischen Ringen uns umgibt vom engsten Familienkreis bis in die weiteste Ferne des Kosmos. Kant hat diese doppelte Instanz den »gestirnten Himmel über uns und das sittliche Gesetz in uns« genannt.

Wenn Sie also stets Ihrem individuellen Gewissen folgen und sich in die generellen Gesetze der Gemeinschaft einfügen, dann können Sie zwar große Machtvollkommenheit erlangen, werden aber nie mehr in Machthunger oder Machtmißbrauch verfallen.

Ähnlich verhält es sich hinsichtlich der kreatürlichen Existenzangst, der Furcht vor allem und jedem, die wir mit allen Lebewesen teilen. Wir können sie nur in dem Maße verlieren, in dem wir uns bewußt werden, daß wir nicht nur vergängliche Kreaturen sind, sondern auch Anteil haben an etwas Unvergänglichem, Ursprünglichem, Ewigem. Und das eben erfüllt uns mit *Ehrfurcht*. Goethe hat diese Ehrfurcht als eine dreifache gekennzeichnet: »vor dem, was über uns ist, vor dem, was uns gleich ist, und vor dem, was unter uns ist«. Das bedeutet die Ehrfurcht vor dem Übermenschlichen, Kosmischen, Göttlichen; die Ehrfurcht vor den Mitmenschen als den trotz aller individuellen Unterschiede generell gleichgearteten Gattungswesen; die Ehrfurcht vor der ganzen Natur, die der Mensch veredeln und weiterführen sollte, anstatt sie auszubeuten und zu vernichten. Und Goethe sagt weiter: »Aus diesen drei Ehrfurchten entspringt die oberste Ehrfurcht, die Ehrfurcht vor sich selbst.« Also vor dem unersetzlichen Wert unserer einmaligen und einzigartigen Individualität.

Durch diese ehrfurchtsvolle Gesinnung wird das aus der Furcht stammende Mißtrauen überwunden und in ein zuversichtliches *Vertrauen* verwandelt. Denn Ehrfurcht kann man ja nur vor etwas Gutem und Achtunggebietendem haben, dem man vertrauen darf, selbst wenn man es nicht ganz begreift. Daraus ergibt sich das Vertrauen sowohl zum Mitmenschen als auch in die Weltordnung. Das Vertrauen zum positiven Kern in jedem Menschen verhilft zu unermüdlicher *Geduld* mit all den Schwächen und Fehlern der menschlichen Schale. Denn man darf auf Grund dieses Vertrauens immer hoffen, daß man dem positiven Kern schließlich doch noch zum Durchbruch verhelfen kann, wenn man nicht vorzeitig die Geduld verliert.

Und das Vertrauen in ein sinnvolles Geschehen verhilft zu unerschütterlicher Furchtlosigkeit, denn es läßt uns erfahren, daß wir nicht bloß blinden Zufällen oder tyrannischer Willkür ausgeliefert sind, sondern in einem großen allgewaltigen Ordnungszusammenhang stehen. In diesen sind auch all die scheinbare Sinnlosigkeit, Furchtbarkeit und Unbegreiflichkeit der Welt einbezogen, so wie in einer Symphonie auch alle Dissonanzen mit eingebaut und einer umfassenden Harmonie eingeordnet sind. Daraus ergibt sich wiederum eine unerschütterliche *Sicherheit* und *Gelassenheit*, die sich auch von all den Unsicherheiten, Wechselfällen und Schwierigkeiten des Daseins niemals völlig »aus dem Geleise« bringen läßt. Das heißt, wir vollenden unbeirrbar unsere Lebensbahn und gewinnen jene unerschütterliche eigene Standfestigkeit, welche die Voraussetzung ist, um andere sicher führen zu können.

B. Korrektur der persönlichen Fehlhaltungen

Außer den allgemein menschlichen Primitivreaktionen sind die verschiedenartigen persönlichen Fehlhaltungen das verbreitetste Hindernis für vernunftgemäße Menschenführung, weil diese Fehlhaltungen tief im Unterbewußtsein wurzeln und sich daher der bewußten Einsicht weitgehend entziehen. Wir müssen uns zunächst klarmachen, daß das Gemüt genauso verletzlich ist wie der Körper. Jede Verletzung durch Enttäuschung, Ungerechtigkeit, unbefriedigte Grundbedürfnisse usw. hinterläßt infolgedessen eine ebenso tiefe Narbe oder gar Verkrüppelung, wie dies auch bei Körperverletzungen der Fall ist. Wir bezeichnen daher in unserer Sprache eine Gemütsverletzung ganz richtig als Kränkung, was ja wörtlich krank machen bedeutet. Und im ersten Teil wurde bereits darauf hingewiesen, daß die psychosomatische Medizin den Nachweis erbracht hat, wie weit verbreitet und folgenschwer tatsächlich diese Krankheitsursache ist. Die Narben oder Verkrüppelungen im Gemüt nennt man

Neurosen oder Komplexe, das heißt chronische Fehlhaltungen, die vom normalen Verhalten abweichen und sich bis zu schwersten Leiden steigern können.

Immer, wenn ein Mensch sich nicht so verhält, wie wir es in einer bestimmten Situation von ihm erwarten, dann sollten wir daran denken, daß diese Fehlhaltung Folge einer erlittenen Gemütsverletzung sein kann. So wie etwa ein defekter Zahn überempfindlich reagiert oder wie man an einem amputierten Glied sogar noch Schmerzen empfinden kann: Genauso werden wir dann eben auch im Gemüt überempfindlich oder wehren uns gegen vermeintliche Angriffe, die gar nicht stattgefunden haben. Man kann aber auch umgekehrt an einer Narbe unempfindlich werden oder durch Verkrüppelung mehr oder weniger schwer behindert sein. Ebenso können sich auch die Gemütsverletzungen in anormaler Abstumpfung und Gefühlskälte äußern oder sogar zu schwersten körperlichen Behinderungen bis zur totalen Lähmung führen.

Wer Menschen richtig führen will, muß also wenigstens die am meisten verbreiteten Fehlhaltungen kennen, um sie erstens richtig behandeln zu können und zweitens nicht immer wieder selbst hervorzurufen.

1. Eine der häufigsten derartigen Fehlhaltungen ist die unterbewußte *Übertragung* längst vergangener Geschehnisse und Erfahrungen auf die Gegenwart. So entsteht z. B. das spontan auftauchende Gefühl der Zu- und Abneigung einem Menschen gegenüber, der in Wirklichkeit gar keinen konkreten Anlaß für ein solches Gefühl gibt. Wenn Sie z. B. als Säugling von irgend jemandem fürchterlich erschreckt worden sind, so können Sie sich daran überhaupt nicht mehr bewußt erinnern. Wohl aber hat sich jenes Gesicht in Ihr Unterbewußtsein unauslöschlich eingegraben – und jeder Mensch, der auch nur eine entfernte Ähnlichkeit damit hat, ist Ihnen nun unerklärli-

cherweise sofort unsympathisch, obwohl er keinerlei realen Anlaß dafür bietet, ja es vielleicht sogar besonders gut mit Ihnen meint, so daß Sie ihm mit Ihrer Abneigung bitter unrecht tun.

Aber auch eine positive Übertragung kann sich ebenso verhängnisvoll auswirken: Anstatt des erschreckenden Gesichts ist in Ihrem Unterbewußtsein etwa das Gesicht einer »besonders lieben Tante« aufbewahrt, von der Sie als kleines Kind immer Süßigkeiten mitgebracht bekamen. Daher ist Ihnen nun als inzwischen erwachsener Mensch immer noch jede Frau mit einem ähnlichen Gesicht sofort besonders sympathisch, und Sie erwarten irgend etwas Gutes von ihr, obwohl Sie ihr vielleicht sogar unsympathisch sind und sie keineswegs die Absicht hat, Ihren Erwartungen zu entsprechen. Wie viele »unglückliche Lieben« sind im Grunde nichts anderes als eine solche fehlgedeutete Übertragung, und wieviel schmerzlicher »Liebeskummer« könnte daher vermieden werden, wenn die Betroffenen rechtzeitig die eigentliche Ursache erkennen würden.

In ähnlicher Weise ist oft die »Liebe« eines jungen Mädchens zu einem »graumelierten« Herrn oder eines Jünglings zu einer »reifen Frau« nichts anderes als eine Vater- oder Mutter-Übertragung, weil diese Menschen entweder ein gestörtes Verhältnis zu ihren leiblichen Eltern hatten oder als Kind den Vater bzw. die Mutter ganz entbehren mußten. Wenn diese Tatsache von allen Beteiligten richtig erkannt wird und infolgedessen anstatt einer auf irrigen Voraussetzungen beruhenden körperlichen Beziehung ein inniges seelisches Verhältnis zwischen den »Ersatz-Eltern« und ihren geistigen »Kindern« aufgebaut wird, dann kann daraus etwas sehr Schönes, Heilsames und Segensreiches entstehen. Wenn dagegen auf Grund eines solchen Mißverständnisses vielleicht sogar geheiratet wird, dann muß diese Verbindung natürlicherweise scheitern. Das bedeutet jedoch keineswegs, daß von vornherein jede Heirat zwischen Partnern sehr verschiedenen Alters zum Scheitern verurteilt wäre, denn wenn es sich wirklich nicht um eine Übertragung, sondern um eine echte Liebesbeziehung handelt, dann spielen Altersunterschiede keine Rolle (im *dritten Teil* wird diese Problematik eingehend behandelt; siehe S. 379 ff.).

Sie sollten also Ihren Gefühlen gegenüber stets sehr vorsichtig sein und sich keineswegs auf den sogenannten ersten Eindruck verlassen, sondern diesen immer wieder auf Grund sorgfältiger Beobachtungen überprüfen. Ebensowenig sollten Sie noch unmittelbar impulsiv reagieren, sondern eingedenk der ständigen Möglichkeit eigener Fehlreaktionen nur in bewußter Selbstkontrolle handeln.

Und wenn Sie selbst das Opfer der Fehlreaktionen anderer sind, dann brauchen Sie es ihnen weniger übelzunehmen, wenn Sie sich bewußtmachen, daß hier jemand nur »seine Komplexe abreagiert«, also mit seiner Aggression eigentlich gar nicht Sie persönlich meint, sondern nur das Erinnerungsbild in seinem eigenen Unterbewußtsein attackiert. In gleicher Weise braucht Ihnen auch eine positive Übertragung nicht lästig zu werden, wenn Sie sie nicht mit persönlicher Liebe verwechseln und sich dadurch überfordert fühlen. In beiden Fällen können Sie vielleicht sogar durch Ihre nüchterne und neutrale Betrachtungsweise den anderen helfen, ihre Fehlreaktionen als solche zu erkennen und entsprechend zu korrigieren.

2. Eine ebenso häufige Fehlhaltung wie die Übertragung ist die *Projektion*. Negative Projektionen entstehen dadurch, daß die Menschen dazu neigen, ihre eigenen, noch nicht klar erkannten Fehler und Schwächen auf andere zu projizieren, ohne sich dessen bewußt zu sein. Wir sehen

also gerade das, was uns selbst die größten inneren Schwierigkeiten bereitet, besonders deutlich in unseren Mitmenschen »gespiegelt« und betreiben dann buchstäblich »Spiegelfechterei«, anstatt an uns selbst zu arbeiten. Je heftiger sich also Menschen »moralisch entrüsten«, desto näher liegt der Verdacht, daß ihre eigene Moral nur auf sehr schwachen Füßen steht. Die alte Geschichte von dem raffinierten Spitzbuben, der am lautesten »Haltet den Dieb!« schrie, um selbst nicht entdeckt zu werden, gilt auch für unser Unterbewußtsein! Wenn wir diese Zusammenhänge einmal erkannt haben, dann können wir bei uns selbst und unseren Mitmenschen sofort feststellen, was uns und ihnen innerlich die größten Schwierigkeiten bereitet: immer das, worüber man sich bei anderen am meisten entrüstet oder was man bei ihnen am wütendsten bekämpft!

Bei der positiven Projektion sehen wir umgekehrt das, was uns selbst am erstrebenswertesten erscheint oder am meisten imponiert, in andere Menschen hinein. In der Jugend nennt man das »Schwärmen«, denn der junge Mensch braucht eine persönliche Verkörperung seiner Ideale, die er sich zum Vorbild nehmen und verehren kann, um daraus die psychische Energie zum eigenen Persönlichkeitsaufbau zu gewinnen. Dieses Schwärmen hört also normalerweise auf, wenn man entweder ernüchtert feststellen muß, daß die projizierten Eigenschaften bei den Angeschwärmten in Wirklichkeit gar nicht vorhanden sind, oder wenn man es tatsächlich geschafft hat, das Erstrebte so zu realisieren, daß man es jetzt selbst verkörpern kann.

Leider aber beweisen viele äußerlich Erwachsene, daß sie innerlich in der Pubertät steckengeblieben sind, indem sie nach wie vor weiter schwärmen: Da wird dann mit Politikern, Sportlern, Film- und Fernsehstars, gekrönten

Häuptern, religiös-weltanschaulichen Idolen usw. teilweise der lächerlichste Personenkult getrieben, weil das natürlich viel bequemer ist, als sich selbst weiterzuentwickeln. Und gerade der alternde Mensch gerät hier oft an eine besonders gefährliche Lebensklippe: Wenn das Altwerden nämlich tatsächlich zu Weisheit und Selbsterfüllung führen soll, dann muß der Mensch den geschlechtsbedingten Unterschieden mehr und mehr entwachsen und sich zum Allgemeinmenschlichen hin entwickeln (das griechische Ideal des »Androgynen«).

Das bedeutet praktisch, daß der Mann nun bewußt das spezifisch Weibliche in sich entwickeln muß: menschliche Wärme und Sensibilität, beschützende und bewahrende Hilfsbereitschaft, Zartheit, Behutsamkeit, Güte – kurz alles, was in den Bereich des echten Gefühls und Gemüts gehört. Die Frau hingegen muß die entsprechenden, spezifisch männlichen Qualitäten zu ihrer Weiblichkeit hinzuerobern: klare Urteilsfähigkeit und Objektivität, nüchterne Überlegung ebenso wie bestimmte Entschlußfassung, Zielstrebigkeit, Festigkeit, Gerechtigkeit – kurz, alles, was in den Bereich rechten Denkens und Wollens gehört. Beide müssen gerade die Wesensseiten herausarbeiten und bewußt steigern, die bisher nur als latente Veranlagung im Unterbewußten schlummerten oder gar auf Grund falscher Leitbilder und entsprechend verkehrter Erziehung gewaltsam unterdrückt wurden: beim Manne »das Emotionale«, bei der Frau »das Rationale«. Wenn diese Synthese gelungen ist, entsteht jene achtunggebietende, ja verehrungswürdige Persönlichkeit des weise gewordenen alten Menschen, dessen überlegene Menschlichkeit völlig vergessen läßt, ob sie im Körper eines Mannes oder einer Frau erscheint.

Wer aber diesen notwendigen inneren Reifungsprozeß nach außen auf einen anderen Menschen projiziert, der kultiviert dann als alternder Mann nicht die »weibliche Seele« (C. G. Jung: »anima«) in sich selbst, sondern sucht sich ein blutjunges Mädchen, um mit ihr eine »zweite Jugend« zu erleben, und der bringt als alternde Frau nicht den »männlichen Geist« (C. G. Jung: »animus«) in sich selbst zur vollen Entfaltung, sondern hängt sich an einen vitalen Jüngling, um sich durch seine körperliche Männlichkeit zu »regenerieren«. Beide machen sich dadurch nicht nur lächerlich, sondern bringen sich auch um ihre eigene vollmenschliche Lebenserfüllung. Wieviel Unglück könnte vermieden werden, wenn diese Naturgesetze in bezug auf menschliches Verhalten ebenso allgemein bekannt wären und befolgt würden wie die gleichen Naturgesetze in bezug auf technische Vorgänge!

3. Wir alle neigen zu einer weiteren Fehlhaltung, zur *Verdrängung*, d. h., wir bauen allem Unangenehmen, Verbotenen, Peinlichen, Lästigen gegenüber eine Gedankensperre auf, damit all das im unterbewußten Erinnerungsreservoir bleiben und nicht ins wachbewußte Gedächtnis vordringen soll. Wenn wir etwa auf Grund schwerwiegender negativer Kindheitserfahrungen unsere Eltern oder Geschwister eigentlich hassen, anstatt sie so zu lieben, wie Religion und Sitte dies vorschreiben, dann verdrängen wir alles, was mit Blutsverwandtschaft zusammenhängt. Oder wenn wir sonst irgendwelche »unmoralischen«, »unsittlichen« oder gar »kriminellen« Gedanken, Gefühle, Wünsche, Begierden und Gelüste haben, dann betreiben wir gewissermaßen eine »Vogel-Strauß-Politik«: Wir stecken den Kopf in den Sand und meinen, weil wir gewaltsam die Augen davor verschließen, wäre das Verdrängte auch wirklich nicht mehr da. Aber es existiert natürlich trotzdem und beginnt nun, um so rabiater im Unterbewußtsein zu rumoren, je länger wir es darin einzusperren versuchen – so wie wilde Hunde

nicht etwa zahmer, sondern nur noch bösartiger werden, wenn wir sie in einen Zwinger sperren. So entstehen also Sadismus, Masochismus und alle sonstigen Perversitäten einerseits, Impotenz, Frigidität und alle sonstigen Störungen der Sexualität andererseits nur durch Verdrängung der natürlichen Triebhaftigkeit. Da unsere ganze Erziehung und auch die gesellschaftlichen Gepflogenheiten noch weitgehend auf solchen Verdrängungen beruhen, leiden wir auch alle mehr oder weniger an den negativen Folgen solcher Unvernunft.

Das entgegengesetzte Extrem, einfach alle »Tabus« zu beseitigen, überhaupt nichts mehr zu verbieten und alle Triebe hemmungslos sich austoben zu lassen, ist natürlich genauso verkehrt, denn es wurde ja schon mehrfach betont: Ein Problem wird niemals dadurch gelöst, daß man von einem Extrem ins andere fällt. Auch hier gilt es also, den »goldenen Mittelweg« zu finden, indem wir uns gegenseitig zu absoluter Ehrlichkeit, Offenheit und Freiheit ebenso wie zu Behutsamkeit, Verständnis und Rücksichtnahme erziehen, so daß wir nichts mehr zu verdrängen brauchen, weil wir miteinander darüber sprechen und gemeinsam damit fertig werden können. Dies ist daher eines der wesentlichsten Merkmale richtiger Menschenführung, womit wir uns im nächsten Kapitel noch eingehender befassen werden.

4. In engem Zusammenhang mit der Verdrängung steht die *Maske* (auch als »Rollenspiel« bezeichnet). Sicherlich ist es Ihnen schon passiert, daß jemand mit betonter Höflichkeit, vielleicht sogar mit scheinbar besonders herzlicher Anteilnahme mit Ihnen gesprochen hat – und dennoch spürten Sie deutlich, daß in Wirklichkeit eine undurchdringliche »Glaswand« zwischen Ihnen stand. Der Gesprächspartner war eben nur äußerlich voller Interesse, innerlich aber ganz woanders. Sie hatten es nur

mit seiner »Maske« zu tun, er selbst war gar nicht gegenwärtig.

Allerdings ist die Maskenbildung nicht nur negativ zu bewerten, denn es gibt z. B. auch allgemein anerkannte »Berufsmasken«, nämlich das notwendige Zurücknehmen des persönlichen Eigenlebens, des Privatmenschen, zugunsten einer ungestörten und unbeeinflußten sachlichen Haltung gegenüber den Erfordernissen der beruflichen Arbeit. Dahin gehört z. B., daß man privaten Ärger oder Kummer nicht im Geschäft zur Schau trägt oder sich gar davon in seinem Verhalten beeinflussen läßt. Oder daß etwa ein Arzt es sich den Patienten gegenüber nicht anmerken läßt, wenn sein eigenes Kind schwer krank zu Hause liegt. Diese Art von Maske gehört natürlich nicht zu den Fehlhaltungen, denn eigentlich muß sie jeder normale Erwachsene gegebenenfalls annehmen können, weil sie einfach eine notwendige Form der Selbstbeherrschung und Rücksichtnahme auf die Mitmenschen darstellt.

Wo aber jemand nur noch »Berufsmensch« wird, so daß er völlig im grauen Alltag des Erwerbslebens aufgeht – also nicht mehr arbeitet, um zu leben, sondern lebt, um zu arbeiten –, da beginnt die Fehlhaltung. Denn hier wird dem Privatmenschen überhaupt keine Daseinsberechtigung mehr zuerkannt, er wird gewissermaßen »in den Untergrund gedrängt« und verhält sich dann auch entsprechend: Entweder übt er Sabotage durch fortschreitende psychosomatische Gesundheitsstörungen, oder er unterminiert die gesamte Existenz des »Berufsmenschen«, indem er ihm die vitale Lebensgrundlage entzieht, bis schließlich nur noch eine ausgehöhlte Attrappe übrigbleibt, hinter der sich – auch wenn sie nach außen hin noch so glänzend erscheinen mag – tatsächlich ein tief unglückliches, leidendes Gemüt verbirgt, das jede Verbindung mit der Seele, dem eigentlichen Wesen, verloren hat. Tausende solcher leerer Menschenmasken bevölkern heute die Praxen der Psychotherapeuten oder die Sanatorien, denn eines Tages kommt der unvermeidliche Zusammenbruch, und dann hilft nur eine radikale Einsicht und Umkehr: die Wiederherstellung der verlorenen Wesenseinheit, die Versöhnung mit sich selbst, die dann auch die Versöhnung mit der Umwelt nach sich zieht und so nicht nur die persönliche Gesundung, sondern auch eine gedeihliche und erfreuliche Entwicklung der mitmenschlichen Beziehungen bewirkt.

5. In unserer Leistungs- und Konsumgesellschaft weit verbreitet ist der *Persönlichkeitsverlust*, der sich in einander polar entgegengesetzten Erscheinungsformen äußert: als Überheblichkeit seitens der Herrschenden bzw. Führenden und als Unterwürfigkeit seitens der Beherrschten bzw. Ausführenden.

Wenn jemand regieren oder führen soll, ohne die entsprechenden menschlichen Qualitäten zu besitzen, wenn er also nicht schon ein »geborener Herrscher« oder eine echte Führungspersönlichkeit ist, dann muß er versuchen, den Mangel an persönlicher Autorität durch eine Übersteigerung der funktionalen Autorität zu ersetzen bzw. zu verdecken (wissenschaftlich nennt man das »Überkompensation«). Er braucht dann all die künstlichen Autoritätsstützen wie Prestige, Titel, Rangabzeichen, Statussymbole, Befugnisse, Sonderrechte usw. gewissermaßen als äußere Krücken, weil er innerlich nicht auf eigenen Beinen stehen und gehen kann.

Die natürliche Autorität menschlicher Überlegenheit einer echten Führungspersönlichkeit bedarf dagegen solcher Hilfsmittel nicht und setzt sich dennoch durch, weil ihre Überlegenheit von den Geführten anerkannt wird und infolgedessen anstatt eines erzwungenen »Kadavergehorsams« eine freiwillige Gefolgschaft entsteht.

Unterwürfigkeit als entsprechende Fehlhaltung der Beherrschten bzw. Geführten entsteht aus der gleichen Ursache: Weil man sich selbst nichts zutraut, keine Eigenständigkeit besitzt und keine ausgeprägte Persönlichkeit darstellt, unterwirft man sich einer anderen, vermeintlich stärkeren Person oder auch nur dem Zwang einer übergeordneten Funktion, um dadurch die eigene schwache Existenz zu rechtfertigen und gewissermaßen als Mond wenigstens den Abglanz der Sonne widerspiegeln zu dürfen, um die man dienstefrig kreist.

Eine starke, in sich gefestigte Persönlichkeit wird dagegen die Notwendigkeit des Beherrscht- bzw. Geführtwerdens sowohl in der Arbeitsorganisation als auch in der Gesellschaftsordnung nicht als persönliche Kränkung empfinden und sich infolgedessen willig unterordnen, insofern es sachlich gerechtfertigt ist und nicht diktatorischer Zwang oder entwürdigende Gängelei versucht wird. Die äußere Unterstellung als Notwendigkeit einer beruflichen Funktion oder gesellschaftlichen Position führt daher nicht zum inneren Persönlichkeitsverlust sklavischer Unterwürfigkeit. Menschenwürdige, demokratische Regierung und Führung ist nur auf dieser Basis möglich.

6. In der Praxis der Menschenführung haben wir es immer zuerst mit der *Korrektur* der beschriebenen Fehlhaltungen zu tun, denn solange diese das Verhalten bestimmen, wird dadurch jede normale Führungsmaßnahme blockiert oder ins Gegenteil des Beabsichtigten verkehrt. Führen bedeutet infolgedessen, sich zunächst einmal eingehend miteinander zu befassen, sich verständnisvoll aufeinander einzustellen und sich so möglichst gut kennenzulernen. Und wenn man dann unvermeidlicherweise auch gegenseitiges Fehlverhalten feststellt, darf man weder aggressiv reagieren noch einfach resignieren, sondern muß geduldig und sorgfältig nach den Ursachen des tat-

sächlichen oder vermeintlichen Fehlverhaltens forschen. Denn erst wenn die Wurzeln des Übels richtig erkannt worden sind, kann man mit der erforderlichen »Wurzelbehandlung« beginnen, d. h. *das Fehlende nach Möglichkeit ersetzen, das Versäumte nachholen, das Unterentwickelte fördern und das Übersteigerte abbauen.*

Als Führender muß man gewissermaßen zuerst über die am leichtesten zugängliche Stelle Einlaß in die »Festung« des Geführten finden, dann sich im »unbekannten Gelände« vorsichtig weitertasten und bei auftauchendem Widerstand sofort innehalten, um sich über dessen Ursachen klarzuwerden und ihn so allmählich aufzulösen. Durch jeden Versuch gewaltsamer »Eroberung« wird man immer nur den verstärkten Widerstand der »Festungsbewohner« hervorrufen. Allein durch solche geduldige und behutsame »Erkundung« kann man erreichen, schließlich nicht mehr als unerwünschter Eindringling, sondern als willkommener Gast zu gelten. Und nur dann wird dem Führenden jene freiwillige Gefolgschaft gewährt, die stets das Kennzeichen richtiger Führung ist. Überhaupt müssen wir alle viel geduldiger und nachsichtiger miteinander umgehen, denn einen körperlich verletzten oder gar verkrüppelten Menschen behandeln wir doch auch mit größter Schonung und Rücksichtnahme. Warum reagieren wir bei den im Gemüt verletzten oder gar verkrüppelten Menschen so ganz anders? Das also müssen wir uns bewußt anerziehen, auch bei noch so krassem Fehlverhalten nicht mehr die Geduld zu verlieren oder gar zu eigenem Fehlverhalten uns verleiten zu lassen, sondern genauso vorzugehen wie körperlich Leidenden gegenüber (im letzten Kapitel werden wir noch mehr darüber erfahren: vgl. Kap. VI, S. 364 ff.). Fassen wir abschließend das richtige Reagieren auf Fehlverhalten in den folgenden *Regeln* zusammen:

a) Ehrliches Sicheingestehen der eigenen Fehlhaltungen, um sie immer besser überwinden zu können.

b) Sorgfältige Erforschung der Ursache von Fehlhaltungen anderer, um wirksam zu deren Korrektur beitragen zu können.

c) Größte Vorsicht im Umgang mit den Mitmenschen, um nicht die vorhandenen Fehlhaltungen zu verstärken oder gar neue hervorzurufen.

d) Sich niemals durch Fehlhaltungen zu negativen Reaktionen provozieren lassen, sondern sich selbst unbeirrbar um korrektes Verhalten bemühen.

C. Steuerung der Antriebskräfte und Triebsublimierung

1. Die primitiven oder elementaren Antriebskräfte, die der Mensch mit allen Lebewesen gemeinsam hat, sind der Selbsterhaltungstrieb bzw. die Existenzsicherung und der Selbstüberhöhungstrieb bzw. die Existenzsteigerung mit den entsprechenden psychischen Energien der Ängste (Unlust) und Wünsche (Lust), wie bereits im ersten Teil erläutert wurde (vgl. B 2. »Antriebskräfte«, S. 33 f.).

Demgemäß kann man nur dadurch führen, d. h. menschliches Verhalten beeinflussen, daß man diese elementaren Antriebskräfte benützt, indem man entweder durch Bestrafung Ängste erzeugt oder durch Belohnung Wünsche weckt. Es gibt im Grunde nur diese beiden wirksamen Führungsmittel, solange Menschen noch der Fremdsteuerung bedürfen, weil die erkenntnisgesteuerte Selbstmotivation noch nicht genügend entwickelt ist (siehe die entsprechenden Darlegungen im ersten Teil). Wenn wir auch heute die altbekannten Extreme »Zuckerbrot und Peitsche« möglichst vermeiden, so bleibt doch das Grundprinzip bestehen, das wir »positive und negative Steuerung« nennen.

Die Skala der positiven Steuerung ist:
Bestätigung – Anerkennung – Lob – Belohnung.
Die entsprechende Skala der negativen Steuerung ist:
Korrektur – Kritik – Tadel – Bestrafung.
Dabei hat sich die konsequente positive Steuerung als die weitaus wirksamere herausgestellt, weshalb wir diese in Erziehung und Menschenführung sozusagen als tägliche »Seelennahrung« anwenden sollten. Die negative Steuerung sollte dagegen nur ausnahmsweise, gleichsam als »Medizin gegen Fehlverhalten«, d. h. nur mit größter Vorsicht und in sorgsam abgewogener Dosis angewandt werden.

Daß man mit der positiven Steuerung sehr viel mehr ausrichten kann als mit der negativen, das hat man zuerst in der Tierdressur herausgefunden. Deswegen erreicht man heute die unglaublichsten Dressurkunststücke ausschließlich durch Belohnungen. Daß das beim Menschen sicherlich ebenso gut funktionieren könnte, das hat sich leider noch nicht herumgesprochen! In der Kindererziehung gehören Schläge immer noch zu den üblichen Erziehungsmitteln, ja Tausende von Kindern werden sogar schwerstens mißhandelt! Und auch beim Regieren der Erwachsenen greift die negative Steuerung durch staatliche Zwangsmaßnahmen sogar immer mehr um sich, so daß die freiheitliche demokratische Lebensordnung bereits erheblich gefährdet erscheint. Besonders rückständig ist die diesbezügliche Praxis im Arbeitsleben, denn da wird nach wie vor überwiegend negativ gesteuert (wann sind Sie von Ihren Vorgesetzten zum letztenmal ausdrücklich anerkannt oder gar belobigt worden?), obwohl im modernen Management-Training längst wirksame Methoden positiver Steuerung gelehrt werden.

Doch mit dem eigenen richtigen Verhalten sollte man niemals warten, bis andere es auch praktizieren. Beginnen Sie also ruhig selbst schon heute mit konsequenter positiver Steuerung im beruflichen und privaten Bereich und lassen Sie sich durch nichts und niemand darin beirren – dann werden Sie bald feststellen, daß Sie damit Ihre Nerven schonen und dennoch eine viel nachhaltigere Wirkung erzielen als mit jeder Art von negativer Steuerung.

2. Doch befassen wir uns weiter mit unseren Antriebskräften. Die elementaren Triebkräfte sind uns angeboren und egozentrisch, d. h. auf das Wohlergehen der eigenen »lieben« Person gerichtet. Sie sind zwar berechtigt, müssen jedoch ständig kontrolliert und gezügelt werden, da sie sonst übersteigert bzw. übertrieben werden und dann ins Gegenteil umschlagen, ja sogar zur Selbstzerstörung führen können.

Der Wert eines Menschen wird daran gemessen, welche höheren oder edleren Antriebskräfte er zusätzlich entwickelt hat. Man nennt dies auch die *Sublimierung* der elementaren Triebe durch Selbstzucht und Selbstüberwindung.

Ein Mensch ist demnach um so primitiver und unreifer, je ichbezogener und egoistischer er ist – er wird um so edler und reifer, je gemeinschaftsbezogener und sozialer er sich verhält.

Außer Verantwortlichkeit und Pflichtbewußtsein sind Kameradschaftlichkeit und Hilfsbereitschaft, Duldsamkeit und Güte, Rücksichtnahme und Mitgefühl, Freigebigkeit und Opfersinn, Friedfertigkeit und Idealismus Kennzeichen solcher sozialen Gesinnung. Außerdem sagt man mit Recht, daß man nicht nur aus Pflichtbewußtsein arbeiten, sondern auch Freude und Befriedigung in seiner Arbeit finden soll, denn beides zählt zu den höheren Antriebskräften.

Freude darf man nämlich nicht mit egoistischem Lustgewinn verwechseln, denn dieser kann auch durch Schädigung anderer, ja sogar durch Selbstzerstörung erreicht werden. Jede Lust muß man bezahlen, entweder vorher mit Geld und Gut oder nachher mit Überdruß und Gesundheitsschädigung oder gar mit beidem zusammen. Echte Freude dagegen ist reine Gemütsnahrung, die man meistens sogar ganz umsonst haben kann und die nie von negativen Auswirkungen begleitet wird. Vor allem aber ist sie gemeinschaftsfördernd, denn »geteilte Freude ist doppelte Freude«.

Auch Befriedigung ist nicht mit egoistischer Lustbefriedigung zu verwechseln, denn wer Befriedigung auf Kosten anderer sucht, der schafft sich dadurch Feinde, und diese verhindern sicherlich, daß er selbst in Frieden leben kann. Echte Befriedigung ist vielmehr gleichbedeutend mit Zufriedenheit. Sie hat also mit Frieden zu tun und ist daher nur gemeinsam möglich.

Je zufriedener jeder Geführte ist, desto zufriedenstellender wird er sich dem Führenden gegenüber verhalten, und desto dauerhafter wird der Friede zwischen allen Beteiligten sein.

Daß sublimierte Antriebskräfte sogar stärker sein können als elementare, das beweist deutlich der unmittelbare Antrieb zu helfen, wenn jemand in Not oder gar in Lebensgefahr ist. Mancher hat sogar beim Rettungsversuch sein eigenes Leben geopfert, also dem Selbsterhaltungstrieb entgegen gehandelt.

Umgekehrt können Ideale als höhere Antriebskräfte das Leben nicht nur wertvoller machen, sondern manchmal sogar retten. Jeder Mensch kommt nämlich früher oder später einmal in so schwere, verzweifelte, unerträglich oder ausweglos erscheinende Situationen, daß er sie nur durchstehen oder aushalten kann, wenn er einen ganz festen inneren Halt hat. Ohne solche unerschütterlichen Ideale wird er dann sein Leben wegwerfen, weil es sinnlos geworden zu sein scheint. Das zeigt deutlich die erschreckend hohe Anzahl von Selbstmorden gerade bei jungen Menschen oft aus den nichtigsten Anlässen.

Darum besinnen Sie sich immer wieder auf Ihre Ideale, die gleichbedeutend sind mit Ihrem Lebenssinn (siehe erster Teil), dann werden Sie durch nichts mehr von Ihren Zielen abgebracht werden können. Und erst dann sind Sie auch wirklich unabhängig geworden, indem Sie sich sowohl von der Angstmotivation als auch von der Wunschmotivation befreit haben und nur noch Ihrer Selbstmotivation auf Grund von Erkenntnis und Erfahrung folgen. Die stärkste sublimierte Antriebskraft, die Liebe – die sich vom elementaren Geschlechtstrieb etwa ebensosehr unterscheidet wie die Sonne von einem Vulkan –, ist Gegenstand des *dritten Teiles* (S. 379 ff.).

D. Das Führungsgefälle

1. *Führen und Geführtwerden*

Jeder von uns steht in mehrfacher Hinsicht in einem sogenannten *Führungsgefälle*: Beruflich gehören die meisten Menschen zu irgendeiner hierarchisch gegliederten Organisation, haben also direkte und indirekte Vorgesetzte über sich und in ähnlicher Weise Unterstellte unter sich. Aber auch selbständig Arbeitende sind in unserer Gesellschaftsordnung eingegliedert, unterstehen also den verschiedenen Behörden und Ämtern und fürchten zumindest das Finanzamt und die Polizei. Wenn es auch keine »Dienstboten« mehr gibt, so muß doch nach wie vor gekocht, gekehrt, geputzt und jede andere Art von

Dienstleistungen besorgt werden – was auch nach wie vor nach entsprechenden Anweisungen geschieht.

Im Privatleben gibt es zwar keine offizielle Führungshierarchie, doch besteht hier das gleiche Führungsgefälle in allen mitmenschlichen Beziehungen, denn die Menschen sind schon ihrer Natur nach entweder mehr führend veranlagt bzw. wirken einfach führend auf ihre Mitmenschen, oder sie sind mehr ausführend veranlagt bzw. lassen sich lieber von anderen führen. Das kann man schon bei spielenden Kindern beobachten, und in jeder Gruppe von Erwachsenen bildet sich alsbald das gleiche Gefälle, wie im nächsten Kapitel noch näher erläutert wird (vgl. Kap. IV »Gruppendynamik«, S. 334 ff.).

Jeder Mensch wirkt also automatisch führend auf alle Menschen, die weniger führend veranlagt sind bzw. wirken: Sie orientieren sich bewußt oder unterbewußt nach den von ihnen anerkannten Führungspersönlichkeiten, vertrauen sich ihnen an, versuchen sie nach Kräften zu unterstützen und ihnen gefällig zu sein. Genauso reagiert aber auch jeder von uns auf alle Menschen, die führender wirken als wir selbst. Ja, je mehr man entweder offiziell eine führende Position einnimmt oder inoffiziell persönlich führend wirkt, desto dankbarer ist man, wenn man andere findet, von denen man sich führen lassen kann und denen man sich anvertrauen darf. Denn Verantwortung tragen, Entscheidungen fällen, Initiative beweisen, in das Leben anderer Menschen eingreifen müssen – das alles ist um so schwerer, je mehr man dabei auf sich allein gestellt ist.

Gerade die starke Führungspersönlichkeit, die selbstverständliche Autorität ausstrahlt, wird weder im Beruf noch im Privatleben autoritär herrschen. Sie hat es gar nicht nötig, weil sie freiwillig anerkannt wird. Nur derjenige muß versuchen, sich gewaltsam durchzusetzen (»sich Respekt zu verschaffen«), der eine führende Funktion ausüben soll, die nicht seiner tatsächlichen Stellung im mitmenschlichen Führungsgefälle entspricht, so daß er ständig überfordert ist. Der wirklich Führungsfähige hingegen ist stets zu jeder Art von Kooperation bereit, ja er wird, wie gesagt, sogar jeden dankbar begrüßen, der Mitverantwortung zu tragen und mit zu entscheiden bereit und fähig ist.

Wenn unsere mitmenschlichen Beziehungen möglichst reibungslos funktionieren sollen, muß also bei allen Beteiligten die ständige Bereitschaft bestehen, sich der jeweiligen Funktion und Fähigkeit gemäß in jedes Führungsgefälle einzuordnen, in dem man gerade steht. Dabei bedeutet Führen und Geführtwerden einen fortwährenden gegenseitigen Lernprozeß, in dem jederzeit die Möglichkeit des Rollentausches besteht. Denn einmal bzw. in dem einen Bereich kann der eine bahnbrechend oder ordnend vorangehen und der andere freiwillig Gefolgschaft leisten – ein andermal bzw. in einem anderen Bereich kann es genau umgekehrt sein.

Deswegen ist jede unveränderliche Institutionalisierung und starre Fixierung sowohl in der Arbeitsorganisation als auch in der Gesellschaftsordnung so gefährlich, ja für unkonventionelle Weiterentwicklung und persönliche Initiative geradezu tödlich. Stabil sollte nur das unerschütterliche Vertrauensverhältnis und der menschliche Zusammenhalt sein, die jeweiligen Formen und Methoden der Zusammenarbeit und des Zusammenlebens hingegen können gar nicht flexibel genug gehalten werden und müssen stets auf Gegenseitigkeit beruhen. Denn sie können nur dann für jeden erfreulich und befriedigend bleiben, wenn bei aller notwendigen sachlichen Orientierung nach objektiven Gesichtspunkten und Maßstäben doch die menschliche Einfühlung in die subjektiven Ge gebenheiten und Absichten jedes einzelnen mindestens gleichgewichtig in Betracht gezogen wird.

2. Die Pyramide der Bedürfnisbefriedigung

Die Bedeutung der menschlichen Grundbedürfnisse wurde bereits im ersten Teil erklärt. Bei jeder Art von Menschenführung müssen wir infolgedessen stets diese Grundbedürfnisse berücksichtigen. Ein Grundsatz wirksamer Menschenführung lautet daher: *Gib den Menschen, was sie brauchen, und sie werden tun, was sie sollen.* Das Verhältnis zwischen Bedürfnisbefriedigung und sozialer Stufenleiter kann man in der sogenannten Maslowschen Pyramide darstellen (vgl. Abbildung S. 331 oben).

Die breiteste Basis der Pyramide sind die körperlichen Bedürfnisse, also Selbsterhaltung, Fortpflanzung, Ernährung, Genuß usw. Diese Bedürfnisse sind in unserer Industriegesellschaft weitgehend befriedigt.

Die zweite Stufe enthält alle Bedürfnisse nach persönlicher Sicherheit, wie Sicherheit des Arbeitsplatzes, des Lebensstandards, des Vermögens, der Familie, der Gesundheit, der Altersversorgung usw. Diese Bedürfnisse sind schon bei erheblich weniger Menschen unseres Lebensbereiches voll befriedigt.

Die dritte Stufe bilden die sozialen Bedürfnisse, das heißt Gemeinschaftsbeziehungen, Kontaktstreben, Familiensinn, Gruppenzugehörigkeit usw. Diese Bedürfnisse können nicht einmal mehr die Hälfte unserer Mitmenschen voll befriedigen. Die Menschen, die diese drei Grundbedürfnisse einigermaßen befriedigen können, machen die große Masse der Pyramide aus, nämlich ungefähr 85%.

Nur ungefähr 10% befinden sich auf der vierten Stufe, das bedeutet, sie können ihre Ich-Bedürfnisse befriedigen, also das Streben nach Ansehen, Anerkennung, Beachtung, Bedeutung, Wichtigkeit, Wertschätzung, Selbständigkeit im Beruf, Unabhängigkeit im Privatleben usw.

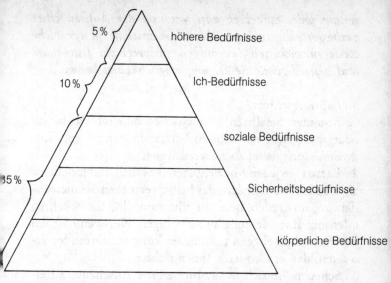

Die Spitze der Pyramide bilden die drei höchsten Werte: *Ästhetik*, die Freude an allem Schönen – *Philosophie*, das Erlangen von Lebensweisheit – *Religion* im umfassendsten Sinne als Wiederverbindung mit dem Urgrund.

Die Realisierung dieser Werte ist gleichbedeutend mit *Selbstverwirklichung* in Freiheit und Sicherheit. Also das voll befriedigende Sich-auswirken-Können, die Berufsausübung aus Berufung, die individuelle Lebensgestaltung und Persönlichkeitsentfaltung.

Diese Möglichkeit haben zur Zeit nur knapp 5%, so daß also 95% unserer Mitmenschen unter den gegenwärtigen Umständen keine vollständige Lebenserfüllung finden können, obwohl die technischen Voraussetzungen dafür längst geschaffen sind. Es fehlt also nur noch an unserer Vernunft, die offenbar in ihrer Entwicklung hinter dem rapiden technischen Fortschritt weit zurückgeblieben ist. *Die dringlichste Führungsaufgabe der Gegenwart ist infolgedessen unzweifelhaft die beschleunigte Selbstverbes-*

serung jedes einzelnen von uns und der Aufbau einer
verbesserten mitmenschlichen Gemeinschaft, in der solche
weiterentwickelten Individuen entsprechend fruchtbare
und befriedigende Betätigungsmöglichkeiten haben.

3. *Führungsregeln*

1. Kommen Sie Ihren Mitmenschen möglichst liebevoll oder wenigstens mit echtem Verständnis entgegen, ohne ihnen jedoch dabei zu nahe zu treten.

2. Lassen Sie jeden Mitmenschen innerlich und möglichst auch äußerlich ganz frei, das heißt, versuchen Sie niemanden zu überreden oder zu überrumpeln, zu bekehren oder ihm Ihre Meinung aufzuzwingen. Nur wenn Sie ihn wirklich überzeugend motivieren können, dürfen Sie erwarten, daß er sich nach Ihnen richtet.

3. Scheuen Sie sich nicht, Ihre eigene Anschauung freimütig zu bekennen und sowohl auf alle Fragen nach bestem Wissen und Gewissen zu antworten, als auch auf jeden Widerspruch sorgfältig und sachlich einzugehen.

4. Lassen Sie jedermann Ihre Achtung vor seiner Individualität spüren, unabhängig von seinem jeweiligen vielleicht sogar menschenunwürdig erscheinenden Zustand oder Verhalten. Unterscheiden Sie also gerade auch beim »Bösewicht« zwischen der unversehrten Kernsubstanz und der faulen Schale.

5. Suchen Sie bei jedem Menschen nicht so sehr nach Fehlern und Ansatzpunkten für Ihre Kritik als vielmehr nach Leistungen oder wenigstens Bemühungen, die Sie anerkennen können.

6. Fragen Sie nicht immer nur: »Was kann dieser oder jener mir nützen?«, sondern eher umgekehrt: »Was kann ich für ihn tun?«

7. Sagen Sie nie mehr: »Dafür kann ich nichts« oder »Das geht mich nichts an«, sondern verstärken Sie Ihr Bewußtsein, als Mensch mitverantwortlich zu sein an allem Menschlichen.

8. Darum haben Sie auch als Mensch in erster Linie den Führungsauftrag, sowohl einzelnen Mitmenschen in Ihrer Umgebung nach Kräften zu helfen, als auch zur Entwicklung der gesamten Menschheit einen, wenn auch noch so bescheidenen Beitrag zu leisten.

4. *Zusammenfassung*

Im folgenden Diagramm sollen die wesentlichen Punkte nochmals verdeutlicht werden:

FÜHRUNG

Grundlagen:

Einfühlung in die subjektiven Gegebenheiten und Absichten
Orientierung nach objektiven Gesichtspunkten und Maßstäben

Individuelle Realisierung allgemeingültiger *Ideale*
bewirkt Befreiung und Steigerung der Persönlichkeit
ebenso wie Festigung und Weitung der Gemeinschaft.

Sklavische Nachahmung personifizierter *Idole*
bewirkt einzelmenschliche Bindung und menschheitliche
Entwicklungshemmung.

Funktion:

Das *Gefälle* der mitmenschlichen Beziehungen

sich ständig
verschiebende
eigene
Situation

sich führen lassen
von *führend* veranlagten
und ausgebildeten
Menschen

führend wirken
auf *ausführend* veranlagte
und erzogene
Menschen

Prinzipien:

Beiderseits Bereitschaft und Fähigkeit –
gegenseitig Lehr- und Lern-Prozeß (Austausch und Ergänzung) –
wechselseitig Vorangehen, Bahnbrechen – Gefolgschaft, Nachfolge

Einseitige Institutionalisierung und Fixierung wirken tödlich!

Nur ein ebenso flexibles wie stabiles Verhältnis *auf Gegenseitigkeit*
gewährleistet eine positive Dauerwirkung bei allen Beteiligten.

IV. Gruppendynamik

A. Gruppenbildung

Das natürliche Gegengewicht zur beziehungslosen Masse ist die dynamische Gruppe. Sie kann groß oder klein sein, denn entscheidend für ihre Wirksamkeit ist nicht so sehr die Zahl ihrer Mitglieder als vielmehr die Intensität der direkten persönlichen Kontakte und indirekten kollektiven Beziehungen, die eben die eigenständige Dynamik einer Gruppe ausmachen.

Was bedeutet nun diese Gruppendynamik? Eine alte philosophische Weisheit lautet: »Das Ganze ist stets mehr als die Summe seiner Teile.« So ist auch die Gruppe mehr als die Summe ihrer einzelnen Mitglieder, denn wenn mehrere Menschen zusammen sind, dann verhalten sie sich anders, als wenn sie für sich allein wären. Sie beeinflussen gegenseitig ihre Aktivität, so daß das Gesamtresultat anders ist als die einfache Addition der Einzelaktivitäten.

Nehmen wir zum Beispiel eine Leistungsgruppe in irgendeinem Arbeitsprozeß: Der eine arbeitet allein mit 25% Leistung, der andere mit 15%, der dritte mit 50%. Die Addition ergibt 90%. Das wird aber nie die Gruppenleistung sein. Vielleicht kann diese sogar auf mehr als das Doppelte steigen, sie kann aber auch bis zur totalen Leistungsblockierung abfallen, je nachdem, ob die gegenseitige Einwirkung konstruktiv und fördernd oder destruktiv und hemmend ist. Das gleiche gilt auch für jede Art von Gruppe im privaten Bereich: Entweder werden durch die Gruppendynamik die Energien der einzelnen nicht nur addiert, sondern potenziert – oder aber sie werden geschwächt und aufgezehrt.

1. Unter welchen Bedingungen wirkt nun die Gruppe konstruktiv oder destruktiv?

Um konstruktiv wirken zu können, braucht jede Gruppe zuerst ein Ziel, eine Absicht, eine Aufgabe, eine Interessenrichtung.

Und dann muß man sich gemeinsam darauf einigen. So wie ein durcheinanderliegender Haufen von Eisenfeilspänen unter dem Einfluß eines Magneten sich sofort ordnet und die Linien des magnetischen Kraftfeldes nachzeichnet, so müssen die ungeordneten, auseinanderstrebenden oder gar entgegengesetzten Ziele, Aufgaben, Absichten und Interessen der einzelnen gleichgeschaltet, auf einen Nenner gebracht und gemeinsam ausgerichtet, werden.

Je verschiedener zunächst die Ausgangsposition der einzelnen ist, desto schwieriger und langwieriger ist natürlich dieser Prozeß. Man muß sich dabei gemeinsam mit jedem einzelnen befassen, seine Veranlagungen und Befähigungen ebenso wie seine eigenen Bestrebungen und Vorstellungen so weit wie möglich berücksichtigen und ihn schließlich davon überzeugen, daß es auch für ihn das Beste ist, wenn er sich der Zielsetzung oder Interessenrichtung der Gruppe einordnet. Gerade um die Schwächsten oder Schwierigsten muß man sich dabei am meisten bemühen, denn es heißt sehr richtig: »Keine Kette ist stärker als ihr schwächstes Glied.« Und das gilt auch für jede Gruppe: Sie ist nicht stärker als ihr schwächstes oder schwierigstes Mitglied.

Besonders deutlich wird das bei jedem Mannschaftssport: Es kommt da gar nicht in erster Linie darauf an, daß die einzelnen für sich gute Spieler sind, sondern daß sie immer besser zusammenspielen können, ihren gemeinsamen Stil finden und eine gemeinsame Strategie verfolgen. Dabei muß oft sogar der stärkste Spieler sich zurückhalten oder gebremst werden, um den schwächsten Spieler so aufbauen und unterstützen zu können, daß er nicht störend wirkt, sondern auch noch konstruktiv mitzuspielen vermag.

Und bei jeder Leistungsgruppe verhält es sich ebenso: Nur durch dieses Sich-aufeinander-Einstellen und Miteinander-Einspielen, Gegenseitig-aufeinander-Rücksicht-Nehmen und nötigenfalls Füreinander-Einspringen wird das Leistungsoptimum der Gruppe erreicht, das dann aber, wie gesagt, erheblich über der einfachen Addition der Einzelleistungen liegt.

2. Man nennt diesen Vorgang die fortschreitende *Integration* der einzelnen in die Gruppe. Damit ist aber gleichzeitig noch ein anderer Vorgang verbunden: die Entstehung einer *Rangordnung*. Sobald die Zielrichtung oder Aufgabenstellung festliegt und die gemeinsame Ausrichtung erfolgt ist, beginnen sich ganz automatisch die führend Wirkenden und die ausführend Wirkenden herauszukristallisieren. Es gibt zum Beispiel solche, die reden, und solche, die zuhören. Diese bilden sich zwar ihre eigene Meinung, lassen sich aber praktisch führen von jenen, die eben das Wort führen und die man deswegen ja auch »Wortführer« nennt. Dann gibt es die im allgemeinen Willensstarken oder speziell mit Initiative Begabten und diejenigen mit weniger entwickeltem Willen oder geringerer Initiative. Weiterhin die intellektuell Überlegenen und die langsamer Denkenden, die Eifrigen und Bequemen, die eigenwilligen Individualisten und die fügsamen Sichunterordnenden.

Für die Übernahme der Führungsrolle müssen drei Faktoren zusammenwirken: erstens die *Führungseignung*, die man auch als die persönliche Autorität bezeichnet. Zweitens die *Führungsneigung*, das heißt die eigentliche Bereitwilligkeit, die Führungsrolle auch tatsächlich zu übernehmen. Drittens der *Führungsauftrag* auf Grund der sogenannten akzeptierten Autorität. Das bedeutet, der Führende wird von der Gruppe erwählt und anerkannt, weil er ihren Erwartungen entspricht und ihren Ansprüchen genügt. Dies ist der wichtigste Faktor, denn die großartigste Führungspersönlichkeit ist deplaziert, wenn sie von der Gruppe nicht akzeptiert wird. Es kann also durchaus ein Führender mit an sich geringen Qualifikationen zum Gruppenführer erkoren werden, weil er etwa weniger autoritär auftritt und dem Vorbild oder Leitbild der Gruppe näher kommt, ihr mehr Vertrauen einflößt und sie so stärker zu freiwilliger Gefolgschaft anregt. Dabei braucht der Gruppenführer der einen Gruppe von einer anderen Gruppe keineswegs ebenfalls akzeptiert zu werden. Er ist zwar der gleiche Mensch mit der gleichen Führungseignung und dem gleichen Führungswillen, aber die Gruppe ist anders zusammengesetzt oder ausgerichtet und braucht daher einen anderen Führungsstil.

Die Bildung der Rangordnung kann kürzer oder länger dauern und leichter oder schwieriger sein – je nachdem, ob gleich eine überragende Führungspersönlichkeit vorhanden ist und akzeptiert wird oder ob vielleicht zwei rivalisierende Führungsanwärter Verwirrung stiften, ehe sich entweder die Gruppe spaltet oder der eine Anwärter sich freiwillig dem anderen unterordnet und sich mit der Rolle als »Vizepräsident, zweiter Vorsitzender, Assistent« usw. begnügt.

Dann bildet sich der engere und weitere *Führungskreis* mit mehr oder weniger fließenden Übergängen zum Kreis der ausführenden Gefolgschaft. Dieser ist wiederum in sich abgestuft bis zum sogenannten »Hackhuhn«, wie man den Letzten bzw. Ausführendsten nennt. Entweder ist dies ein ausgesprochener Melancholiker, der sich das sogar gerne gefallen läßt, oder es ist der Schwächste, der es sich eben gefallen lassen muß. Es handelt sich also um jenes »schwächste Glied« der Gruppe, das von ihr gerade noch mitgetragen werden kann, wenn es sich wirklich restlos unterordnet und allen dient. »Abteilungskamel« oder »Bürotrottel« sind andere drastische Ausdrücke für solche dienstbaren Menschen, die von jedem Anweisung bekommen und die allen zu Gefallen sind. Oft sind diese Leute sogar glücklich in ihrer Rolle, denn so gehören sie wenigstens noch zu einer Gruppe, während sie sonst als Außenseiter völlig abseits stehen würden. Kritisch wird die Situation erst dann, wenn das »Hackhuhn« auch in dieser Rolle für die Gruppe nicht mehr tragbar wird oder wenn es sich aufzulehnen beginnt. Darauf werden wir später noch zu sprechen kommen.

Die Rangordnung muß aber auch flexibel bleiben, denn das Ziel oder die Aufgabe, die Zusammensetzung oder die Situation der Gruppe können sich ändern. Und dann kann auch ein Wechsel der Gruppenführung oder eine Änderung der Rangordnung nötig werden, um den neuen Gegebenheiten besser gewachsen zu sein. Dann müßte im Idealfall automatisch eine entsprechende Korrektur bzw. Umstrukturierung eintreten. Das aber geschieht meistens nicht, denn jede festgelegte Rangordnung hat die Tendenz, sich zu fixieren, sich zu konstituieren, wie es so schön heißt. Das aber bedeutet praktisch dasselbe wie der Verhärtungs- und Verholzungsprozeß bei den Pflanzen und das Altern bei den Tieren: Die Gruppe ist für flexible Aufgaben untauglich geworden und versagt in neuen Situationen. Sie ist schließlich nicht mehr lebensfähig und löst sich entweder selbst auf oder wird von außen zerstört.

B. Gruppenregulierung

1. Die Störung und schließliche Zerstörung der Gruppe kann nur dadurch vermieden werden, daß sie ständig einen *Selbstregulierungsprozeß* vollzieht, der nötigenfalls zur Selbstreinigung führt. Man nennt diesen Vorgang auch Feedback, d. h. Rückkoppelung, indem man die technische Lösung der Steuerung durch einen *Regelkreis* auch auf die menschlichen Beziehungen anwendet.

Ein Regelkreis funktioniert folgendermaßen: Durch die Rückmeldungen (R) der in der Meßstrecke gemessenen Wirkung (W) eines Impulses (I) an den Impulsgeber (G) wird eine automatische Veränderung der weiteren Impulse bewirkt (automatische Steuerung):

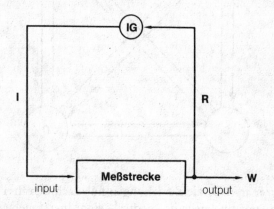

Dabei gibt es 4 Möglichkeiten:
1. Erwünschte Wirkung = gleichbleibende Impulse
2. Zu starke Wirkung = verminderte Impulse
3. Zu schwache Wirkung = verstärkte Impulse
4. Erreichtes Wirkungsziel oder Ablaufstörung = Abstellen der Impulse

Für die Selbstregulierung der Gruppe bedeutet dies:

Durch ständigen direkten Kontakt aller Gruppenmitglieder untereinander ist jederzeit die Wirkung festzustellen, die erstens das Verhalten des einzelnen auf die Gruppe hat, zweitens das Verhalten der Gruppe auf den einzelnen ausübt und drittens das Verhalten eines jeden wiederum bei jedem anderen hervorruft.

2. Man pflegt diese vielfachen Wechselbeziehungen in einem sogenannten *Soziogramm* darzustellen:

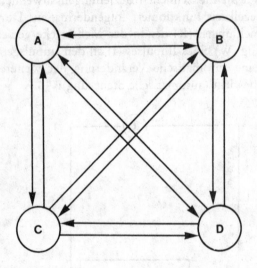

Wenn man z. B. die Beziehungen nur nach den drei Faktoren »positiv – negativ – neutral« einordnet, ergeben sich schon daraus klar:

1. Der akzeptierte Gruppenführer (mit den meisten positiven Beziehungen)
2. Das »Hackhuhn« (mit den meisten negativen Beziehungen)
3. Der »Außenseiter« (mit den meisten neutralen Beziehungen)

Durch immer gezieltere Fragen nach den Gefühlen und Ideen, Wünschen und Befürchtungen, Absichten und Vorbehalten, Spontanreaktionen und Dauerbeobachtungen usw. jedes einzelnen im Verhältnis zur Gruppe, zur Führung und untereinander kann man ein immer genaueres Bild von dem komplizierten »Beziehungsnetz« gewinnen, das insgesamt die Gruppendynamik verursacht.

Wie beim technischen Regelkreis der »Ausstoß« mit der »Eingabe« rückgekoppelt ist, so reguliert also auch bei der gut funktionierenden Gruppe der Gruppenführer das Verhalten der Gruppe auf Grund der Gruppenreaktion auf sein Verhalten und wird durch die Reaktion jedes einzelnen auf das Verhalten des anderen das gegenseitige Zusammenwirken reguliert.

3. Die Selbstregulierung muß dann zur *Selbstreinigung* führen, wenn die Gruppe nicht mehr konstruktiv, also energie- oder leistungsverstärkend wirkt, sondern destruktiv, also energieverzehrend oder leistungsblockierend zu wirken beginnt.

Das kann daran liegen, daß der Schwächste oder Schwierigste entweder trotz allen Bemühens für die Gruppe untragbar wird oder aber sich mit seiner Rolle selbst nicht mehr zufriedengibt, sich gegen die Gruppe auflehnt und ihr Gefüge gefährdet. Je harmonischer die Gruppe in ihrer Gesamtzusammensetzung ist und je ausgewogener die Rangordnung funktioniert, desto empfindlicher wird natürlich auf solche Gleichgewichtsstörungen reagiert. Der störende Faktor muß entweder neutralisiert oder ausgeschieden werden.

Schlimmer wird es, wenn nicht nur einer aus der Reihe tanzt, sondern wenn die Uneinigkeit um sich greift, wenn ernstliche Differenzen zwischen den Angehörigen der Gruppe entstehen und dann schließlich – was leider sehr häufig der Fall ist – Cliquenbildung einsetzt, die für jede

Gruppe ebenso tödlich wirkt wie eine Krebsgeschwulst mit progressiven Metastasen in unserem Körper. Und genauso wie man den Krebs nur bei rechtzeitiger Früherkennung erfolgreich bekämpfen kann, ist nur durch ständige Wachsamkeit und einen gut funktionierenden »Regelkreis« die gefährliche Cliquenbildung zu verhindern. Alle Differenzen muß man eben schon im Entstehen ausräumen, und die allgemeine Vertrauensbasis muß immer mehr ausgebaut werden, so daß der Zusammenhang der Gruppe stärker bleibt als die divergierenden Tendenzen der einzelnen.

Aber auch der Gruppenführer kann zur Gefahr für das Weiterbestehen der Gruppe werden. Wenn er seine eigene Person zu sehr herausstellt oder in den Vordergrund rückt, dann verfällt er in die persönlichkeitsgebundene, autoritäre Führung, und es entsteht die übliche Hierarchie mit der obersten Führungsspitze und den verschiedenen Managementebenen darunter. Das aber ist keine gewachsene Gruppe, sondern ein künstliches Gebilde. Es kann höchstens als äußerer Rahmen für die verschiedenen, innerhalb seines Gehäuses sich bildenden Gruppen dienen. Meistens aber behindert es nur die erwünschte Gruppenbildung und wird daher heute von anderen Führungsmodellen abgelöst.

Niemals aber darf eine bereits bestehende lebendige Gruppe in eine schematische Hierarchie umgewandelt werden. Wenn also ein Gruppenführer mit autoritären Ambitionen das versucht, muß automatisch die Gegenreaktion der Gruppe eintreten. Entweder fügt sich der Gruppenführer dem Gruppengeist und bleibt Organ der Gruppe ohne persönliche Ansprüche und Vorrechte – wie gleich noch näher erläutert werden wird –, oder er wird in einer internen Revolution abgesetzt bzw. ausgeschieden. Dies kann natürlich auch zur Auflösung der

Gruppe führen, wenn sie sich nicht um einen neuen Gruppenführer herum neu zu bilden vermag.

Es kann auch umgekehrt der Gruppenführer zu schwach sein, um auf die Dauer den festen Bezugspunkt und starken Kristallisationspol darzustellen, den die Gruppe braucht, damit die einigende Kraft immer den auseinanderstrebenden Tendenzen gegenüber überwiegt. Dann ist der Bestand der Gruppe ebenfalls erheblich gefährdet, denn es werden sich alsbald Rivalen ergeben und Cliquen entstehen. Auch hier ist die Gruppe also nur zu retten, wenn der schwache Gruppenführer entweder freiwillig zurücktritt oder ausgeschieden wird.

C. Die Gruppe als Organismus

Sie werden es wahrscheinlich schon bemerkt haben: Eine Gruppe verhält sich wie ein *lebendiger Organismus*. Oder auch umgekehrt: Unser eigener Organismus ist das deutlichste Beispiel einer dynamischen Gruppe. Er besteht aus weitgehend selbständig funktionierenden Zellen, die sich wiederum zu selbständig funktionierenden Organen zusammenschließen. Und je besser dann alle diese Organe zusammenwirken, desto gesünder und leistungsfähiger ist der gesamte Organismus.

Das eigentliche Führungsorgan dieses Organismus, die Hypophyse, ist eine ganz unscheinbare und verborgene Drüse, die keinerlei Aufhebens von sich macht. Und sie führt auch nur durch feinste Steuerungsimpulse, die so unmerklich sind, daß deren tatsächliche Bedeutung lange unentdeckt blieb.

Je mehr man das wundervolle Zusammenspiel aller Einzelfaktoren in unserem Organismus durchschaut, desto mehr muß man sich eigentlich darüber wundern, daß Menschen, die doch alle ein solches Wunderwerk darstellen, in ihrem sozialen Organismus noch so hilflos und primitiv sind und es noch nicht vermochten, Gemeinschaftsformen zu entwickeln, die dem körperlichen Organismus auch nur annähernd gleichkommen.

Wenn wir eine Gruppe als lebendigen Organismus auffassen, verstehen wir ihre Gesetzmäßigkeit am besten. Sobald sich Menschen zu einer Gruppe zusammenschließen, verhalten sie sich genauso wie Zellen, die sich zu Organen zusammenschließen, und wie Organe, die zusammen einen Organismus bilden. Der Mensch in der Gruppe übernimmt also gewissermaßen zu seinem Eigenleben als Person noch eine Organfunktion im Leben der Gruppe. Er hört damit nicht etwa auf, er selbst zu sein. Im Gegenteil, er soll seine Individualität in der Gruppe nicht verlieren, sondern sogar noch steigern können, so daß er auch außerhalb der Gruppe stärker und sicherer wird. Aber er wird zugleich ein individuelles Organ der Gruppe, so wie ja auch jedes Organ unseres Körpers seine eigene unverwechselbare Eigenart hat.

Der Intelligenteste wird etwa zum »Gehirn« und der emotional Wirksamste zum »Herz« der Gruppe. Sie werden von allen Gruppenangehörigen in dieser Funktion anerkannt, aber auch gefordert. Der dritte wird etwa die »Lunge«, der vierte der »Magen«, der fünfte »die Leber« – bis zu den ausführenden »Gliedmaßen«.

Man kann die entstehende *Rangordnung* auch mit der *Organbildung* gleichsetzen, in der jeder den seinen Fähigkeiten und seinem Bewußtsein entsprechenden Platz im Gruppenorganismus findet. Je mehr sich jeder persönlich mit seiner Organfunktion identifiziert, desto reibungsloser kann die ganze Gruppe funktionieren und durch ihre Dynamik wiederum jeden einzelnen mit Energie aufladen. Wenn er dann als einzelner außerhalb der Gruppe keine Organfunktion mehr ausübt und nur noch sich selbst ist, wird er dennoch innerlich vom Gefühl der Gruppenzugehörigkeit getragen und vom Bewußtsein seiner Bedeutung für die Gruppe gestärkt, so daß er stets mit der Gruppe verbunden bleibt und nie mehr in eine trostlose Isolierung geraten kann.

Die naturnotwendige Spannung zwischen dem Einzelmenschen und seinen Mitmenschen wird demnach um so weniger Konflikte mit sich bringen, je mehr wir die mitmenschliche Gemeinschaft nicht bloß als anonymes Kollektiv empfinden, sondern sie in den verschiedensten Gruppen erleben, in die wir uns freiwillig einfügen und in denen wir uns persönlich engagieren können.

D. Das »Johari-Fenster«

Entstehung, Ablauf und Wirkung der Gruppendynamik kann man auch mit dem sogenannten »Johari-Fenster« (siehe folgende Seite) verdeutlichen. Dabei bedeutet:

I. Problemlos und gefahrlos, allgemein Bekanntes und Geübtes.

II. Selbsttäuschung und eigene Fehleinschätzung, derzufolge die meisten Menschen von den anderen richtiger gesehen werden, als sie sich selbst sehen.

III. Der vor den anderen sorgsam gehütete bzw. abgeschirmte Privatbereich, die sogenannte »Intimsphäre«.

IV. Die gefährliche und ständig neue, unvorhergesehene Probleme schaffende verborgene Wirkung der dunklen Tiefen des individuellen und kollektiven Unterbewußtseins (siehe das Kapitel VI/B »Fehlhaltungen«, S. 368 ff.). In den Bereichen II bis IV liegen die eigentlichen Ursa-

Dem Selbst

<table>
<tr><td></td><td>bekannt</td><td>nicht bekannt</td></tr>
<tr><td>bekannt</td><td>**I**
frei verfügbare Aktivität</td><td>**II**
unbeabsichtigter »blinder Fleck«</td></tr>
<tr><td>**Den anderen**

nicht bekannt</td><td>**III**
absichtlich Verborgenes, »Maske«</td><td>**IV**
aus dem Verborgenen wirkende Aktivität</td></tr>
</table>

chen sowohl für die Isolierung des Individuums als auch für die Funktionsstörungen des Kollektivs. Es ist die eigentliche Aufgabe der Gruppendynamik, diese Bereiche

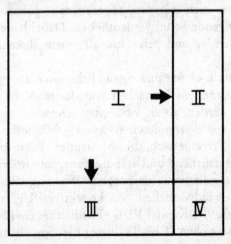

immer mehr einzuschränken, um dadurch dem Bereich I zu größtmöglicher Ausdehnung zu verhelfen und den Bereich IV möglichst klein werden zu lassen:

Dabei wird zunächst der Bereich II bereinigt, indem mit Hilfe der Gruppe die »Waage der Selbsteinschätzung« ins richtige Gleichgewicht gebracht werden kann, so daß Eigenbeurteilung und Fremdbeurteilung immer besser übereinstimmen.

Dadurch besteht zwangsläufig immer weniger Veranlassung zur Zurückhaltung oder gar absichtlichen Täuschung im Bereich III, denn wenn ich mir selbst und anderen nichts mehr vorzumachen brauche, dann kann und darf ich mich auch ganz offen und ehrlich so geben, wie ich bin.

Nur wenn diese beiden Voraussetzungen erfüllt sind, ist es überhaupt möglich, schließlich den schwierigsten Bereich IV von beiden Seiten her einzukreisen und einsehbarer zu machen, so daß die »Gefahr aus dem Dunkel« allmählich dem Licht fortschreitender Erkenntnis weichen muß.

Weil es den bereits geschilderten verheerenden Folgen von Vermassung und Isolation gegenüber nur die eine Alternative sowohl quantitativ vermehrter als auch qualitativ gesteigerter Gruppendynamik gibt, versucht man heute überall funktionierende Gruppen aufzubauen: angefangen von der als Gruppe sich fühlenden und verhaltenden intakten Familie, über die verschiedensten Spiel- und Lern-Gruppen, Interessen-, Sport- und Hobby-Gruppen im Privatleben ebenso wie die zunehmende Gliederung in sogenannte »überschaubare Gruppen« im Arbeitsprozeß, bis hin zu den heilpädagogischen und psychotherapeutischen Gruppen und dem mehr oder weniger rigorosen »Sensitivity-Training« in den sogenannten »Encounter«-Gruppen.

Auch für Sie, liebe Leser, sollten diese theoretischen Informationen nur der Anlaß dazu sein, sie schleunigst in Ihre Lebenspraxis zu übertragen. Sie können zunächst noch wesentlich bewußter und aktiver in all den Gruppen mitwirken, in denen Sie bereits stehen, dann aber noch weitere Gruppenbeziehungen eingehen, um dadurch sowohl Ihren Persönlichkeitsaufbau zu beschleunigen als auch Ihre mitmenschlichen Beziehungen noch fruchtbarer und erfreulicher zu gestalten.

V. Umgang mit feindlich gesinnten Mitmenschen

Um Ihnen für die Bewältigung Ihrer mitmenschlichen Beziehungen noch weitere Hilfen zu geben, soll nun auf ein besonders schwieriges Kapitel im Umgang miteinander eingegangen werden.

Eigentlich sollte es gar keine Feinde geben, denn wir haben es doch immer mit unseren Mitmenschen zu tun, also mit Wesen gleicher Art, und das religiöse Gebot der Feindesliebe zieht nur die logische Konsequenz aus dieser Einsicht. Trotzdem wird es in der Praxis wenige Menschen geben, denen tatsächlich eine solche Feindesliebe gelingt. Was sollen wir nun tun, um uns diesem Ideal wenigstens allmählich annähern zu können? Wir müssen uns zunächst klarmachen, wie Feindschaft überhaupt entsteht und mit welchen Arten von Feinden wir es zu tun haben.

A. Allgemeine Feinde (»Kriminelle«)

Es gibt Menschen, die gewissermaßen von vornherein Feinde aller anderen Menschen sind, weil sie sich außerhalb der allgemeinen Ordnung stellen und gegen die Gesetze des menschlichen Zusammenlebens verstoßen. Hier erhebt sich allerdings eine grundsätzliche Frage: Stellen solche »geborenen Verbrecher« anormale Entartungen der Gattung Mensch dar, die ausgemerzt werden müssen? Oder ist vielleicht sogar die ganze Gattung Mensch eine besonders gefährliche Sorte von Raubtieren, die man nur mit harter Gewalt zähmen kann? Oder aber ist jeder Mensch in seinem Wesenskern gut, gewissermaßen ein verkörperter »Gottesfunke«, und nur in seiner Erscheinungsform durch negative äußere Einflüsse mehr oder weniger schwer geschädigt? Aus dem ersten Teil wissen wir, daß man das Letztere annehmen sollte und infolgedessen niemals einen Mitmenschen als »durch und durch schlecht« bezeichnen dürfte (vgl. S. 22 f.).

Es gibt somit auch keine »geborenen Verbrecher«, sondern höchstens unglückliche Menschen, die so schwierige oder widersprüchliche Anlagen haben, daß sie auf Grund ihrer inneren Disharmonie auch den Mitmenschen gegenüber »böse« wirken müssen. Ebenso gibt es sehr viele Menschen mit sogenannten »Milieuschäden«, die durch Versagen des Elternhauses oder der Schule und durch sonstige erschwerende Lebensumstände wie Armut, Elend, Krankheit, Kriegs- und Katastrophenerlebnisse usw. verursacht wurden. Dadurch sind sie von ihrer Kindheit an so schwer belastet, daß ihre ursprünglich guten Anlagen sich fehlentwickelten und sie so schließlich auch »böse« wurden.

Andererseits stehen wir manchmal mit Staunen und Bewunderung vor dem, was ein Mensch gegen schwerste äußere Widerstände und inmitten eines höchst gefährdenden Milieus aus sich gemacht hat oder wie jemand mit äußerst schwierigen Anlagen durch konsequente Selbsterziehung dennoch eine achtunggebietende Persönlichkeit werden konnte. Das Wort Nietzsches »Was mich nicht umbringt, macht mich stärker« bewahrheitet sich gerade in solchen Fällen. Diese Erfahrungen bestätigen die Tatsache, daß ein Mensch nicht aus Anlagen und Milieu allein erklärbar ist, daß vielmehr letzten Endes immer seine einmalige und einzigartige Individualität sein Lebensschicksal bestimmt.

Allerdings wissen wir, daß die Mitmenschen den anderen Lebenspol darstellen und infolgedessen wir alle mitverantwortlich sind für alles, was geschieht – also auch für alle Verbrechen. Gleichgültig, ob wir selbst mitbetroffen oder einfach zur mitmenschlichen Verantwortung aufgerufen sind, haben wir uns daher stets die folgenden Fragen zu stellen:

1. Haben sich in dem geschehenen Verbrechen vorwiegend vererbte Anlagen ausgewirkt?

2. Haben ungünstige Umwelteinwirkungen die positive Entwicklung des Täters von vornherein verhindert?

3. Liegt die eigentliche Ursache in der augenblicklichen Umwelt bzw. im Unvermögen positiver Umweltbewältigung?

4. Welche Möglichkeiten gibt es, um den verschütteten »guten Kern« freizulegen bzw. den eigenen »Willen zum Guten« zu wecken und zu stärken?

Wenn wir grundsätzlich jedes kriminelle Verhalten als »Gemütskrankheit« betrachten, werden wir also genauso vorgehen wie bei einer körperlichen Erkrankung: zuerst eine möglichst gründliche Diagnose, d. h. Aufdeckung der verursachenden Faktoren, und dann auf Grund derselben eine möglichst wirksame Therapie, d. h. Behebung von Mängeln und Bremsen von Übersteigerungen, Beseitigung von Störungen und Korrektur von Fehlentwicklungen, vor allem aber tatkräftige Unterstützung der eigenen Heilungs- bzw. Normalisierungstendenzen.

Auf Grund der Erkenntnisse der Tiefenpsychologie und psychosomatischen Medizin wissen wir heute, daß tatsächlich jegliche Kriminalität vom einfachen Diebstahl bis zum Gewaltverbrechen und Sexualmord im Grunde durch schwerwiegende Gemütsstörungen und Fehlentwicklungen verursacht wird, so daß wir hier die Frage unserer allgemeinmenschlichen und persönlichen Mitschuld sehr sorgfältig überprüfen müssen.

Es handelt sich dabei nämlich keineswegs nur um äußere Umwelteinflüsse (an deren positiver Veränderung wir allerdings nach Kräften mitwirken sollten), sondern mindestens ebensosehr um innere Faktoren wie unsere eigenen negativen Gedanken und Gefühle, die wir uns ständig gestatten, ohne uns des ungeheuren Schadens bewußt zu werden, den wir damit anrichten können. Wir selbst sind glücklicherweise stabil genug veranlagt und gut genug erzogen worden, um über unsere Mitmenschen nur schlecht zu denken und zu reden und negative Gefühle nicht zu entsprechenden Taten werden zu lassen. Gedanken und Gefühle sind aber wirksame Kräfte, mit denen wir unsere Mitmenschen beeinflussen, auch wenn wir die Gedanken nicht aussprechen und die Gefühle nicht ausdrücken. Infolgedessen wirken die »Gedankenwellen« und »Gefühlsschwingungen« auf labilere und schlechter erzogene Mitmenschen und veranlassen diese, das dann wirklich zu tun, was wir bloß denken und fühlen.

Welch unheilvolle Rolle gerade unter diesem Gesichtspunkt die ständige negative Beeinflussung durch Western, Krimi, Porno, Horror usw. spielt, darüber sind sich leider die wenigsten Menschen klar, sonst wären diese Keimzellen des Verbrechens längst ebenso abgeschafft wie das Faustrecht und die Blutrache oder die öffentlichen Folterungen und Hinrichtungen des Mittelalters!

Und wenn man angesichts dieser massiven Anreize zum Verbrechen auf der anderen Seite eine Verschärfung des Strafvollzuges als Mittel der Abschreckung fordert oder sich gar von Gefühlen der Rache und Vergeltung dabei leiten läßt, so ist das doch geradezu absurd!

Vielmehr sollten wir im Bewußtsein unserer gemeinsamen Mitverantwortung an jedem geschehenen Verbrechen endlich einsehen, daß wir den Strafvollzug überhaupt nur verantworten können, wenn dieser der Besserung dient und die Normalisierung bzw. die Resozialisierung zum Ziel hat. Wenn also wirklich alle heute zur Verfügung stehenden medizinischen, psychologischen und heilpädagogischen Mittel dafür eingesetzt werden und wenn vor allem nach Verbüßung der Strafe nicht nur eine volle Rehabilitierung erfolgt, sondern auch eine ausreichende Start- und Weiterhilfe geboten wird.

B. Persönliche Feinde (Wesens- und Interessengegensätze)

Wenn wir persönliche Feinde haben, berufen wir uns meistens auf das Sprichwort: »Es kann der Frömmste nicht in Frieden leben, wenn es dem bösen Nachbarn nicht gefällt.« Allerdings berufen sich unsere Feinde auf dasselbe Sprichwort, nur mit umgekehrtem Vorzeichen. Offenbar entsteht Feindschaft also gerade dadurch, daß jeder sich selbst für den »Frömmsten« und den anderen für den »bösen Nachbarn« hält. Demnach würde Feindschaft sofort aufhören, wenn wir einmal umgekehrt bereit wären, die Fehler bei uns selbst zu suchen und das Gute bei dem anderen zu entdecken.

Wann immer wir es also mit persönlichen Feinden zu tun haben, müssen wir zuallererst fragen, was an unserem eigenen Verhalten noch zu ändern ist, ehe wir eine Änderung im Verhalten der anderen erwarten dürfen.

So wie das Geheimnis der Schnelligkeit in der Überwindung des Luftwiderstandes durch Schaffung immer strömungsgünstigerer und reibungsfreierer Körper liegt, so liegt das Geheimnis der Friedfertigkeit darin, selbst immer weniger Anstoß zu erregen und immer weniger Angriffsflächen zu bieten, sich immer reibungsloser durchzusetzen und immer besser an die Umgebung anzupassen.

Erst wenn wir unsere eigenen »Ecken und Kanten« sorgfältig abgeschliffen haben und so zu einer ausgeglichenen, abgerundeten Persönlichkeit geworden sind, können wir von anderen erwarten, daß sie bei sich selbst das gleiche tun. Und erst wenn wir alle auf diese Weise gleichsam zu »glatten Kugeln« geworden sind, die auch bei heftigstem Zusammenstoß aneinander abgleiten, anstatt sich zu zerstören, dann wird es auch bei uns kein feindseliges Aufeinanderprallen oder Sich-ineinander-Festbeißen mehr geben.

Wie aber können wir das fertigbringen? Nun, wir dürfen die tröstliche Gewißheit haben, daß jedes ehrliche Bemühen um Wahrhaftigkeit uns selbst gegenüber sich auf die anderen auswirkt. So konnte schon manche Feindschaft dadurch aus der Welt geschafft werden, daß einer der Beteiligten – vielleicht in einer schlaflosen Nachtstunde – in sich selbst zur Klarheit kam und sich zu objektiver Wahrhaftigkeit dem anderen gegenüber durchrang.

Sicherlich haben auch Sie schon etwas Ähnliches erlebt: Sie hatten etwa Angst vor einer unumgänglichen Auseinandersetzung, weil Ihnen die Starrköpfigkeit und Unnachgiebigkeit Ihres Feindes vom letzenmal her noch deutlich genug in Erinnerung war. Deswegen bereiteten Sie sich innerlich besonders sorgsam auf die kommende Auseinandersetzung vor. Sie sagten Ihrem Feind all das im stillen, was Sie ihm laut nicht sagen wollten oder durften. Sie überprüften aber auch nochmals all das, was er Ihnen schon gesagt hatte, und Sie zogen auch das in Betracht, was er wohl künftig noch an Ihnen auszusetzen haben würde.

Durch diese sorgfältige innere Beschäftigung mit dem Wesen und dem Standpunkt Ihres Feindes wohl vorbereitet, sahen Sie dann schließlich ruhig und gefaßt der Begegnung entgegen. Und dann erlebten Sie voller Staunen, daß der andere diesmal wider Erwarten auch seinerseits viel weniger hart und stur war, sich viel offener und versöhnungsbereiter zeigte. Natürlich wurde durch die geschilderte innere Vorbereitung auch Ihre äußere Haltung günstig beeinflußt, so daß Sie selbst viel weniger feindselig erschienen.

Darüber hinaus hat aber auch sicherlich eine direkte innere Einwirkung stattgefunden, denn Sie wissen ja, daß allein schon feindselige Gedanken oder gar Haßgefühle beim anderen eine Verschärfung und Verhärtung seiner Haltung bewirken. Umgekehrt schafft schon das rein innerliche Bemühen um Güte und Nachgiebigkeit automatisch eine freundlichere und verständigungsbereitere Atmosphäre.

Noch wichtiger als das, was wir miteinander reden, ist also das, was wir voneinander denken und füreinander fühlen.
So ist der Verlauf jeder äußeren Begegnung durch die innere Vorbereitung bereits im wesentlichen bestimmt. Natürlich kommt es aber auch auf die innere Verfassung an, in der eine solche Begegnung stattfindet. Übermüdung, Arbeitsüberlastung, überhaupt jeder Zustand, in dem man leicht aus dem Gleichgewicht gerät, ist dafür ausgesprochen ungünstig. Denn je ruhiger und ausgeglichener wir sind, desto gelassener können wir reagieren, und desto weniger werden wir unsere Selbstbeherrschung verlieren.

Dabei darf man diese innere Ruhe nicht mit dem äußeren Temperament verwechseln, denn man kann zum Beispiel als Phlegmatiker äußerlich nicht aus der Ruhe zu bringen sein und trotzdem innerlich »kochen« oder alles »in sich hineinfressen«. Und man kann umgekehrt als Choleriker nach außen hin höchst lebhaft reagieren und dabei doch innerlich vollkommen ruhig bleiben. Doch selbst wenn wir eine Begegnung mit aller nur möglichen Sorgfalt vorbereitet haben, kann es natürlich immer noch vorkommen, daß wir bereits mit dem ersten Wort einen sogenannten neuralgischen Punkt im anderen berührt haben und er »wie von der Tarantel gestochen in die Luft geht«. Wenn es uns dann trotzdem gelingt, nicht ebenfalls aggressiv zu werden, sondern ruhig und gelassen zu bleiben, kann die Aufregung nicht lange anhalten. Ja, der unvorhergesehene Ausbruch kann sogar ein wichtiger Fingerzeig für uns sein, wo die eigentliche Ursache des Konflikts zu suchen ist. Gelingt es uns dann, an dieser Stelle vorsichtig weiter vorzudringen, kommen wir möglicherweise an die bisher verborgen gebliebenen Wurzeln der ganzen Feindschaft, so daß diese nun nicht mehr weiterzubestehen braucht, weil ihre Ursachen geklärt und beseitigt werden können.

Das ist natürlich der günstigste Fall. Im allgemeinen werden wir erst allmählich durch unsere gleichbleibende Gelassenheit und Verständigungsbereitschaft allen feindseligen Angriffen gegenüber eine Vertrauensbrücke schlagen können. Der feindselig eingestellte Mensch ist ja besonders mißtrauisch und vermutet zunächst nur eine ganz raffinierte Falle hinter einem neutralen Verhalten, das nicht einfach Gleiches mit Gleichem vergilt. Wir dürfen uns durch keinerlei Rückschläge entmutigen lassen und müssen unsere Verständigungsbereitschaft unbeirrbar durchhalten. Nur dann werden wir nicht nur selbst unüberwindlich, sondern werden auch langsam, aber sicher jeden Widerstand gewaltlos überwinden können.

Selbstverständlich ist mit dieser Haltung einer inneren Gewaltlosigkeit nicht eine verantwortungslose, jede Entscheidung scheuende Gleichgültigkeit gemeint. Und noch weniger darf es sich um eine schwächliche Feigheit handeln, die den ethischen Wert der Gewaltlosigkeit nur vortäuscht, um ihre Erbärmlichkeit dahinter zu verstecken. Man muß sich im Gegenteil besonders stark und sicher fühlen und über einen unbeugsamen Willen verfügen, um diese Methode erfolgreich anwenden zu können. Sicherlich haben Sie auch schon beobachtet, daß bei den Hunden nur die kleinen Köter jeden Vorübergehenden ankläffen oder ihm gar an die Beine fahren, während ein großer, starker Hund das für weit unter seiner Würde hält und höchstens einmal kurz knurrt, wenn wir ihm zu nahe kommen. Genauso ist es bei den Menschen: Je kraftvoller, in sich gefestigter und energischer eine Persönlichkeit ist, mit um so größerer Ruhe und souveränerer Überlegenheit wird sie sich in notwendigen Auseinandersetzungen verhalten.

Immer wenn wir meinen, uns wehren zu müssen, sollten wir darauf achten, daß die Abwehr wirklich eine bewußtseinsgesteuerte Aktion und nicht nur eine unterbewußte Primitivreaktion ist oder gar zum willkommenen Anlaß einer eigenen emotionalen Aggression wird. Wir müssen uns ganz bewußt auf ein Minimum von Abwehr beschränken, das gerade noch den Angriff abwehrt und keine neuen Angriffe provoziert.

Noch besser ist es natürlich, wenn wir die feindselige Absicht so früh erkennen, daß wir dem Angriff zuvorkommen können, indem wir dessen Ursachen beseitigen. Das sind häufig aufgestaute Aggressionen, wenn man etwas verdrängt hat oder immer hinunterschlucken mußte. Das kommt dann bei irgendeiner Gelegenheit wieder heraus und führt oft zu Gemütskatastrophen, die durchaus mit der Katastrophe zu vergleichen ist, wenn ein Staudamm bricht. Der plötzliche Ausbruch kann sich an irgendeiner Winzigkeit entladen. Man sagt dann auch: Das ist der Funke, der das Pulverfaß entzündete, oder der Tropfen, der das Faß zum Überlaufen gebracht hat.

Deswegen sollte man es gar nicht erst zum Aufstauen kommen lassen, sondern schon die geringste aufkommende Unstimmigkeit möglichst sofort bereinigen. Wenn man das unterläßt, dann schwelt die Glut unter der Decke weiter, wie man sagt. Solche Brandherde muß man natürlich rechtzeitig erkennen, ehe sie durchbrechen und dann alles in hellen Flammen steht.

Für dieses rechtzeitige Erkennen gibt es ein probates Mittel: *möglichst oft und offen miteinander reden!* Wo immer Menschen zusammen leben oder arbeiten, müssen ständige Einrichtungen geschaffen werden, die dies gewährleisten. Nur so kann man rasch und gründlich jeden Anlaß ausräumen, der zu einer schwerwiegenden Störung mitmenschlicher Beziehungen oder zur persönlichen Feindschaft führen könnte. Vorbeugen ist eben auch hier besser als heilen.

C. Gegner in Feindschaft erzeugenden Situationen (»Sachzwänge«)

Selbst wenn wir im persönlichen Umgang schon ganz gut miteinander auskommen, so geraten wir doch immer wieder in besonders schwierige Situationen, in denen unsere Friedfertigkeit auf eine harte Probe gestellt wird. Ähnlich wie wir vorhin beim einzelnen von »neuralgischen Punkten« sprachen, auf die er besonders empfindlich reagiert, selbst wenn man ganz unbeabsichtigt daran rührt, so gibt es auch im allgemeinen Zusammenleben der Menschen gewisse »neuralgische Situationen«. Diese gehen jedem Menschen mehr oder weniger »an die Nieren« und treiben selbst den Friedlichsten schließlich »auf die Palme«. Versuchen Sie einmal, die Gefühle der folgenden Menschen nachzuempfinden: die eilige Hausfrau, die möglichst rasch wieder zu ihren kleinen Kindern nach Hause muß, vor dem Postschalter – und dahinter der Postbeamte, der gerade eine Liste mit Einzahlungen zusammenrechnet und sich verrechnet hat, so daß er noch mal von vorne anfangen muß, ehe er die ungeduldig Wartende abfertigen kann.

Der jugendliche Radfahrer, der sich auf der Fahrt zur Arbeit verspätet hat und noch bei »Gelb« über die Kreuzung fahren will – und der wachsame Verkehrspolizist, der ihn erwischt hat und ihn nicht nur umständlich aufschreibt, sondern auch noch das ganze Rad gründlichst untersucht, weil er »diesen jungen Verkehrsrowdies« einen unerbittlichen Kampf angesagt hat.

Der Hausbesitzer, der über die Unachtsamkeit und Rücksichtslosigkeit aufgebracht ist, mit der die Mieter fremdes Eigentum behandeln – und der Mieter, der sich über die »unverschämten Forderungen« und die »böswilligen Schikanen« ärgert, denn so faßt er die Maßnahmen des Hausbesitzers auf.

Der Unternehmer, der das volle Risiko und die ganze Verantwortung für seinen Betrieb trägt und infolgedessen auch eine ungeschmälerte Entscheidungsfreiheit für sich beansprucht – und der Betriebsratsvorsitzende, dem die Verantwortung für die menschlichen Belange der ganzen Belegschaft auferlegt ist und von dem ein entsprechender persönlicher Einsatz erwartet wird, der also ein angemessenes Mitspracherecht fordert.

Der Buchprüfer des Finanzamtes oder gar der Beamte der Steuerfahndung, die ja nur ihre Pflicht tun – und der bedrängte Staatsbürger, der das notwendige Übel des Steuerzahlens verständlicherweise möglichst gering halten möchte.

Dies ist nur eine kleine Sammlung von Situationen, die

aus Mitmenschen fast zwangsläufig Feinde machen. Jeder Leser wird die Reihe der Beispiele noch durch eigene ähnliche Erfahrungen erweitern können. Hätten die in solchen Situationen verstrickten Menschen sich bei einem Glas Bier, im Kino, bei einer Ferientour oder Party kennengelernt, so hätten sie sich ohne weiteres vertragen oder wären sich vielleicht sogar besonders sympathisch gewesen. Jedenfalls hätte es keinerlei schwerwiegende Konflikte gegeben, weil eben kein Anlaß dazu vorhanden war.

Solange nicht jeder auf seiner eigenen Insel lebt, wo wir uns nur sonntags besuchen, sind wir im Zusammenleben immer wieder solchen »neuralgischen Situationen« ausgesetzt und müssen sie zu meistern lernen. Wir müssen in diesen für die menschlichen Beziehungen besonders gefährlichen Situationen erst recht ruhiges Blut bewahren und in verstärktem Maße Selbstbeherrschung üben, damit wir uns nicht zu Unbesonnenheiten hinreißen lassen.

Dies wird uns gelingen, wenn wir uns immer wieder klarmachen, daß es ja nicht der andere Mensch ist, der uns bedroht, sondern daß nur die jeweilige Situation uns beiden Schwierigkeiten bereitet. Es wäre eigentlich am klügsten, sich gegen den gemeinsamen Feind, nämlich die bedrängende Sachlage, freundschaftlich zu verbünden und so gemeinsam Herr der Situation zu werden – anstatt sich gegenseitig zu bekämpfen und dadurch die Sache auf jeden Fall zu verschlimmern.

Es gilt also, stets den Menschen von der Sache zu unterscheiden, d. h. niemals dem Träger einer gegen uns gerichteten Amtshandlung, dem Ausübenden einer uns unangenehmen Funktion, dem Sachverwalter einer von uns angegriffenen Institution usw. das persönlich anzulasten, was sachlich zwischen uns steht. Gewiß gehört dies zum Schwersten, was an Objektivität und Selbstbeherrschung aufzubringen ist – doch ist nur um diesen Preis die Meisterung der Situation zu erlangen.

Nur wenn ich dem anderen zugestehe, daß er persönlich gar nichts gegen mich hat, ja, daß ihm meine Lage vielleicht sogar leid tut und ihm bei seinem Vorgehen keineswegs wohl ist – nur dann kann ich eine menschliche Verständigungsbasis mit ihm finden und ihn zu einem menschlichen Verhalten veranlassen, das schließlich auch der Sache zugute kommen wird. Je mehr ich mich aber in meinem Widerstand verhärte – und wenn er auch noch so berechtigt und verständlich sein mag –, desto mehr schade ich mir selbst, denn dadurch wird auch der andere dazu getrieben, nur noch unnachgiebiger auf seinem Recht oder seiner Pflicht zu beharren. Und schon ist aus dem sachlichen Gegensatz eine persönliche Feindschaft geworden.

Bringe ich es dagegen fertig, bei allem Eintreten für meine eigenen Interessen auch die Lage des anderen zu würdigen und ihn spüren zu lassen, daß ich ihn als Mensch verstehe und achte, selbst wenn wir uns im Sachlichen auf entgegengesetzten Fronten befinden, dann kann keine Feindschaft entstehen. Es wird dann auch eher möglich sein, sogar in der strittigen Sache schließlich noch eine für beide Seiten annehmbare Lösung zu finden, die meinen Interessen weitgehend entgegenkommt, ohne die Rechte und Pflichten des anderen zu beeinträchtigen.

Das beste Mittel, um solche Konfliktsituationen zu »entgiften«, ist natürlich die persönliche Begegnung bei unverfänglichen Gelegenheiten, sozusagen auf neutralem Boden. Deswegen gehört es zum Beispiel zu jeder fortschrittlichen Betriebsorganisation, ein solches Gegengewicht zu den unvermeidlichen menschlichen Spannungen und Schwierigkeiten im Arbeitsprozeß zu schaffen: von der Kegelbahn und den verschiedensten Hobbygruppen bis zum Betriebsausflug und Tag der offenen Tür. Vor allem aber wird jeder Anlaß zum Feiern genützt, denn beim fröhlichen, unbeschwerten Zusammensein in gelöster Atmosphäre können vorhandene Spannungen abgebaut werden und kann man sich unbelastet von Funktion und Situation rein menschlich näherkommen. Dadurch können vielleicht sogar freundschaftliche Beziehungen geknüpft werden, die allen Belastungen der betrieblichen Konfliktsituation standhalten.

Aber auch in allen anderen menschlichen Spannungsfeldern ist die Neutralisierung durch persönliche Begegnung in unbelasteter Atmosphäre das probateste Mittel. Sogar im Finanzamt! Da gab es vor einiger Zeit einen netten Fernsehfilm: Der Portier eines Finanzamtes verschaffte sich einen guten Nebenverdienst, indem er über die persönlichen Interessen und Hobbys jedes einzelnen Finanzbeamten genau Bescheid wußte. Alle Besucher bekamen dann von ihm für ein Trinkgeld die entsprechenden Tips, was sie bei der Verhandlung mit dem betreffenden Beamten »ganz zufällig« ins Gespräch bringen konnten, um ihn freundlicher zu stimmen. Und der Trick klappte tatsächlich zur allgemeinen Zufriedenheit, bis die Sache durch irgendeinen »blöden Zufall« herauskam. Daraufhin wurde der clevere Portier entlassen, obwohl er doch eigentlich gar nichts Unrechtes getan, sondern nur zur reibungsloseren Abwicklung des Dienstbetriebes beigetragen hatte!

Wir merken uns jedenfalls: Um Feindschaft erzeugende Situationen zu meistern, muß man immer Person und Situation sorgsam trennen. Entweder muß man in der Situation die Person ausklammern, oder man muß umgekehrt sich mit der Person so arrangieren, daß man die Situation ausklammern kann.

D. Aus Feinden können Freunde werden

Abschließend und zusammenfassend müssen wir bei ganz objektiver, leidenschaftsloser und ehrlicher Betrachtung zugeben, daß unsere Feinde eigentlich unsere besten Freunde sind: Sie zwingen uns zu verstärkter Wachsamkeit und vermehrter Anstrengung, zu ständiger Selbstprüfung und Selbstvervollkommnung. Sie entdecken mit scharfem Blick die geringsten Unvollkommenheiten und Schwächen, deren wir uns selbst gar nicht bewußt waren und die wir daher auch noch nicht ablegen bzw. wandeln konnten. So veranlassen uns unsere Feinde zum unablässigen Bemühen, unser Bestes zu leisten, niemals nachzulassen, uns fortschreitend weiterzuentwickeln und alle unsere Reserven einzusetzen, um den Feinden gewachsen zu sein und zu bleiben. Und damit tun sie uns wirklich den besten Dienst, so daß wir ihnen im Grunde als unseren zwar strengsten, aber auch nachhaltigsten Erziehern besonders dankbar sein müßten.

Unser Ziel sollte allerdings sein, all das, wozu wir durch unsere Feinde gezwungen werden, schließlich aus eigener Selbstmotivation fertigzubringen, so daß wir dieses Zwanges nicht mehr bedürfen. Wenn wir dann den ernstlichen Willen haben, alle Ursachen zur Feindschaft immer zuerst bei uns selbst zu beheben, wenn wir uns wirklich um Toleranz in der vorhin beschriebenen Stufenfolge bemühen und immer mehr Geduld und Nachsicht untereinander üben – dann müßten wir es eigentlich so weit bringen können, auch unsere Feinde schließlich zu unseren Freunden zu machen.

VI. Umgang mit Leidenden und Notleidenden

A. Warmes Herz und kühler Kopf

Wenn wir einem psychophysischen Leiden oder wirtschaftlichen Notstand gegenüberstehen, so sollte es selbstverständlich sein, daß wir zunächst einmal das uns Mögliche versuchen, um diesem Zustand abzuhelfen. Wir werden dem Kranken also die entsprechende ärztliche und pflegerische Versorgung verschaffen und dem wirtschaftlich in Not Geratenen bei der Sanierung seiner Verhältnisse beistehen. Dem im Gemüt Bedrückten werden wir mindestens ein helfendes, stützendes und aufrichtendes menschliches Verständnis entgegenbringen.

Allerdings sollte jeder, der in irgendeine Schwierigkeit geraten ist, zunächst aus eigener Initiative die Überwindung des Übelstandes versuchen. Das gilt auch für den aktiven Gesundungswillen als wichtigstem Heilfaktor. Aber wir haben wohl alle schon selbst in mehr oder minder starkem Ausmaße erlebt, daß es Zeiten gibt, in denen wir nicht nur physisch, sondern auch psychisch so erschöpft oder gehemmt sind, daß wir es beim besten Willen nicht mehr fertigbringen, aus eigener Aktivität heraus das jeweils Notwendige zu unternehmen. Wenn dann ein anderer Mensch diese innere Lähmung erkennt und hilfreich eingreift, indem er uns einen rettenden Ausweg zeigt oder uns wieder Lebensmut und neue Kraft einflößt, so kann er uns damit über den sogenannten »toten Punkt« hinweghelfen.

Bei allen helfenden Eingriffen in den Lebensbereich eines

Menschen sollte aber stets besonders darauf geachtet werden, daß sie immer nur eine vorübergehende Hilfestellung bleiben. Es muß also immer von vornherein darauf hingearbeitet werden, daß der hilfsbedürftige Mensch sobald wie möglich wieder auf seinen eigenen Beinen stehen lernt, denn dauerndes Almosen entwürdigt den Menschen, und ständiges Stützen macht ihn unselbständig.

Neben den akut auftretenden Notlagen, die durch die richtigen Hilfsmaßnahmen über kurz oder lang behoben werden können, gibt es auch die chronischen Fälle, die sehr viel schwerer wiegen und auf die jeder, der in der ständigen Umgebung solcher Menschen lebt, sich ganz besonders einstellen muß. Es wird dabei in hohem Maße auch darauf ankommen, welche Einstellung der Notleidende oder Leidende selbst zu seinem Schicksal hat, wie belastend er auf seine Umgebung wirkt.

So kann zum Beispiel ein körperlich schwer Kranker, der sich zur ruhigen Ergebung in sein Leiden durchgerungen hat und der es vielleicht sogar mit der inneren Heiterkeit eines Menschen trägt, der die Welt hinter sich gelassen hat, geradezu eine Quelle der Kraft und des Trostes für seine ganze Umgebung werden. Er wird dann vielleicht auf diese Weise seinen Mitmenschen sogar mehr geben, als er von ihnen an Pflege und Betreuung annehmen muß. Die Ausstrahlung eines solchen Menschen kann so stark werden, daß sie alles sentimentale Mitleid im Keime erstickt und statt dessen ehrfürchtige Bewunderung und Hochachtung vor einer solchen Seelengröße weckt.

Der Regelfall wird allerdings sein, daß Leidende und Notleidende von uns umsorgt und gepflegt, gestützt und getragen werden möchten. An sich ist es auch durchaus richtig, daß der jeweils Stärkere und Gesündere dem gerade Schwächeren und Kränkeren Beistand leistet. Doch ob die Hilfeleistung sich dann günstig oder ungünstig für den Hilfsbedürftigen auswirkt, das hängt wesentlich von der richtigen Haltung des Helfenden ab. Und da es zu den häufigsten mitmenschlichen Beziehungen gehört, entweder zu helfen oder Hilfe zu bekommen, müssen wir uns doch einmal darüber Rechenschaft ablegen, welche Haltung dabei angebracht ist.

Wenn uns ein leidender Mensch begegnet, so wird die natürliche Reaktion wahrscheinlich Mitleid sein. Unser Herz wird von dem Leid des anderen bewegt und mit ihm leiden. Doch ist dieses natürliche Mitleid keineswegs etwas Positives und Unbedenkliches, sondern oft sogar sehr problematisch. Denn viele Menschen sind nicht imstande, bei aller warmen Anteilnahme ihres Herzens dennoch einen kühlen Kopf zu bewahren. Insbesondere stark gefühlsbetonten Menschen passiert es häufig, daß sie sich allzusehr in das Leiden anderer mit hineinreißen lassen. Sie werden davon oft so stark ergriffen, ja völlig überwältigt, daß sie selbst dadurch den Kopf verlieren und vor lauter Jammer zu keiner vernünftigen Überlegung und Handlung mehr fähig sind und deswegen auch keine wirksame Hilfe leisten können.

Wer selber in den Sumpf gerät, in dem ein Mitmensch zu versinken droht, wird nicht nur ihm keine Hilfe mehr bringen können, sondern es werden beide versinken. Nur der innerlich starke, in seiner Kernsubstanz unerschütterlich ruhende Mensch, der von diesem festen Grunde aus dem Mitmenschen begegnet, wird die Kraft aufbringen, ebenso verstehend und mitfühlend wie völlig unsentimental und nüchtern die jeweils nötige Hilfe zu erkennen und zu erbringen.

Gerade das sachliche Beurteilenkönnen der Notlage eines anderen ist deswegen so wichtig, weil der Leidende oder Notleidende selbst meist nicht mehr imstande ist, seinen Zustand in der richtigen Perspektive zu sehen. Schon bei körperlichen Schmerzen überschätzt man oft die Schwere der Krankheit, während man bei fehlenden Schmerzen sich allzuleicht über den Ernst der Lage hinwegtäuscht. Da die Wachheit und Klarheit unseres Bewußtseins weitgehend von der Verfassung unseres Gehirns abhängt, diese aber wiederum durch den normalen oder anormalen Zustand unseres Blutes bedingt wird, ist unser Wirklichkeitssinn und logisches Denkvermögen schon bei der Überhitzung des Blutes beim Fieber mehr oder weniger gestört. Wir können dann scheinbar hellwach und quicklebendig sein, aber der gesunde nüchterne Beobachter wird feststellen, daß wir in Wirklichkeit überspannt und überreizt, eben von fiebriger Unruhe erfüllt sind und daß daher unsere Reaktionen nicht mehr ganz der Realität entsprechen. Bei hohem Fieber gerät man bekanntlich sogar in völlig irreale Fieberphantasien. In gewissem Sinne aber ist nicht nur der Fieberkranke oder von körperlichen Schmerzen Geplagte, sondern jeder in eine schwierige Situation Verstrickte – also auch der wirtschaftlich Notleidende oder psychisch Bedrückte – in der Gefahr, die Wirklichkeit zu verkennen. Er kann die Dinge nicht mehr realistisch sehen, sondern wird sie je nach seiner Lage und Verfassung über- oder unterbewerten.

Darum ist es so wichtig, daß der wahrhaft anteilnehmende und hilfswillige Mitmensch seinerseits um so klarer sieht. Denn nur so kann er dem Leidenden gewissermaßen seine eigene objektivere Sicht zur Verfügung stellen und dadurch zur notwendigen Korrektur der allzu subjektiven Sicht des Leidenden beitragen.

Das mag diesem allerdings zunächst hart, ja grausam erscheinen, denn meistens will er überhaupt nicht aufgeklärt und schon gar nicht auf sein eigenes Mitverschulden aufmerksam gemacht werden. Er will vielmehr nur bemitleidet werden in dem Sinne, daß man in seine Klagen und Anklagen, Selbsttäuschungen und Verkennungen der Wirklichkeit widerspruchslos mit einstimmt.

Viele Leidende und Notleidende sind daher sehr enttäuscht, wenn man ihnen mit ruhiger Sachlichkeit und nüchterner Beurteilung der Situation begegnet. Sie beklagen sich dann oft sogar über »Kälte« und »Lieblosigkeit«, anstatt einzusehen, daß nur auf diese Weise wirksam geholfen werden kann. Zwar ist es durchaus verständlich, daß der Leidende als eine Art Ausgleich für das, was er durchmachen muß, den gewissen Nimbus des gefühlvollen Bemitleidetwerdens nicht entbehren möchte. Wenn man jedoch diesem Bedürfnis nachgibt, versäumt man wahrscheinlich die richtigen Maßnahmen wirksamer Abhilfe. Denn diese können den Wünschen und Vorstellungen des Leidenden oder Notleidenden geradezu entgegengesetzt sein: Nicht nur bei den meisten Krankheiten, sondern auch in jeder Notlage ist die bitterste Medizin oft auch die wirksamste! Darum sollten wir uns bei jeder Hilfeleistung stets von dem Grundsatz leiten lassen: *warmes Herz und kühler Kopf.*

B. Fehlhaltungen

Ebenso verkehrt wie das untätige Mitleid ist das entgegengesetzte Extrem herzloser Gleichgültigkeit. Gerade in unserer Wohlstandsgesellschaft versuchen heute viele Menschen, Not und Leid ihrer Mitmenschen einfach zu verniedlichen oder ganz zu übersehen, weil sie meinen, so dem Problem des Leides auf der Erde ausweichen zu können. Sie haben Angst, die Leiden anderer könnten ihnen selbst zu sehr »an die Nerven« gehen, und deswegen versuchen sie, sich und den anderen vorzumachen, es sei ja alles gar nicht so schlimm.

Mit einem solchen leichtfertigen Abtun des Unangenehmen werden aber die Leiden nicht verkleinert oder gebessert, sondern im Gegenteil vergrößert und erschwert. Denn auf diese Weise läßt man den Mitmenschen innerlich und äußerlich allein mit seiner Not und wendet sich von ihm ab in dem egoistischen Streben, selbst von der Not möglichst wenig behelligt zu werden. Dies ist natürlich ein gewaltiger Irrtum, denn wer so zur Vermehrung von Leid und Not beiträgt, wird um so rascher selbst davon erfaßt werden.

In die erste Fehlhaltung des allzu gefühlvollen Mitleids und der untätigen Weichheit dem Leidenden gegenüber verfallen oft gerade die Menschen, die bisher selbst wenig von Not und Leid verspürt haben und nun plötzlich vor diese für sie überwältigende Erfahrung gestellt werden. Die zweite Fehlhaltung des hartherzigen Sichabwendens und leichtfertigen Übersehens ist dagegen typisch für jene krassen Egoisten, die überhaupt keinen anderen Lebenszweck mehr kennen, als es sich selbst auf Kosten anderer möglichst gut gehen zu lassen, möglichst viel zu besitzen und möglichst ausgiebig zu genießen.

Doch es gibt noch eine dritte Fehlhaltung, die vor allem bei solchen Menschen vorkommt, die auf Grund ihres Berufs besonders viel mit Leid und Not zu tun haben. Sie sind in der Gefahr, die Überforderung ihres Gemüts durch das Übermaß an Leid und Not, das sie zwangsläufig miterleben müssen, mittels einer übersteigerten Abwehr-Reaktion loswerden zu wollen. Diese »Notwehr« kann sich in zweierlei Weisen äußern:

1. Unbeabsichtigte *Abstumpfung* gegen das Leiden. Das bedeutet ein gewaltsames Verdrängen des täglich Miterlebten, so daß es zwar aus dem rationalen Bewußtsein

entschwunden ist, in der Tiefe des Unterbewußtseins aber um so störender weiterlebt. Dadurch wird sowohl das eigene Gleichgewicht im Gemüt gestört und oft sogar die körperliche Gesundheit schwer gefährdet als vor allem auch die helfende Beziehung zu den anvertrauten Menschen praktisch unmöglich gemacht.

2. Absichtliche *Verhärtung* gegen das Beeindrucktwerden vom Leiden. Durch mitleidlose Schärfe und hartherzige Kälte versucht man, die eigene Gemütsruhe und Gesundheit zu bewahren, ohne zu bedenken, daß man in einer solchen Haltung zwar Teilsymptome kurieren oder Almosen geben kann, niemals aber zu einer echten Hilfeleistung fähig ist. Denn diese bezieht sich stets auf den ganzen Menschen und erfordert darum auch immer einen ganzen Einsatz. Dieser totale Einsatz des Helfenden bedarf allerdings der ebenso uneingeschränkten Bereitschaft des Hilfsbedürftigen, sich wirklich helfen zu lassen, das heißt auch seinerseits alles dazu Erforderliche zu tun. Wirksame Hilfeleistung ist nur möglich durch Wahrhaftigkeit und Offenheit auf beiden Seiten: durch klares Erkennen der Ursachen, Zusammenhänge und Folgen der jeweiligen Situation seitens des Helfenden – durch den ernstlichen Willen seitens des Hilfsbedürftigen, alle notwendigen Schritte zur Änderung der Situation zu unternehmen, selbst wenn sie mühselig und unangenehm sein sollten.

Das Verkleinern einer Notlage ist genauso von Übel wie das Vergrößern, weil beides die Hilfsbereitschaft lähmt und keine richtige Hilfeleistung zustande kommen läßt. Das Verkleinern entsteht oft – wie schon erwähnt wurde – aus einer eigenen uneingestandenen Angst vor dem Leid, das man selbst am liebsten umgehen möchte und deswegen auch beim anderen nicht gerne sieht – oder einfach aus Gedankenlosigkeit und Bequemlichkeit. Das

Vergrößern hängt mit dem weitverbreiteten Hang der Menschen zur Übertreibung zusammen und entspricht oft der Sensationslüsternheit innerlich unausgefüllter Menschen, deren Herzensträgheit nach solchen starken Nervenreizen verlangt.

C. Der Sinn von Leid und Not

Aus dem bisher Gesagten geht hervor, daß jeder, der mit dem Leiden seiner Mitmenschen in irgendeiner Form zu tun hat – und das wird wohl auf die Dauer niemandem erspart bleiben –, vor allen Dingen einmal in sich selbst eine klare und tragfähige Einstellung zu dem schweren Problem des Leides finden muß.

Es ist hier natürlich unmöglich, dieses Menschheitsproblem auch nur annähernd erschöpfend zu behandeln. Es ist aber andererseits auch nicht möglich, es in einer Betrachtung über mitmenschliche Beziehungen einfach zu ignorieren, weil wir dem Leiden in irgendeiner Form auf Schritt und Tritt begegnen: Wie oft stehen wir vor unbegreiflichen Geschehnissen, plötzlichen Todesfällen Nahestehender, Naturkatastrophen, die Tausende hinwegraffen, schwerem Siechtum junger hoffnungsvoller Menschen, Unfällen, die kerngesunde Leute in einem Augenblick zu Krüppeln machen, usw. Noch schlimmer ist all das Leid, das wir Menschen uns gegenseitig im großen und kleinen zufügen, obwohl wir doch eigentlich das Gegenteil tun sollten. Offenbar gehört das Leid einfach zum Leben der Erdenmenschen, so daß ihm keiner von uns ganz entgehen kann. Was aber so sehr zu uns gehört, das sollten wir nicht nur möglichst genau kennenlernen, sondern es uns sogar vertraut machen und bewußt in unser Leben einbeziehen. Wenn wir das konsequent versuchen, dann werden wir bald erfahren – wenn auch vielleicht zunächst nur ahnen –, daß jedes Leid seinen ganz bestimmten Sinn hat. So manche Krankheit, die uns mitten aus der Arbeit riß, oder manche vereitelte Hoffnung und mancher Verlust erschienen uns zuerst als schreckliches Unglück. Früher oder später merkten wir dann aber, daß das scheinbare Unglück in Wirklichkeit ein großes Glück war bzw. gerade durch das anfängliche Unglück der Keim für späteres Glück gelegt wurde. So konnte zum Beispiel in der erzwungenen Ruhezeit im Krankenzimmer manches sich klären und beruhigen, manche Ideen und Pläne, mit denen wir uns schon lange trugen, konnten richtig ausreifen und neue Möglichkeiten sich zeigen. Wir stellten also schließlich fest, daß diese Zeit überhaupt kein Unglück, sondern eigentlich im Augenblick das Beste für uns war.

Und ganz ähnlich kann es bei Enttäuschungen, Verlusten und anderen, zunächst nur als Übel erscheinenden leidvollen Erlebnissen gehen, wenn es auch manchmal lange Zeit, vielleicht sogar Jahre dauert, bis wir merken, daß auch diese Übel im Grunde ein Segen gewesen waren. Wir erinnern uns hier besonders an das Kapitel »Verhalten gestaltet Verhältnisse« im ersten Teil (siehe dort S. 251 ff.).

Wenn wir gelernt haben, alles Schwere in unserem Leben als einen notwendigen Faktor zur eigenen Reifung zu erkennen und darum zu bejahen – dann wird aus dieser Erfahrung auch unsere Einstellung zum Leiden unserer Mitmenschen eine positivere. Wovon wir aus eigener Erfahrung überzeugt sind, das können wir auch anderen überzeugend nahebringen. Und wer aus den schweren Schicksalsschlägen des eigenen Lebens das Beste gemacht hat, der wird auch anderen zu dieser Haltung verhelfen können.

Dann wird man nicht mehr in weichlichem Mitleid verharren, das zu keiner wirksamen Hilfeleistung führt. Man wird vielmehr aus der Kraft der eigenen Leidüberwindung imstande sein, das Leid des anderen einerseits in verständnisvoller Güte mitzutragen, andererseits aber auch in unsentimentaler Bewußtseinsklarheit das jeweils Notwendige zu veranlassen.

Nur so kann die tatsächliche Überwindung der jeweiligen Not gelingen, weil dadurch die innere Aktivität des Leidenden geweckt und gesteigert wird. Daß diese innere Aktivität des tapferen Erleidens und unerschütterlichen Durchstehens zu den größten Taten gehört, die auf Erden geschehen können, das beweist die ganze Menschheitsgeschichte zur Genüge.

Zur grundsätzlichen Besinnung über das Leid und die leidenden Menschen gehört es natürlich auch, den Ursprung aller menschlichen Not klarzumachen. Diese fällt ja nicht einfach grundlos vom Himmel, sondern ist durch das unvernünftige Verhalten der Menschen selbst zumindest mitbegründet und hätte daher fast immer verhütet werden können, wenn die Menschen sich anders verhalten hätten. Wer sich zum Beispiel jahrelang falsch ernährt hat und völlig naturfremd geworden ist, kann eben nur durch eine entsprechende Umstellung seiner gesamten Lebensweise wieder gesunden.

Bei all den gemütsbedingten Leiden und Nöten, die heute wohl den größten Teil aller menschlichen Schwierigkeiten ausmachen, ist die Notwendigkeit der eigenen Wandlung und Umstellung erst recht unumgänglich. Aber man muß zunächst natürlich herausfinden, wo die Wurzel des Übels liegt. In den meisten Fällen liegen diese Wurzeln jedoch im Unterbewußtsein und sind deswegen nicht ohne weiteres zugänglich. Darum wurde im ersten Teil immer wieder auf diese Zusammenhänge hingewiesen.

Wer Leidenden und Notleidenden wirklich helfen will, der muß sich unbedingt auch die notwendigen tiefenpsychologischen und heilpädagogischen Kenntnisse aneignen. Denn Sie erinnern sich: Die psychophysische Identität des Menschen läßt jeden Versuch, nur an den Symptomen herumzukurieren, von vornherein scheitern. Heilung bringt nur eine sorgsame »Wurzelbehandlung« – nicht nur bei den Zähnen, sondern im übertragenen Sinne bei jedem Leiden.

Auch bei jeder Art von Notlage ist es eigentlich genauso: Selten gerät ein Mensch ohne jegliches eigenes Mitverschulden in Not. Aber selbst wenn dies etwa in Kriegen, Revolutionen, Naturkatastrophen usw. der Fall sein sollte, so hat man es in jedem Falle in der Hand, wie man das Geschehene trägt und was man daraus macht. Es gibt unzählige Beispiele dafür, daß Menschen nicht nur einmal, sondern mehrfach in schlimmste Not und ausweglos erscheinende Situationen gerieten – und sich dennoch immer wieder aufgerafft haben, ja schließlich sogar viel, viel mehr erreichten, als ihnen ohne diese extremen Lebensumstände jemals möglich gewesen wäre.

Umgekehrt gibt es allerdings noch mehr Menschen, die unter menschenunwürdigen Lebensbedingungen dahinvegetieren und nichts daran ändern, weil sie sich weder gegen die ursächlichen äußeren Umstände ernstlich zur Wehr setzen noch mit der nötigen Energie und Konsequenz sich selbst verbessern. Solchen Menschen kann auch mit noch so viel Almosen niemals geholfen werden, wenn sonst nichts geschieht. Es gilt zwar in allen Religionen als ein gutes Werk, wenn man Almosen gibt und Wohltätigkeit den Armen gegenüber übt. Doch mit wirksamer Abhilfe gegen die Entstehung der Armut selbst befaßte man sich weitaus weniger. Früher stand man eben den wirtschaftlichen und sozialen Schwierigkeiten noch ebenso hilflos gegenüber wie den verheerenden Seuchen oder den Naturkatastrophen.

Inzwischen aber haben wir gelernt, nichts von alledem mehr als unvermeidlich oder gar gottgewollt hinzunehmen. Vielmehr nehmen wir heute gerade umgekehrt – religiös gesprochen – den göttlichen Auftrag an den Menschen, die Erde in ein Paradies zu verwandeln, wirklich ernst. Oder – nüchtern ausgedrückt – wir erachten es heute als die vornehmste und vordringlichste Aufgabe der menschlichen Intelligenz, mit allen Mitteln der Wissenschaft und Technik die bestmöglichen Lebensbedingungen für alle Menschen zu schaffen. Gerade weil es offenbar leichter ist, den Weltraum zu erforschen und auf dem Mond zu landen, als auf der Erde menschenwürdige Lebensbedingungen herzustellen – gerade darum ist und bleibt dies die größte Herausforderung an uns alle!

D. Hilfe zur Selbsthilfe

Wenn wir alle mitverantwortlich sind an allem, was geschieht, dann natürlich auch an aller noch bestehenden Not. Mindestens müssen wir uns gedanklich damit befassen und dürfen nicht mehr weiter gedankenlos in den Tag hineinleben, nur weil es uns selbst zur Zeit recht gut geht. Sonst wird dieses Gutgehen sehr bald aufhören, denn es ist ein unerbittliches Schicksalsgesetz: Wenn uns unverdient etwas Gutes in den Schoß gefallen ist, werden wir es früher oder später ebenso unvermutet wieder verlieren, wenn wir es uns nicht inzwischen selbst verdienten, indem wir es uns bewußt zu eigen gemacht und damit sinnvoll umzugehen gelernt haben. Sie erinnern sich noch an den Satz: »Wer nicht aktiv Gutes bewirkt, der fördert damit automatisch das Böse.«

Ob es sich also um sogenannte Entwicklungshilfe im großen oder die Begegnung mit einem Bettler im kleinen handelt: Wenn ich der Meinung bin, meine Mitverantwortung dadurch loszuwerden, daß ich dem Entwicklungsland einige Millionen schenke oder dem Bettler 10 Pfennig in den Hut werfe, dann ist das ein gewaltiger Irrtum! Im Gegenteil: Ich bin dadurch nur noch mehr mitverantwortlich geworden, nämlich jetzt auch noch an all dem Mißbrauch, der mit meinen Gaben getrieben wird – ob die Millionen durch Korruption verschoben werden, anstatt den tatsächlichen Bedürftigen zugute zu kommen, oder ob der Bettler sich Schnaps anstatt Brot kauft.

Die einzig wirksame Hilfeleistung ist – wie schon betont wurde – *die Hilfe zur Selbsthilfe*. Das eben bedeutet ja Entwicklungshilfe, indem man in dem notleidenden Land Ausbildungsstätten einrichtet und dort in allen lebenswichtigen Gebieten Helfer ausbildet, die dann ihrerseits wieder mit den zur Verfügung gestellten Mitteln dem Land weiter helfen können. Und beim Bettler sollte man sich zuerst vergewissern, ob es sich etwa um einen raffinierten Nichtstuer handelt. In diesem Falle wären die 10 Pfennig völlig unangebracht, man müßte vielmehr ein weiteres betrügerisches Ausnützen der Gutmütigkeit gedankenloser Menschen verhindern. Handelt es sich aber um eine echte Notlage, dann sind wieder 10 Pfennige viel zuwenig. Dann müßte man sich eigentlich die Zeit nehmen, der Angelegenheit nachzugehen und alles jeweils Mögliche zu tun, um eventueller Nachlässigkeit wirksam zu begegnen oder geschehenes Unrecht wiedergutzumachen.

Da wir das leider nicht bei allen Notleidenden tun können, müßten wir uns zumindest gedanklich mit den allgemeinen Ursachen von Leid und Not möglichst gründlich beschäftigen und unserem eigenen Gewissen gemäß die lebenspraktischen Konsequenzen ziehen (sei es in religiös-weltanschaulichem Engagement, sei es in politischer oder sozialer Aktivität). Und wir müßten weiterhin ein waches Auge und offenes Herz für jede Notlage bewahren, mit der wir in unserem persönlichen Lebenskreis direkt konfrontiert werden, denn hier sind wir auch zu persönlicher aktiver Hilfeleistung aufgerufen.

Außer dem selbstverständlichen äußeren Beistand, den wir also einem Leidenden oder Notleidenden nach Möglichkeit leisten, besteht unsere Hauptaufgabe immer darin, ihn innerlich aufzurichten und zu stützen. »Mut verloren – alles verloren«, sagte Goethe. Das gilt in jeder Lebenssituation: Der tüchtigste Arzt ist mit den besten Hilfsmitteln und dem größten Bemühen praktisch hilflos ohne den intensiven Gesundungswillen des Kranken.

Ebensowenig kann der aufopferndste Helfer ausrichten, wenn der Notleidende sich einfach passiv verhält oder den Hilfsmaßnahmen unbewußt innerlich widerstrebt. Nur da, wo wenigstens ein Fünkchen Eigeninitiative noch vorhanden ist, kann es dem Helfer gelingen, dieses Fünkchen zur Flamme zu wecken.

Einerseits müssen wir diese innere Aktivierung erreichen, was – wie gesagt – ohne unseren vollen und ganz persönlichen Einsatz kaum möglich ist. Andererseits aber müssen wir den anderen dennoch möglichst frei lassen und dürfen niemals aufdringlich wirken.

Weder sich in die Not des anderen mit hineinziehen lassen noch meinen, ihn selbst herausziehen zu können: das ist die Kunst wirksamer Hilfeleistung.

Erst durch die ausgewogene Balance zwischen diesen beiden verkehrten Extremen kann man mit sehr viel Takt und Fingerspitzengefühl das jeweils Richtige erspüren, sollte es dann aber auch unbeirrbar tun.

In diesem Grundsatz wirksamer Hilfeleistung können

wir zugleich das ganze Thema »Miteinander leben« zusammenfassen, denn die gekennzeichnete Haltung ist nicht nur Leidenden und Notleidenden gegenüber angebracht, sondern sollte unser Verhalten allen Menschen gegenüber bestimmen:

Einerseits sind wir alle im gemeinsamen Menschheitsschicksal miteinander verbunden und daher *mitverantwortlich an allem, was in der Menschheit geschieht.*

Andererseits ist jeder Mensch eine Persönlichkeit mit ihrem eigenen individuellen Schicksal, so daß *die Freiheit und Unantastbarkeit der Persönlichkeit* für all unser Handeln oberstes Gebot sein sollte.

DRITTER TEIL:
DREIMAL LIEBE

Das Kapitel »Liebe« ist nicht nur das wichtigste, sondern meist auch das problematischste im Leben der Menschen. Denn es ist doch eigentlich sehr merkwürdig, daß immer wieder zwei Menschen, die sich zuerst über alles lieben und den ernstlichen Willen haben, sich gegenseitig »den Himmel auf Erden zu bereiten«, oft schon nach sehr kurzer Zeit ins Gegenteil verfallen, sich wie schlimmste Feinde betragen und gegenseitig das Leben zur Hölle machen.

Ebenso merkwürdig ist es, daß im Namen der Liebe sowohl die erhabensten und bewunderungswürdigsten Taten als auch die abscheulichsten Verirrungen und Untaten geschehen. Und es ist nicht nur merkwürdig, sondern geradezu erschütternd, daß der gleiche körperliche Vorgang sowohl Ausdruck höchsten Liebesglückes als auch tiefster Qual und Erniedrigung (Vergewaltigung oder Sexualverbrechen) sein kann.

Angesichts all dieser verwirrenden, ja sogar unsinnig erscheinenden Tatsachen müssen wir bestürzt feststellen: Da stimmt doch etwas nicht – entweder bei der Liebe oder bei den Menschen oder bei beidem. In der Tat: Es stimmt weder das, was die Menschen im allgemeinen unter »Liebe« verstehen, noch das, was sie vielfach daraus machen, mit den Gesetzen des Naturgeschehens und der geistigen Erkenntnis überein. Denn daß es im Deutschen nur dieses eine Wort für die verschiedenartigsten Gefühle und Vorgänge gibt, verleitet viele Menschen zu verhängnisvollen Irrtümern und Verwechslungen.

Gewiß ist letztlich alles, was überhaupt in Erscheinung tritt, auf die eine göttliche Urmacht Liebe zurückzuführen. Aber in unserem Lebensbereich gibt es doch so gegensätzliche Erscheinungsformen dieser Urmacht, daß man hier gar nicht sorgfältig genug unterscheiden kann. Wie in vieler Hinsicht war auch in diesem Punkt das klassische Altertum vorbildlich. Die Griechen unterschieden nämlich drei Hauptarten von Liebe:

EROS bedeutet die *physische Liebe*, die jedoch keineswegs nur geschlechtlich zu verstehen ist, denn auch die reine Sinnenfreude (etwa die Freude des Künstlers an schönen Farben und Formen, der Naturgenuß oder die Lust am Tanz- und Bewegungsspiel) gehört zum Bereich des Eros. Die heutige, nur auf das Geschlechtliche bezogene Bedeutung der Ausdrücke Erotik und erotisch stimmt also nicht mit dem ursprünglichen Sinn des Wortes überein.

Die Römer unterschieden daher mit dem Worte »Sexus« die nur geschlechtliche Sinnlichkeit deutlich von der allgemeinen naturhaft-körperlichen Sinnenfreudigkeit. Deswegen sollte man auch im heutigen Sprachgebrauch für alles Geschlechtliche nur die Ausdrücke sexuell und Sexualität benützen, um die verhängnisvolle Verwechslung des biologischen Vorgangs mit Liebe zu vermeiden. Sonst erwarten wir viel zuviel davon und sind dann natürlich schwer enttäuscht, wenn die Sexualität solche verkehrten Erwartungen nicht erfüllen kann.

PHILIA bedeutet die *psychische Liebe*, die in der Freundschaft und Zuneigung, in Sympathie und Interesse (interesse heißt wörtlich: darinnen sein, in etwas eingehen) zum Ausdruck kommt. Dieses liebevolle Eingehen und diese herzliche Zuneigung brauchen sich nicht nur auf Menschen zu beziehen, sondern können auch auf Betätigungen, Gegenstände, Sachbereiche usw. gerichtet sein: So betreiben manche Menschen ihr Hobby wirklich mit »Leib und Seele«, d. h. eben mit ihrer ganzen Liebe und Hingabe.

Viele unserer Fremdwörter zeigen noch heute die Bedeutung von Philia: z. B. Philosophie = Liebe zur Weisheit, Philologie = Liebe zum Sinn, Philanthrop = Menschenfreund, Theophil = Gottesfreund. Die Gemütsbeziehung kann also völlig unabhängig vom Körperlichen bestehen und braucht überhaupt keine geschlechtliche Komponente zu haben.

AGAPE bedeutet die *spirituelle Liebe,* die höchste und edelste Form der Liebe, die religiöse Liebe zum Guten und Edlen, die reine Gottes- und Menschenliebe, die auch die Liebe zu allen Geschöpfen mit einschließt. Eine Liebe also, die völlig selbstlos und überpersönlich, unerschöpflich und allumfassend ist, wie sie als unvergängliches Ideal in der Seele jedes normalen Menschen lebt und von den großen Heiligen und Vollendeten der Weltgeschichte verkörpert wird.

I. Die physische Anziehung (Eros)

Die körperliche Anziehung der Geschlechter folgt dem Gesetz der *Polarität*. Sie beruht also auf derselben physikalischen Gesetzmäßigkeit, die für alle elektromagnetischen Erscheinungen gilt: Gleiche Pole stoßen sich ab, ungleiche Pole ziehen sich an. Genauso wie zwei verschieden geladene Pole sich anziehen, so ziehen sich also die Geschlechter an auf Grund ihrer entgegengesetzten bio-elektrischen Ladungen. Mehr ist geschlechtliche Anziehung nicht!

A. Gegensätze ziehen sich an

Für das Körperliche gilt infolgedessen der Satz: *Gegensätze ziehen sich an*. Das heißt, die gegensätzlichen Geschlechter üben eine körperliche Anziehungskraft aufeinander aus, während Geschlechtsgenossen untereinander normalerweise sich körperlich neutral verhalten oder gar abstoßen. Eine Ausnahme bilden hier nur die sozusagen »verkehrt Gepolten«. Je ausschließlicher ein Mensch im Körperlichen lebt, je »sinnlicher« er ist, desto stärker wird seine Geschlechtlichkeit und desto heftiger wird er vom anderen Geschlecht angezogen (man nennt das heute »sexy«). Es gibt da alle Schattierungen von der hemmungslosen Triebnatur des Sexualverbrechers bis zur raffinierten Genußsucht des »Feinschmeckers«.

Das psychologische Gesetz dieses Bereiches ist die *Reizung*. Das kommt ja auch in der Sprache deutlich zum Ausdruck, wenn wir von »reizend« oder gar »aufreizend«

sprechen. Diese Reizung bezeichnet man auch als *Geschlechtstrieb* (er gilt als der stärkste aller Triebe) mit dem Ziel der Befriedigung, das heißt eben des Spannungsausgleichs in der elektromagnetischen Entladung durch die geschlechtliche Vereinigung.

Leider aber sind beide Teile des Polaritätsgesetzes gleichermaßen gültig: sowohl die Anziehung der ungleichen Pole als auch die Abstoßung der gleichen. Ungleich geladene Pole werden durch die Entladung zu gleichen (denn die Entladung dauert naturgemäß so lange, bis ein völliger Ausgleich erfolgt und somit keine Spannung mehr vorhanden ist). Sie stoßen sich jetzt genauso heftig ab, wie sie sich vorher angezogen haben.

Das bedeutet im Menschlichen: Beginnen die beiden körperlich sich anziehenden Partner mit dem geschlechtlichen Ausgleich, so bewirkt diese Entladung zwar zunächst eine wohltuende »Entspannung«. Doch muß die dauernde Entladung mit Naturnotwendigkeit zum völligen Spannungsverlust, also zur »Abkühlung«, zur Gleichgültigkeit führen und bei noch weiter fortgesetzter körperlicher Beziehung schließlich ins Gegenteil, in Abneigung, Ekel und schließlich sogar Haß umschlagen.

Diese *zeitliche Begrenzung* ist ein unentrinnbares Naturgesetz, dem jede bloß geschlechtliche Beziehung mit absoluter Notwendigkeit unterworfen ist.

Gerade je »heißer« eine solche Beziehung ist und je stürmischer und häufiger demgemäß die körperlichen Entladungen sind, desto rascher muß die Abkühlung sich einstellen. Und wenn man dann nicht rechtzeitig auseinandergeht oder etwa gar nicht mehr auseinandergehen kann, weil man inzwischen geheiratet und Kinder bekommen hat, dann ist zunehmende Abneigung unvermeidlich. Schließlich kann man »sich nicht mehr riechen«, so daß man bereits nervös wird oder »die Stacheln stellt«, wenn man den anderen bloß zu Gesicht bekommt. Damit ist dann der Tatbestand des bekannten Scheidungsgrundes »gegenseitige unüberwindliche Abneigung« gegeben.

Wenn es einmal so weit gekommen ist, dann ist es völlig sinnlos, sich teils mit Schuldgefühlen, teils mit Vorwürfen gegenseitig zu quälen, denn diese Entwicklung war zwangsläufig.

So schmerzlich auch die Enttäuschung sein mag, wenn man sich Illusionen gemacht und die sinnliche Leidenschaft mit Liebe verwechselt hat – so notwendig ist doch auch eine solche heilsame Erfahrung, um hier sorgfältiger unterscheiden zu lernen.

B. Die Problematik der Sexualität

Naturgemäß steht in der Jugend von der Geschlechtsreife an die sinnliche Anziehung mehr im Vordergrund als im Alter und ist infolgedessen die sexuelle Problematik im Fühlen und Denken junger Menschen zunächst vordringlich. Gerade darum gäbe es nichts Wichtigeres, als ihnen die eben geschilderten Tatsachen ausführlich und eindringlich klarzumachen, damit sie rechtzeitig die gebotene Vorsicht und Einsicht lernen, die der Mensch allen naturgesetzlichen Vorgängen gegenüber üben muß. Denn wir sollen ja nicht von der Natur beherrscht werden, sondern selbst die Natur beherrschen.

So ist zum Beispiel auch unsere Ernährung ein solcher naturgesetzlicher Vorgang, der vom Menschen über den bloßen Stoffwechsel hinaus immer mehr auch beseelt und vergeistigt werden sollte. Eine bloß sexuelle Betätigung ist demnach genauso menschenunwürdig wie bloßes Fressen und Saufen, denn der Mensch ist eben mehr als nur ein Körper. Infolgedessen bedeutet sowohl Ernährung als auch Geschlechtsverkehr für den entwickelten Menschen weit mehr als einen physikalischen, ja sogar mehr als einen biologischen Vorgang, wie aus den folgenden Ausführungen ersichtlich werden wird.

Für die bloße Befriedigung der geschlechtlichen Bedürfnisse gibt es bekanntlich die Einrichtung der Prostitution, und zwar schon solange es Menschen gibt bzw. – genauer gesagt – solange es noch Menschen gibt, die zwar so aussehen, als ob sie Menschen wären, die aber geistig gesehen noch keine wirklichen bzw. voll entwickelten Menschen sind.

Man nennt solche triebhaften Naturen oft »tierisch« oder »bestialisch«, doch sind sie viel schlimmer dran als Tiere, denn diese sind ja keineswegs ständig vom ungehemmten Geschlechtstrieb beherrscht. Sie werden vielmehr nur zu bestimmten Zeiten geschlechtlich erregt und verhalten sich außerhalb dieser Zeiten völlig neutral. Das Tier wird also durch seine natürlichen Instinkte vor Schaden bewahrt. Beim Menschen sind jedoch diese Instinkte verkümmert, so daß er aus eigener Einsicht und mit eigenem Willen mittels seiner seelisch-geistigen Kräfte die Triebe zügeln und lenken muß.

Dies ist gerade bei jungen Menschen, bei denen naturgemäß die Gefahr eines allzu einseitigen Übergewichts der körperlichen Vorgänge besonders groß ist, der entscheidende Faktor eines normalen Reifungsprozesses. Darum wäre es die vordringlichste Pflicht der Erwachsenen, für den notwendigen seelisch-geistigen Ausgleich zu sorgen und so den jungen Menschen zu helfen, mit sich selbst ins Gleichgewicht zu kommen. Durch immer besseres Kennenlernen höherer Werte und immer stärkeres Erleben sublimer Beziehungen sollten sie instand gesetzt werden, die einseitige Überbetonung des Körperlichen bzw. Sinnlichen zu berichtigen.

Normalerweise entwickelt der junge Mensch in sich selbst schon die richtigen Ausgleichskräfte, denn durch das »Schwärmen«, das Streben nach Idealen und das Verehren von Vorbildern, werden ja die Gefühlskräfte geweckt und voll in Anspruch genommen. Ebenso werden durch den gesteigerten Wissensdrang sowie durch die erwachende Kritik und Urteilsfähigkeit auch die Verstandeskräfte geweckt und fortschreitend geübt.

Die Erwachsenen hätten demnach eigentlich nichts anderes zu tun, als dabei fördernd und leitend zur Seite zu stehen. Statt dessen wird heute einerseits durch Rundfunk, Kinos, Fernsehen, Bücher, Zeitschriften, Reklame, Kabaretts, Bars usw. und nicht zuletzt durch das praktische Beispiel eines großen Teils der Erwachsenen alles getan, um die jungen Menschen möglichst frühzeitig geschlechtlich zu wecken und in dauernder Erregung zu halten. Andererseits wird aber die musische und intellektuelle Anregung und Bereicherung, Führung und Weiterbildung, die als wirksames Gegengewicht um so mehr notwendig wäre, nicht etwa besonders gefördert, sondern vielfach sogar gröblich vernachlässigt, vom Religiösen und Spirituellen gar nicht zu reden!

Da darf man sich dann über all die negativen Erscheinungen der sogenannten Akzeleration – also über die zunehmende sittliche Verwahrlosung, über das erschreckende Ansteigen der Jugendkriminalität und der Geschlechtskrankheiten, über die übereilten bzw. durch unerwünschte Kinder »erzwungenen« Heiraten und deren verhängnisvolle Folgen – wahrhaftig nicht wundern!

Wo junge Menschen noch fest in einer religiösen Tradition verwurzelt sind oder im weltanschaulichen Bereich selbst eine geistige Heimat gefunden haben, da ist das notwendige starke ideelle Gegengewicht zur sexuellen Freizügigkeit gegeben, so daß die geschilderten negativen

Auswüchse vermieden werden können. Da aber immer mehr junge Menschen religiös entwurzelt und geistig indifferent sind, dürfte die konsequente Förderung aller Einrichtungen und Bestrebungen, die dieser verhängnisvollen Fehlentwicklung entgegenwirken, eine der dringlichsten Aufgaben unserer Gesellschaft sein.

II. Die psychische Zuneigung (Philia)

Aus den bisherigen Ausführungen ergibt sich nun die entscheidende Frage: Wodurch wird denn jener biologische Vorgang der geschlechtlichen Triebbefriedigung, der an sich mit Liebe überhaupt nichts zu tun haben braucht (siehe Prostitution oder gar Triebverbrechen), zu einem Ausdruck körperlicher Liebe zwischen Menschen?

Die Antwort ist eindeutig: Nur durch die psychische Beziehung! Der physische Vorgang wird also erst dadurch zur körperlichen Liebe, daß er keine bloße Triebbefriedigung mehr darstellt, sondern Ausdruck einer tiefer greifenden Zuneigung ist. Es muß also zum Eros die Philia hinzukommen.

Leider aber ist die Bedeutung einer solchen echten, das ganze Gemüt durchdringenden Zuneigung im allgemeinen Bewußtsein vielfach verlorengegangen: Ein Philosoph gilt als ein »weltfremder Begriffsakrobat«, ein Philologe als ein »trockener Bücherwurm«, weil man es sich kaum mehr vorstellen kann, daß jemand wirklich von ganzem Herzen nach Weisheit strebt oder den geistigen Sinn sucht. Echte Philanthropen, die tatsächlich alle Menschen ohne irgendwelche Ansprüche und Hintergedanken um ihrer selbst willen lieben, werden ebenfalls immer seltener. Auch hier ist eine ähnliche Sinnverflachung oder gar Sinn-Entstellung geschehen wie bei dem Wort Eros. Um so notwendiger aber ist die Besinnung auf die ursprüngliche Bedeutung dieser Bezeichnungen für die psychophysischen Liebesbeziehungen, wenn wir die vielfach schon katastrophalen Auswirkungen der heutigen Fehldeutungen und Mißverständnisse korrigieren wollen.

A. »Gleich und gleich gesellt sich gern«

Im Bereich der *psychischen Beziehungen* herrscht das dem Gesetz der Polarität entgegengesetzte Gesetz der *Parallelität*, also der Anziehung des Gleichen bzw. Ähnlichen. Das bedeutet im Menschlichen: *Gleich und gleich gesellt sich gern.* Im Gemüt fühlen wir uns nur zu den Menschen hingezogen, die uns innerlich verwandt sind und mit denen wir in allen wesentlichen Dingen übereinstimmen. Wir nennen das heute »auf der gleichen Welle schwingen«. Nur solche Menschen sind uns auf die Dauer sympathisch und interessant, können uns also weder »auf die Nerven fallen« noch langweilig werden.

Das psychologische Gesetz dieses Bereiches ist die *Zuneigung*, die »Affinität« auf Grund eines inneren Gleichklangs und einer vollständigen Harmonie, die weitgehend unabhängig sind vom Körperlichen im allgemeinen und vom Geschlechtlichen im besonderen. So kann eine solche Zuneigung und harmonische Beziehung zwischen Männern und Frauen unter sich, zwischen Häßlichen und Wohlgestalteten, Alten und Jungen, gesunden und leidenden Menschen, ja auch zwischen Menschen und Tieren bestehen.

Die psychische Beziehung ist weithin im Unterschied zur physischen Anziehung, die dem Wechsel und der Vergänglichkeit unterworfen ist, auf Stetigkeit und Dauerhaftigkeit angelegt. Hierfür gibt es – wie schon anfangs erwähnt – das lateinische Wort »Interesse«. Es bedeutet nämlich ursprünglich eine solche intensive Gemütsbeziehung, wird aber heute meist ebenso sinnentstellt gebraucht wie die anderen, schon erwähnten Bezeichnungen: Wenn wir uns für etwas »interessieren«, meinen wir damit im allgemeinen, mal schnell hinhören oder rasch darüber hinweglesen und dann unser »Interesse« ebenso oberflächlich wieder etwas anderem zuwenden. Das ist aber genau das Gegenteil der ursprünglichen Bedeutung »darinnen sein«, also mit Leib und Seele dabeisein, sich selbst damit identifizieren, sein ganzes Herz hineingeben. Wenn ein Kind in sein Spiel vertieft ist, kann man dies noch am deutlichsten beobachten: Dann ist es selbst wirklich ganz und gar davon ausgefüllt, dann hört und sieht es nichts anderes mehr, dann ist es völlig eins geworden mit dem, was es tut. Der moderne Mensch hat gerade diese Fähigkeit totaler Konzentration weithin verloren, weil er nicht mehr ganz und gar mit dem Herzen in seinem Tun aufzugehen vermag. Und das ist der tiefere Grund seiner vielfachen Unbefriedigtheit und inneren Unerfülltheit bei allem äußeren Erfolg.

Auch das also müßten wir wieder lernen, denn darin besteht die psychische Liebesbeziehung, daß wir immer mehr verstehend uns selbst hineinversetzen, mitfühlend unser Herz hingeben an die Dinge, an die lebendigen Wesen, an die Menschen, an die Aufgaben und Ziele – daß wir also im wahrsten Sinne des Wortes unser Bestes geben.

B. Partnerschaft

Eben dadurch sind auch die beiden Haupterscheinungsformen psychischer Zuneigung gekennzeichnet: Kameradschaft und Freundschaft. Deren Sinn wird heute auch mit der Bezeichnung *Partnerschaft* umschrieben: also Ergänzung und Austausch, Gemeinschaft und innige Begegnung.

1. Die *Kameradschaft* entsteht meist aus äußerlichen Anlässen und Situationen, indem zunächst einander ganz

fremde Menschen sich in einer Schulklasse, einer Arbeitsgruppe, einem Büro, einer militärischen Einheit, einer Hausgemeinschaft, einem Verein, bei Spiel und Sport, Schulungen und Reisen, Vergnügungen und sonstigen Veranstaltungen zusammenfinden. Sobald sie aber länger beieinander sind bzw. miteinander zu tun haben, entwikkeln sie etwas Gemeinsames und Zusammenschließendes, Verbindendes und Verpflichtendes.

Diese auf gemeinsame Interessen oder Tätigkeiten, vor allem aber auf *gemeinsames Erleben* gegründete Beziehung ist also von rein psychischer Art. Daher ist das Körperliche dabei so unwesentlich, daß man bei der Kameradschaft im allgemeinen überhaupt nicht an »Liebe« denkt. Dennoch ist die innere Bindung und Verpflichtung dabei, wie gesagt, fester und stärker als bei der bloß körperlichen Anziehung, die man so oft fälschlicherweise mit »Liebe« bezeichnet. Man denke nur an das unzerreißbare Band, das »alte Kameraden« über alle Unterschiede der sozialen Stellung und alles Trennende der äußeren Lebensumstände hinweg miteinander verbindet. Auch der absolut verpflichtende »Mannschaftsgeist«, der etwa eine Sportgruppe zu einer unerschütterlichen Einheit zusammenschweißt, verbindet oft die Angehörigen einer solchen Gruppe innerlich noch lange, selbst wenn diese in ihrer äußeren Form bzw. Aufgabe längst zu bestehen aufgehört hat.

2. Während bei der Kameradschaft das Persönliche zurücktritt und das Gemeinschaftliche im Vordergrund steht, ist die *Freundschaft* ganz persönlichkeitsbezogen als Ausdruck einer besonderen *individuellen Zusammengehörigkeit* von Menschen, die in ihrem Geschmack und Niveau, in ihren Interessen und Liebhabereien, in ihrer Grundhaltung und Zielrichtung so vollkommen übereinstimmen, daß sie eine unzertrennliche *Schicksalsgemeinschaft* bilden.

Eine solche Freundschaft kann sowohl aus angeborener Übereinstimmung als auch aus einer immer inniger werdenden kameradschaftlichen Beziehung sich entwickeln oder auch ganz plötzlich zwischen zwei Menschen aufblühen, die sich vielleicht zum erstenmal begegnen und dennoch alsbald das Gefühl eines vollkommenen Einklangs haben, als würden sie sich von Ewigkeit her kennen. Goethe hat dies sehr treffend »Wahlverwandtschaft« genannt.

Während Kameradschaft mehr oder weniger von jedem Menschen erlebt werden kann und soll, ist solche Freundschaft ein besonderes Geschenk, für das man ständig dankbar sein sollte und das man sorgsam pflegen muß. Und eben diese Freundschaft, diese intensive innere Zuneigung und Harmonie, bildet auch die Grundlage jeder menschenwürdigen Liebesbeziehung. In dieser ist also immer die »Seelenfreundschaft« das Primäre, die Hauptsache, und die geschlechtliche Anziehung kommt dann als ihr körperlicher Ausdruck noch hinzu – niemals umgekehrt! Umgekehrt geht es nämlich überhaupt nicht, denn aus bloßer Sexualität kann niemals Freundschaft, das heißt innere Zuneigung entstehen, sondern nur wachsende Abneigung, wie bereits erläutert wurde.

Wenn das richtige Verhältnis zwischen Seelenfreundschaft und geschlechtlicher Beziehung besteht, dann entsteht *Zärtlichkeit* als äußerer Ausdruck der inneren Zuneigung. Nur dann braucht auch bei fortgesetztem Geschlechtsverkehr keine Abkühlung einzutreten, weil dann immer gerade nach der körperlichen Spannungsentladung, wenn also die Körper äußerlich neutral geworden sind, die innere Zuneigung besonders stark und beglückend verspürt wird. Und die in diesem Zustand des begierdefreien Ineinanderruhens geschehenden Zärtlichkeiten, die leisen Worte innigen Gefühls- und Gedankenaus-

tauschs oder das schweigende Genießen der vollkommenen Einigkeit – das ist unvergleichlich beseeligender als
der wildeste Orgasmus!

Wenn eine Dauerbeziehung angestrebt wird, ist nicht nur
die auf raschen Wechsel angelegte Sexualität völlig ungeeignet, sondern auch die mehr gemeinschaftlich und überpersönlich wirkende Kameradschaft genügt im allgemeinen nicht. Es bedarf dazu vielmehr der psychischen Beziehung in ihrer intensivsten Form persönlicher Freundschaft.

Es kommt natürlich heute vielfach vor, daß junge Menschen verschiedenen Geschlechts gute Kameraden sind,
weil sie sich etwa bei der Arbeit besonders gut ergänzen,
sich als besonders gute Partner beim Sport oder Tanz
erweisen, besonders gut zusammen musizieren oder in
ihren sonstigen Lebensgewohnheiten besonders gut har-
monieren. Sollten sie aber dann nur deswegen heiraten, so
wird das in den seltensten Fällen gut ausgehen. Denn die
reine Kameradschaft, bei der ja das Körperliche überhaupt keine Rolle spielt, ist ein sehr schwankender Boden
für eine intime Dauerverbindung, weil dabei die körperliche Beziehung zwar nicht allein maßgebend sein soll,
jedoch sowohl für die leibliche Gesundheit als auch für
die allgemeine Gemütsverfassung weitgehend mitbestim-
mend ist.

Sobald die bisherigen Kameraden aus dem »stillen Wasser« ihrer Parallelbeziehung auf die »stürmische See« des
polaren Spannungsfeldes gelangen, wird sich früher oder
später zeigen, daß sie dieser erhöhten Belastung keineswegs gewachsen sind. Entweder passen sie körperlich
eben doch nicht auf die Dauer zusammen, oder sie werden umgekehrt durch das Körperliche so sehr in Anspruch genommen, daß die frühere, körperlich-neutrale
Beziehung dadurch verlorengeht.

Jedenfalls werden sie so oder so »aus allen Himmeln stürzen« und nicht nur schwer enttäuscht sein, sondern häufig auch, wenn sie von den hier aufgezeigten Zusammenhängen keine Ahnung haben, den wachsenden Schwierigkeiten hilf- und fassungslos gegenüberstehen. Vielfach wird dann die Situation noch dadurch verschlimmert, daß man nur einander die Schuld zuschiebt, anstatt die Notwendigkeit eines gesetzmäßigen Ablaufs zu erkennen.

3. Es sei also nochmals ausdrücklich betont: Wenn eine Liebesbeziehung dauerhaft bleiben soll, muß besonders sorgsam auf die *ausgewogene Ergänzung von polarer Anziehung und paralleler Zuneigung* geachtet werden.

Wenn die *physische Anziehung* der primäre Anlaß ist, sollte man – eingedenk des Gesetzes von der zeitlichen Begrenzung jeder polaren Anziehung – sich besonders sorgfältig vergewissern, ob auch die entsprechende psychische Zuneigung und innere Harmonie vorhanden sind, die sich in der weitgehenden Übereinstimmung von Geschmack, Niveau, Interessen, Lebenseinstellung usw. äußern und so den notwendigen »Gleichklang der Herzen« gewährleisten. Nur dadurch kann die vorher geschilderte Gefahr der wachsenden Abneigung beim Nachlassen der sinnlichen Anziehung vermieden werden, indem dann die Kraft der auf Stetigkeit und Dauer angelegten inneren Zuneigung stark genug ist, um die unvermeidlichen Krisen der körperlichen Beziehung aufzufangen und zu überwinden. Und nur dann wird schließlich das stille Glück und die ruhige Sicherheit einer echten Freundschaft die Partner noch inniger verbinden, als es die Turbulenz des sinnlichen Genusses je vermochte.

Gerade im Zustand der ersten Verliebtheit müßte man sich möglichst praktisch das Wegfallen alles Anziehenden und Faszinierenden vorzustellen versuchen, sich also fragen: »Werden wir uns noch genauso liebhaben, wenn wir alt und grau, kränklich und hilflos, vielleicht sogar häßlich und unleidlich geworden sind?« Man kann sich gar nicht eindringlich genug das unaufhaltsame Schwinden alles Vergänglichen klarmachen und gar nicht intensiv genug um das Unvergängliche und Bleibende bemühen. Nur dann wird das beiderseitige Streben nach Dauerhaftigkeit stärker sein als die Tendenz zur Flüchtigkeit.

Ist aber die *kameradschaftliche Zusammengehörigkeit* der Ursprung der Liebesbeziehung, so muß man sich ebenso sorgfältig vergewissern, ob die hinzukommende körperliche Anziehung wirklich eine Ergänzung, Vertiefung und Bereicherung des bestehenden Verhältnisses bedeutet. Denn nur wenn man körperlich genausogut zusammenpaßt wie man innerlich übereinstimmt, wird der geschlechtliche Polaritätsausgleich nicht zuerst überwältigend und später zerstörend wirken.

Wenn bei primärer körperlicher Anziehung zunächst ein langer enthaltsamer »Brautstand«, das heißt also eine reine Kameradschaft zu empfehlen ist, um zu prüfen, ob die psychische Beziehung mindestens gleich stark ist, so ist umgekehrt bei vorwiegend kameradschaftlicher Beziehung auch eine ausreichende geschlechtliche Erfahrung vor der endgültigen Bindung anzuraten, um späteren bösen Überraschungen in dieser Hinsicht vorzubeugen. Tatsächlich ist dieses »Ausprobieren« in ländlichen Gegenden schon lange üblich, so daß vielleicht sogar erst geheiratet wird, wenn der »Hoferbe« geboren wurde. Aber auch sonst sind immer mehr junge Menschen davon überzeugt, daß die Forderung, man müsse »unberührt« in die Ehe gehen, nicht nur überholt ist, sondern sogar einen folgenschweren Irrtum bedeutet – zumal da diese Forderung ja im allgemeinen nur für die Frau gilt und dem heute zumindest theoretisch unbestrittenen Grundsatz der Gleichberechtigung bzw. Gleichwertigkeit der Geschlechter kraß zuwiderläuft.

Richtig aufgeklärte Menschen werden sich also bei ihrer Entscheidung, ob sie in »enthaltsamem Brautstand« oder »freier Liebe« leben sollen, nicht von irgendwelchen konventionellen Dogmen oder weltanschaulich bedingten Gepflogenheiten leiten lassen, sondern nur ihrem Gewissen folgen: Sie werden dann nach gründlicher und ehrlicher Selbstprüfung erkennen, was sie je nach dem Überwiegen der physischen oder psychischen Komponente ihrer Liebesbeziehung jeweils als heilsames Gegengewicht nötig haben, um eine möglichst dauerhafte und harmonische Verbindung zu gewährleisten.

C. Das Treueproblem

Aber auch in anderer Hinsicht bietet die psychische Zuneigung allein noch keine ausreichende Sicherheit für eine Dauerbeziehung. Denn obwohl sie an sich wesentlich dauerhafter ist als die körperliche Anziehung, so kann auch die Gemütsverfassung eines Menschen sich ändern und seine Interessensphäre wechseln. Ja, es ist sogar möglich, daß die ganze Grundhaltung sich ins Gegenteil verkehrt, etwa infolge von schweren Schicksalsschlägen oder außergewöhnlichen Erlebnissen, in denen sich auch die Tragfähigkeit der inneren Beziehung erschöpft.

Es ist eines der tragischsten Kapitel menschlichen Lebens, daß auch das, was man für absolut sicher und unzertrennlich gehalten hat, durch solche schicksalhaften Ereignisse getrennt oder gar zerstört werden kann. Wenn zum Beispiel ein Mann vier Jahre Krieg und noch drei Jahre Gefangenschaft hinter sich hat, dann ist er bestimmt nicht mehr der gleiche Mensch geblieben, welcher er vorher war. Und wenn die Frau dieses Mannes sieben lange Jahre völlig auf sich selbst gestellt war, dann ist auch sie nicht mehr die gleiche geblieben. Wenn sie etwa das Geschäft allein weiterführen, die Kinder ohne Hilfe erziehen und sich gegen eine feindliche Umwelt zur Wehr setzen mußte, dann konnte sie das nur fertigbringen, indem sie von ihrer ursprünglichen Weiblichkeit einiges einbüßte und psychisch Mann wurde. Und wenn umgekehrt jener Mann in jahrelanger Gefangenschaft nichts mehr von alledem tun konnte, was sonst dem Manne zukommt, wenn er äußerlich völlig passiv werden und sich völlig in sich selbst zurückziehen mußte, um überleben zu können, dann hat sich dadurch seine ursprüngliche Männlichkeit zwangsläufig verändert. Kommen dann solche total veränderten Menschen wieder zusammen, so sind sie sich völlig fremd geworden und können vielfach trotz ehrlichen Bemühens nicht mehr innerlich zusammenfinden. Oder wer will eine Frau verurteilen, die ihren Mann viele Jahre entbehren mußte und inzwischen einen anderen Mann gefunden hat, der ihr anfangs helfen oder sie sogar aus irgendwelchen gefahrvollen Situationen retten konnte, woraus sich dann allmählich eine immer engere Lebensgemeinschaft ergab?

Doch es brauchen nicht immer äußere Ereignisse zu sein, es können auch ganz persönliche innere Erfahrungen zur Trennung führen. Gerade bei wertvollen Menschen mit raschem Entwicklungsrhythmus kann es vorkommen, daß sie ihren bisherigen Freunden und Gefährten – auch dem Lebensgefährten – immer mehr vorauseilen und dadurch zu immer neuen Verbindungen gelangen, während die anderen im gewohnten Kreise zurückbleiben. Dies ist oft die Ursache tragischer Konflikte, denn dann ist die schwere Entscheidung zu treffen zwischen der *Treue zu sich selbst* und der *Treue zu den anderen*, das heißt zwischen der Verpflichtung zum eigenen Weiterschreiten und der Pflicht zur Anpassung an die Zurückgebliebenen. Man kann nicht grundsätzlich der einen oder anderen Art von Treue den Vorzug geben, denn beides kann geboten sein. Es bleibt auch hier der Gewissensentscheidung des einzelnen überlassen, ob er sich berufen weiß, als »Gipfelstürmer« ohne Rücksicht auf die Zurückbleibenden den steilsten Weg zu seinem Lebensziel nehmen zu können bzw. zu müssen – oder ob er umgekehrt seine Aufgabe darin erblickt, als »Bergführer« das eigene Können zurückzustellen und sich geduldig dem Vermögen der Langsamsten der ihm Anvertrauten anzupassen. Letztlich aber bedeutet beides Treue zu sich selbst, das heißt zu der im Gewissen erfahrenen Lebensbestimmung.

Echte Treue ist das Gegenteil von egozentrischer Selbstsucht, sie ist selbstloses Dienen in jedem Bereich: Im Bereich des Ich, des Du und des All. Deswegen kann man Treue überhaupt nicht von anderen fordern, sondern nur selbst üben. »Treue« in dem vielfach mißverstandenen üblichen Sinn des erzwungenen Festhaltens am Bisherigen gegen den klaren Ruf des eigenen Gewissens ist demnach nicht Tugend, sondern Versündigung sowohl der eigenen höheren Verpflichtung als auch dem gewaltsam Festhaltenden bzw. verkrampft Haftenden gegenüber, weil eine solche Gewissens-Vergewaltigung keinem der Beteiligten auf die Dauer Segen bringen kann.

Strenggenommen kann man auch keinem anderen »ewige Treue schwören«, weil die Treue zu Gott bzw. zur göttlichen Weisung des Gewissens unter Umständen die Lösung menschlicher Bindungen gebieten kann. Dies braucht dann keineswegs Treulosigkeit zu sein, wenn bei äußerer Trennung die innere Verantwortung weiter getragen und bei innerer Abwendung die äußeren Verpflichtungen in der jeweils angemessenen Form eingehalten werden.

Treulos ist ein Verhalten immer nur dann – sei es sich selbst oder anderen gegenüber –, wenn man sich übernommenen Verpflichtungen leichtfertig zu entziehen versucht oder in verantwortungsloser Flucht vor notwendigen Lebensaufgaben scheinbar leichtere Auswege sucht. Untreue entspringt demnach im Grunde stets der Schwäche oder Unverantwortlichkeit, während alles, was aus Seelenstärke und geistiger Verantwortlichkeit geschieht, Gewissenstreue bedeutet.

In jedem Falle entsteht das Problem der Treue überhaupt nur im Bereich der psychischen Liebe, weil diese im Unterschied zum körperlichen Bereich, in dessen unvermeidlicher Wandelbarkeit Treue überhaupt noch nicht als Wert erscheint (siehe etwa Gruppensex), zwar an sich auf Dauer angelegt ist, aber dennoch diese Dauerhaftigkeit nicht selbst garantieren kann. In der unwandelbaren und unvergänglichen spirituellen Liebesbeziehung gibt es kein Treueproblem mehr, weil es hier kein Abwenden oder gar Verlassen mehr geben kann.

III. Die spirituelle Liebe (Agape)

Das einzig wirklich Beständige ist also der höchste Liebesbereich, die *geistige Liebe*. Denn das, was den Menschen tatsächlich zum Menschen macht, ist nicht nur das Seelenwesen, sondern der universelle Geist in stetig fortschreitender Erkenntnis. Dieser Geist ist allerdings nicht zu verwechseln mit intellektuellem Verstandesdenken und rationaler Begrifflichkeit. Er ist vielmehr der »Atem Gottes«, den der Schöpfer dem »Erdenkloß« einhauchte und ihn damit erst zum Menschen erweckte: das *allumfassende Bewußtsein*, welches das ganze Wesen durchdringt und somit auch alles »Irrationale«, das heißt alles Un-, Unter- und Überbewußte mit einschließt.

Geistige Erkenntnis bedeutet somit: Im radikalen Unterschied zum begrifflichen Sammeln von Kennntnissen ohne seelisches Engagement die totale Hinwendung, das rückhaltlose Eingehen, die Aufhebung des Subekt-Objekt-Gegensatzes in der liebenden Verschmelzung von Erkennendem und Erkanntem. Nur in diesem höchsten Liebesbereich sind Liebe und Weisheit identisch, während sowohl im Gemüt als auch im Körperlichen beides auseinandergefallen ist, so daß einerseits lieblose Weisheit = kalter Intellekt und andererseits weisheitslose Liebe = blinde Leidenschaft entstanden sind.

A. »So ihr nicht werdet wie die Kinder«

In der spirituellen Liebe gilt das Gesetz der *Universalität*, das heißt das Aufgehen alles Persönlichen in überpersönlicher Menschlichkeit und die Einordnung aller Gegensätze in grenzenloser Allverbundenheit. In dieser reinen Gottes- und Menschenliebe treten alle irdischen Unterschiede zurück und auch die geschlechtlichen Unterschiede werden völlig unwesentlich. Beim kleinen Kinde ist dies noch der Fall, und deswegen liebt es auch wirklich absolut, rein und allgemein, indem es in seine Liebe alles mit einschließt und nichts ausgeschlossen bleibt.

Das Kind liebt die Tiere und die Pflanzen ohne Unterschied, also auch das Unkraut und das Ungeziefer, ja es liebt die Steine, die Erde und alle Dinge. Es kennt eigentlich auch keine Feindschaft, denn selbst wenn es sich mit einem anderen Kinde prügelt, ist es im nächsten Moment wieder gut. Das Raufen tut der Liebe gar keinen Abbruch, denn es bedeutet nur ein oberflächliches Aufwallen der Gefühle, das niemals tief geht und das liebende Herz überhaupt nicht berührt.

Diese glückliche und beglückende Geisteshaltung nennt man symbolisch den »paradiesischen Zustand«, in dem sich das unverbildete Kind noch befindet. Der Verlust dieser absoluten Liebesfähigkeit bedeutet die »Austreibung aus dem Paradies« mit all dem unendlichen Leid, das durch intellektuelle Lieblosigkeit und triebhafte Leidenschaft gleichermaßen verursacht wird. Und die Wiedergewinnung jenes paradiesischen Zustandes allumfassender Liebe, die nichts ausschließt und daher auch keine Feindschaft mehr kennt – das ist im Grunde das Anliegen jeder Religion und das eigentliche Lebensziel jedes Menschen.

Dies ist somit auch der Sinn des Wortes »So ihr nicht werdet wie die Kinder«, das heißt: Dieses reine, bedingungslos und unterschiedslos liebende Herz des Kindes voll bewußt wiedererlangt zu haben, das ist das Kennzeichen des vollendeten Menschen.

B. Die Übereinstimmung im Wesenskern

Solche Agape sollte also auch der tiefste Grund jeder menschlichen Liebesverbindung sein. Das Gesetz dieses Bereichs ist die *Totalität*, das heißt die vollkommene Ganzheit, die keinen Teilbereich mehr ausschließt, die absolute und unbedingte Zusammengehörigkeit, die durch nichts zu erschüttern oder gar zu zerstören ist.

Plato hat dies in einem sehr schönen Gleichnis veranschaulicht: Gleichbedeutend mit der »Austreibung aus dem Paradies« ist bei ihm die Teilung des ursprünglichen Menschen in zwei Hälften durch die zürnenden Götter. Demnach sind wir alle »halbe Menschen«, und die Liebe ist das Suchen nach der anderen zugehörigen Hälfte, der sogenannten »Dualseele«. Infolgedessen entsteht unglückliche Liebe immer dann, wenn man an eine »verkehrte Hälfte« geraten ist. Eine wirkliche Ehe als einmalige und immerwährende Verbindung ist eigentlich nur möglich, wenn sich die beiden richtigen, ursprünglich zusammengehörigen Hälften gefunden haben.

Wenn man dieses Gleichnis ernst nimmt, gibt es tatsächlich nur wenige Ehen im wahren Sinne dieses Wortes, also wirklich unlösbare Verbindungen, weil da sogar jenes psychische Auseinanderwachsen, von dem vorhin gesprochen wurde, noch verkraftet wird, indem man auf einem noch tiefer liegenden Fundament selbst dann wieder neu aufbauen kann, wenn alles andere zerstört erscheint. So sollte es sein, und so ist es auch manchmal, aber leider nicht oft, weil auch hier wieder schon in der Erziehung der jungen Menschen vielfach das Allerwesentlichste vernachlässigt wird: eben jenes letzten Endes einzig tragfähige Fundament reiner Gottes- und Menschenliebe.

Daraus entsteht dann der verhängnisvolle Irrtum, daß

man es für »Liebe« hält, wenn der persönliche Egoismus des einzelnen sich verdoppelt, so daß nur ein noch schlimmerer gemeinsamer Egoismus entsteht. Nichts anderes ist es nämlich, wenn Menschen meinen: »Ohne dich kann ich nicht leben – ich brauche dich unbedingt – du bist mein ein und alles – wenn ich dich nicht bekomme, muß ich zugrunde gehen« und ähnliches mehr. Bekanntlich führt dieser Irrtum oft sogar zu Eifersuchtstragödien und Selbstmorden.

Nur wenn eine Beziehung in der spirituellen Liebe verankert ist, wird der Partner weder ein »Gebrauchsgegenstand« zur Selbstbefriedigung noch ein Mittel zur Selbstbespiegelung, denn dann ist die Liebe wirklich das, was Nietzsche so treffend als »schenkende Liebe« bezeichnet hat. Solche reine Liebe ist niemals zwingend und fordernd, sondern befreiend und erlösend. Sie fragt nicht: »Wie werde ich glücklich?«, sondern: »Wie kann ich beglücken?« – nicht: »Was habe ich davon?«, sondern: »Was kann ich geben?«

Darum ist es auch ein grundsätzlicher Irrtum, wenn man meint, nur die Frau müßte hingebend sein und der Mann dürfte unbeschwert nehmen. Dann geht es nämlich meistens umgekehrt: Die Frau wird immer beherrschender und der Mann immer fügsamer, er »kommt unter den Pantoffel«.

In einer geistig gegründeten Liebesbeziehung dagegen lassen sich beide Partner ganz frei, beschenken sich gegenseitig immer wieder neu und dienen gemeinsam dem Höchsten und Heiligsten, das sie zu fassen bzw. zu verehren vermögen. Dann ist weder die körperliche Anziehung noch die innere Zuneigung allein maßgebend, sondern beides ist getragen und gesichert durch die *vollkommene Übereinstimmung im Wesenskern* – also durch die Transparenz des Körperlichen für die geistige Substanz und die bewußte Vereinigung der Seele mit dem Göttlichen, Ewigen.

Der Ausdruck »Ehen werden im Himmel geschlossen« stimmt also durchaus, wenn man unter »Himmel« diesen spirituellen Liebesbereich versteht. Wenn »Ehe« eine wirklich unzertrennliche und unauflösliche, vom Innersten bis ins Äußerste reichende, die Partner ganz und gar ausfüllende Verbindung bedeuten soll, dann ist es doch ganz klar, daß sie nur in diesem Bereich gegründet sein kann und weder bloße Lustbefriedigung noch persönliches Wohlergehen in erster Linie erstrebt, sondern die Erfüllung des Menschseins überhaupt.

Strenggenommen verdient nur eine solche, über die egoistischen Bedürfnisse und Wünsche hinausreichende Verbindung den Namen »Ehe«. Alles andere sind bestenfalls Verheiratungen, wenn darin die psychische Beziehung überwiegt, vielfach aber nur eine legalisierte Form der Prostitution, wenn körperliche Leidenschaft oder gar materielle Berechnung (Versorgung, »Einheirat« und dergleichen) für das Eingehen der Verbindung bestimmend waren.

Demgegenüber bedeutet Ehe in dem angedeuteten Sinne wesentlich mehr als die bloße Verbindung zweier Menschen: Sie entspringt dem in der ganzen Schöpfung wirksamen Streben nach Ausgleich der polaren Gegensätze und nach Vereinigung in dem allen gemeinsamen Urgrund. Dieses Urgesetz der Schöpfung kann auch in einer menschlichen Liebesbeziehung in dem Maße sich auswirken, als die Liebenden über ihre eng persönliche Begrenztheit hinauswachsen und so auch ihre körperliche Verbindung als ein Symbol der universellen Ehe von Geist und Leben, Schöpfergott und Weltseele erfahren. Dann bedeutet EHE: *Es Heiligt Es!*

C. Die Notwendigkeit der »Ehe in sich selbst«

Zu einer solchen Gemeinsamkeit können Menschen aber nur gelangen, wenn jeder einzelne zunächst einmal die »Ehe in sich selbst« vollzogen hat. Das bedeutet, die männlichen und weiblichen Anlagen, die jeder Mensch in sich trägt, gleichermaßen zu entwickeln und zu harmonischem Ausgleich zu bringen. Man spricht mit Recht um so mehr von einer »gereiften Persönlichkeit«, je besser es gelungen ist, die Einseitigkeit des jeweils in Erscheinung getretenen Geschlechts »abzuschleifen« und die latenten Anlagen des anderen Geschlechts in sich zu entfalten. Im Unterschied zum geschlechtlich indifferenten Zwitter oder zur unbewußten, primitiven Mischung des robusten »Mannweibs« oder weibischen »Männchens« bleibt bei solch bewußter Integration der männliche und weibliche Grundcharakter der Persönlichkeit voll erhalten, wird jedoch wesentlich bereichert und veredelt.

Es wird ein Mensch erst dadurch ganz Frau oder ganz Mann, daß er möglichst viele Wesenszüge und charakteristische Eigenschaften des anderen Geschlechts in sich entfaltet und harmonisch dem eigenen Charakter einfügt, denn eben darin besteht die Ausgewogenheit und Ausgeglichenheit, die eine gereifte Persönlichkeit auszeichnet.

Darum erscheint das Idealbild des Ewig-Menschlichen beim Manne stets in weiblicher Gestalt (Psyche bei den Griechen, Venus bei den Römern, Beatrice bei Dante, das Ewig-Weibliche bei Goethe, Anima bei C.G. Jung) und bei der Frau in männlicher Gestalt (Apollo, Amor, der Heros, der Seelenbräutigam, Animus). Deswegen wird auch der vollendete Mensch, der Heilige oder Weise, als androgyn, das heißt zwiegeschlechtlich, bezeichnet, weil er das Wesen beider Geschlechter in sich zur Vollendung gebracht und ins Allgemein-Menschliche erhoben hat: Er verbindet männliche Bewußtseinsklarheit und Willensfestigkeit, Selbstbeherrschung und Zielstrebigkeit mit weiblicher Empfindsamkeit und Duldsamkeit, Einfühlung und Güte.

Erst Menschen, die mindestens schon begonnen haben, sich um eine solche innere Ehe zu bemühen, sind eigentlich »ehefähig«. Dabei kann es sich um eine äußere Ehe handeln, indem zwei Menschen in einer Verbindung leben, die frei geworden ist von egoistischen Wünschen und Bedürfnissen, Forderungen und Nötigungen und so in beiderseitiger Hingabe (nicht an den anderen Menschen, sondern an das in beiden Partnern wirksame höchste Menschideal) ebenso beglückende Gabe wie verpflichtende Aufgabe bedeutet.

Es kann aber auch jeder, dem eine solche Verbindung nicht beschieden ist, die »Ehe in sich« immer vollkommener gestalten und im selbstlosen Dienst an den Mitmenschen (etwa in sozialer, pädagogischer, ärztlicher oder seelsorgerischer Betätigung) zu segensreicher Auswirkung bringen, um so die helfende und einende Kraft der reinen Gottes- und Menschenliebe immer ungetrübter von persönlichen Schwächen (Geltungsstreben, Überheblichkeit, Dankerwartung usw.) auszustrahlen.

Wenn in jedem Falle innere Reife notwendig ist, so bedeutet das wieder eine Forderung an unsere Erziehung, daß man gar nicht früh genug damit beginnen kann, den Menschen zur geistigen Reife zu führen, denn diese ist nicht abhängig von den Lebensjahren, sondern von der Intensität und Bewußtheit des Erlebens. Es kann ein Mensch mit 18 Jahren reifer sein als einer mit 80, denn daß man bloß alt geworden ist, das ist niemals allein schon ein Zeichen von Reife. Nur was man in seinem Leben wirklich gelernt und erfahren hat, das heißt, in welchem Maße man sein Bewußtsein zu steigern und sich selbst zu wandeln vermochte, das ist Maßstab der Reife.

Darum ist es keineswegs eine unmögliche Forderung, daß ein Mensch bei richtiger Erziehung schon mit zwanzig Jahren innerlich reif sein kann, so daß er dann auch mit gutem Gewissen eine in der spirituellen Liebe gegründete Dauerverbindung eingehen darf. Dann weiß er auch, worauf es dabei wirklich ankommt: Auf die Übereinstimmung im wesentlichen, das heißt in der religiösen Erfahrung, die eben die »Wesensmitte«, das Zentrum des Bewußtseins bildet. Das ist noch wesentlich mehr als die psychische Harmonie. Darüber müßte man sich vor allem verständigen, und das müßte man gemeinsam erleben.

Das Religiöse ist nicht, wie viele junge Menschen heute meinen, nebensächlich und unwichtig, wenn man sich nur »liebt«. Ganz im Gegenteil: Man kann sich überhaupt nur richtig lieben auf der Basis gleicher religiöser Erfahrung! Allerdings darf man dabei das Religiöse in seiner universellen, allgemein-menschlichen Bedeutung nicht verwechseln mit irgendeiner speziellen Religionsform. Um es ganz deutlich zu sagen: *Ob* jemand evangelisch oder katholisch, mohammedanisch, hinduistisch oder buddhistisch ist, das ist nicht so wesentlich – aber *wie* er katholisch, evangelisch usw. ist, das ist entscheidend. Das bedeutet: Wie jeder seinen Glauben innerlich erfährt, wie ernst es ihm damit ist, in welchem Maße er sein ganzes Leben danach ausrichtet, worin er sich einbezogen und aufgehoben fühlt, was er hofft oder fürchtet, wenn es ans Sterben geht – das allerdings müßten die jungen Menschen gegenseitig prüfen. Und das ist gar nicht so schwer, denn jeder hat schon Situationen erlebt, die ihn bis an die Grenze seiner irdischen Existenz gebracht haben.

Wie nun der Mensch in solchen Grenzsituationen sich verhält, was er da innerlich erfährt und wie er dann äußerlich reagiert, das ist Maßstab seiner Religiosität. Was er dann in sich spürt und was ihm da begegnet, das ist das

Geistige, das Göttliche. Jeder Mensch hat es in irgendeiner Weise schon erfahren, nur sind sich die wenigsten Menschen dessen klar bewußt. Das wäre wieder Aufgabe einer richtigen Erziehung, den Menschen von Kind auf immer deutlicher bewußt werden zu lassen, wie oft und wie intensiv man Gott begegnen kann, wenn man nur sein Bewußtsein darauf richtet und sein Herz dafür öffnet.

Nur wenn Menschen in dieser letzten und höchsten Erfahrung, die dem menschlichen Bewußtsein möglich ist, voll und ganz übereinstimmen, haben sie wirklich eine Garantie dafür, daß ihre Verbindung auch die schwersten Schicksalsschläge und einschneidendsten inneren Wandlungen überdauern kann.

Gerade wenn die körperliche Anziehung am heftigsten ist, sollte man daher, anstatt »Süßholz zu raspeln« oder gar blindlings seinen Trieben zu folgen, miteinander solche klärenden und reinigenden Gespräche führen und sich dadurch eben nicht bloß körperlich, sondern wirklich wesenhaft immer näher kommen. Sollte dabei zwar die Leidenschaft etwas abgekühlt werden, dafür aber immer tiefere und innigere Liebe entstehen, so ist das bestimmt nur wünschenswert. Sollte sich aber die Abkühlung steigern und keine echte Liebe wachsen, dann ist auch das durchaus wünschenswert, denn es ist sicherlich besser, aus einer schwülen Augenblicksstimmung rechtzeitig herausgerissen zu werden, als später oder vielleicht sogar zu spät eine um so schmerzlichere Enttäuschung erleben zu müssen.

Deswegen kann man nur immer wieder mahnen: Ehe man es wagen darf, eine Dauerverbindung mit einem anderen Menschen einzugehen, muß man zuerst einmal in sich selbst reif werden, das heißt einfach Mensch sein im vollen Sinne dieses Wortes.

IV. Erziehung zur Liebe

A. Das Leben als Liebesschule

Erziehung zum vollwertigen Menschen und Erziehung zur immer reineren Liebe ist praktisch dasselbe. Deswegen gipfelt sowohl die intensive Persönlichkeitsentwicklung des Einzelmenschen als auch die expansive Gruppendynamik der mitmenschlichen Beziehungen im konsequenten Liebenlernen in allen Bereichen.

Die geistige Liebe steht nicht etwa im Gegensatz zur körperlichen Liebe, wie irregeleitete Menschen immer wieder meinen, denn der Geschlechtstrieb ist ja an sich nichts Böses. Er wird wie alles Natürliche erst böse durch Mißbrauch oder Unterdrückung. Auch die Sexualität ist im Grunde eine irdische Ausdrucksform – allerdings die begrenzteste und vergänglichste – der ewigen Allmacht Liebe.

Ebenso ist die psychische Liebe die notwendige Ergänzung und Weiterführung der physischen Beziehung, befindet sich also keinesfalls im Widerspruch zu ihr. Ja, sie ist sogar umgekehrt der wesentlichste Faktor, der aus der bloß triebbedingten Anziehung erst die körperliche Liebe entstehen läßt und so über den flüchtigen Augenblicksgenuß hinaus eine dauerhafte und beglückende Verbindung ermöglicht.

Die Bereiche Liebe überhöhen so einander wie konzentrische Kreise: Der größere umschließt immer den kleineren, und der weiteste, geistige, trägt alle in sich.

Die körperliche Beziehung braucht in der geistigen Liebe keineswegs aufzuhören. Es ist daher ein grobes Mißverständnis sowohl der »Keuschheit« als auch der »platonischen Liebe«, wenn man damit einfach das Unterlassen des Geschlechtsverkehrs meint. Im Gegenteil: Man verhält sich ausgesprochen »unkeusch«, wenn man zwar jede körperliche Intimität vermeidet, dabei aber die grobe Sinnlichkeit im Denken und Fühlen nur um so stärker pflegt (siehe »Porno«).

Echte Keuschheit, die auch Plato meinte, besteht vielmehr in der Reinheit der Gedanken und Gefühle auch bei der körperlichen Vereinigung. Diese bekommt dadurch allerdings einen anderen Sinn: Sie wird nicht mehr nur um ihrer selbst willen gesucht, sondern – wie bereits betont – als irdisches Gleichnis der kosmischen Ehe des urväterlichen Schöpfergeistes (Idee) mit der urmütterlichen Weltseele (Materie) erfahren, so daß davon nicht nur eine Teilfunktion des körperlichen Organismus berührt, sondern der ganze Mensch vollständig durchdrungen wird. Das aber bedeutet ein unvergleichlich innigeres und beglückenderes Erlebnis, als es bei sinnlicher Leidenschaft bzw. bloßer Triebbefriedigung jemals möglich ist.

In ähnlicher Weise wird die psychische Partnerschaft weder in der sozialen Gesellung der Kameradschaft noch in der ganz persönlichen Beziehung der Freundschaft durch die Universalität und Überpersönlichkeit der geistigen Liebe zunichte gemacht. Im Gegenteil: Je mehr das Persönliche ins Überpersönliche mündet und die verschiedenen Gruppierungen ins Allgemein-Menschliche gehoben werden, desto dauerhafter und krisenfester wird dadurch jede Form der psychischen Liebe. Sie ist gewissermaßen in der spirituellen Liebe »aufgehoben« in dem Doppelsinn des Wortes, auf den Goethe aufmerksam machte: einerseits auf eine höhere Ebene gehoben, andererseits aber darin in geläuterter Form aufbewahrt.

So findet in der reinen geistigen Liebe tatsächlich jede Form der Liebe ihre höchste Erfüllung und Vollendung.

Wenn man mit Recht sagt, unsere gesamte irdische Existenz sei eine Lebensschule für die verkörperte Seele, so können wir folgerichtig feststellen, daß diese Lebensschule wiederum nichts anderes ist als eine Liebesschule. *Infolgedessen ist auch die Kunst zu leben gleichbedeutend mit der Kunst zu lieben.*

Daß man beides nicht von heute auf morgen lernen kann, sondern das ganze Leben dazu braucht, um immer besser lieben zu lernen – das weiß jeder, der überhaupt schon begonnen hat, es zu versuchen.

Wir folgen dabei klugerweise dem Grundsatz: Einerseits stets das höchste Ideal zum Maßstab zu nehmen und unbeirrbar festzuhalten, andererseits aber in der Realisierung desselben um so mehr Geduld und Nachsicht walten zu lassen. Denn je höher ein Ideal ist, desto schwieriger und langwieriger muß seine Verwirklichung sein. Alle großen Weisen und Vollendeten, Menschheitsführer und Religionsstifter haben diesen Grundsatz befolgt und sind nie müde geworden, ihn zu lehren und vorzuleben. Es wäre eine dankenswerte Aufgabe, einmal die Aussprüche all dieser Menschheitsspitzen über die Liebe in einem Buch zu sammeln. Wir begnügen uns hier mit einem Hinweis auf die in unserem Kulturkreis bekannteste Persönlichkeit.

Christus hat einerseits in seiner Bergpredigt das unerhört hohe Ideal der Nächstenliebe, ja sogar der Feindesliebe gezeigt und an die Ehe den allerstrengsten Maßstab angelegt: »Wer ein Weib nur ansieht, ihrer zu begehren, der hat schon die Ehe gebrochen.« Richtig verstanden besteht Ehebruch also nur im Begehren, denn – gleichgültig, ob man mit dem Objekt der Begierde verheiratet ist oder nicht – allein dadurch, daß man einen Menschen zum Objekt egoistischen Begehrens entwürdigt, daß man ihn besitzen und gebrauchen möchte wie einen Gegenstand und schließlich sogar gegen seinen Willen vergewaltigt (auch eine widerwillig erfüllte »eheliche Pflicht« ist strenggenommen eine Vergewaltigung) – allein dadurch wird die Ehe gebrochen! Denn diesen Namen verdient eine Liebesbeziehung eben nur dann, wenn sie in der reinen Gottes- und Menschenliebe gegründet ist.

Diese Liebe aber braucht und will nichts für sich, sondern achtet das Selbstsein des anderen als unantastbar. Sie fragt nicht nach der eigenen Befriedigung, sondern nur nach dem Wohle des Partners, sie will nicht begehren, sondern beglücken, nicht fordern und bedrängen, sondern beschenken und befreien, nicht verletzen und binden, sondern heilen und erlösen.

So klar und absolut Christus einerseits das höchste Liebesideal gezeigt hat, so gütig und nachsichtig war er andererseits der Schwäche der Menschen gegenüber, denen die Verwirklichung dieses Ideals so schwerfällt. Gerade dadurch zog er sich den Zorn der Pharisäer zu, daß er so viel mit »Sündern« verkehrte, während sie sich zwar sorgsam vor der kleinsten Gesetzesübertretung hüteten, durch ihren Hochmut jedoch der schlimmsten aller Sünden verfielen: Der Lieblosigkeit und Hartherzigkeit. Christus aber schützte sogar die »Ehebrecherin«, und die »große Sünderin« Maria Magdalena wurde zu seiner treuesten Gefährtin, nachdem sie durch ihn von der körperlichen zur geistigen Liebe gelangen durfte. Die »tugendhaften Pharisäer« waren seine Todfeinde, zu der demütigen »Sünderin« aber sagte er: »*Dir wird viel verziehen, denn du hast viel geliebt.*«

B. Liebe als Grundlage und Ziel des Lebens

Wann werden auch wir endlich zu wahrhaft Liebenden geworden sein? Das heißt, wann werden wir nicht nur theoretisch einsehen, sondern auch in unserem täglichen Tun praktisch zum Ausdruck bringen, daß alles menschliche Handeln überhaupt nur aufbauend anstatt zerstörend, heilsam anstatt unheilvoll, belebend anstatt tödlich sein kann durch die darin wirksame Liebeskraft?

Die physische Liebeskraft des Eros ist gewissermaßen der unerschöpfliche Motor, der alles in Bewegung hält, aber auch ständige Wandlung bewirkt. Sie ist die elementare Lebensenergie, der alles Bestehende sein Entstehen verdankt.

Die psychische Liebeskraft der Philia ist die »gute Fee«, die das natürliche Leben verschönt und versüßt. Sie ist der dauernde Ansporn zur fortschreitenden Veredelung und Steigerung alles Bestehenden.

Die spirituelle Liebeskraft der Agape ist der Urbeginn und die Vollendung, der Weg und das Ziel des Menschseins überhaupt. Sie ist die Weihe und Heiligung allen menschlichen Lebens und Strebens.

So laßt uns denn versuchen, gleich einer brennenden Kerze, die sich selbst verzehrend Licht und Wärme verbreitet, das Dunkel der Erde zu durchlichten und die Kälte der Herzen zu erwärmen. Wer immer diesen Weg bewußt und konsequent beschreitet, wird die unendliche Gnade solchen Liebendürfens und Liebenkönnens als das beseeligendste Glück erfahren, das einem Menschen zuteil werden kann – wie es Christian Morgenstern angedeutet hat:

»Aus der ach so karg gefüllten Schale
unseres Herzens

laß uns Liebe schöpfen, wo nur immer
einer Seele Schale leer steht
und nach Liebe dürstet.
Nicht versiegen drum wird unsere
Schale –
steigen wird die so geschöpfte Flut,
nicht fallen,
Fülle wird das Los des so verschwenderischen
Herzens!«

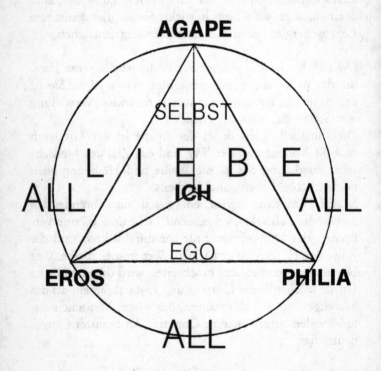

SCHLUSS:
ZEHN
LEBENSREGELN

1. Vollziehen Sie immer bewußter die »Ehe in sich selbst«, indem Sie konsequent als Mann Ihre weiblichen und als Frau Ihre männlichen Wesensseiten entwickeln und so die *Grundpolarität des Menschenwesens* immer stärker erleben:

männlich-väterlich (Yang)	*weiblich-mütterlich (Yin)*
Gottes-Geist	Welt-Seele
absolute ICH-Ständigkeit	unbegrenzte ALL-Verbundenheit
Wahrung der individuellen Eigenprägung	Offenbarung der universellen Gemeinschaftsbeziehungen
gezielte Konzentration des Willens	umfassende Expansion des Bewußtseins
magische Tat	mystische Schau
kreative Aufgabe	intuitive Hingabe
mutig fortschreitende Bewährung	geduldig pflegende Bewahrung
zeugendes Gestalten von innen nach außen	empfangendes Erhalten von außen nach innen

Nur so gelangen Sie schließlich aus der bedrängenden Gegensatzspannung der Geschlechter in die befreiende Spannweite allgemeingültiger (griechisch: androgyner) Menschlichkeit.

2. Üben Sie sich unermüdlich in der dreifachen *Hauptaufgabe des Menschseins:*
a) Stets den goldenen Mittelweg zwischen bzw. über allen Extremen zu gehen. Also nicht einen bequemen, aber

minderwertigen und keiner Belastung standhaltenden »faulen Kompromiß« zu suchen, sondern die übergeordnete und unter allen Umständen beständige höhere Einheit der echten *Synthese* zu finden:

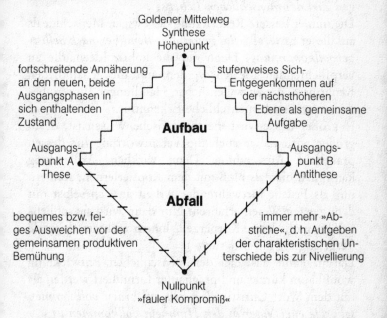

Goldener Mittelweg
Synthese
Höhepunkt

fortschreitende Annäherung an den neuen, beide Ausgangsphasen in sich enthaltenden Zustand

stufenweises Sich-Entgegenkommen auf der nächsthöheren Ebene als gemeinsame Aufgabe

Aufbau

Ausgangspunkt A
These

Ausgangspunkt B
Antithese

Abfall

bequemes bzw. feiges Ausweichen vor der gemeinsamen produktiven Bemühung

immer mehr »Abstriche«, d. h. Aufgeben der charakteristischen Unterschiede bis zur Nivellierung

Nullpunkt
»fauler Kompromiß«

b) Stets den steilen Pfad zu wandeln, der »auf Messers Schneide« zwischen den Abgründen einseitiger Verkehrtheiten zur sicheren Höhe richtiger, weil allem gerecht werdender *Allseitigkeit* führt.

c) Stets aufrecht und aufrichtend in allem »die Waage zu halten«. Also nicht wie ein schwankendes Rohr im Winde haltlos zwischen den Gegensätzen hin und her zu pendeln, sondern fest gegründet in sich selbst überall den rechten *Ausgleich der Polaritäten* herzustellen (labiles Gleichgewicht wie z. B. bei der Magnetnadel). Nur so wird schließlich die *vollkommene Harmonie* erreicht, die in der wesensgemäßen Ergänzung aller Teilerscheinungen zur vollendeten Ganzheit besteht.

3. Streben Sie intensiv und ausdauernd nach dem *einzigen Ziel des menschlichen Lebens*:
Die immer bessere Realisierung des ewigen Menschideals auf dieser Erde, also *das beständige Bemühen nach Selbstvervollkommnung*. Denn nur die hohen Ideen, die zu verpflichtenden Idealen werden, nur die gedanklichen Kenntnisse, die zu willentlichen Handlungen führen, bedeuten wahrhaft menschliche Erkenntnis.
Je größer das erworbene theoretische Wissen ist, desto größer wird daher auch die Verantwortung für dessen praktische Anwendung. Denn wirkliche Vollendung kann man niemals bloß mit dem Kopf erlernen, sondern nur als Frucht fortwährender Arbeit an sich selbst mit dem ganzen Wesen erfahren. Nur dann wird sie schließlich bis in die letzte Körperzelle hinein wirksam als totale Vergeistigung (»Verklärung«).
Darum kann das Ziel der menschlichen Entwicklung wohl kaum kürzer und prägnanter formuliert werden als mit dem Wort Christi: »*Ihr sollt auf Erden vollkommen sein wie euer Vater in den Himmeln vollkommen ist.*«

4. Je höher Sie mit Ihrem Haupte in die Weiten der Sternenwelten ragen, desto fester gegründet sollten Sie mit ihren Füßen in der Tiefe der Erde wurzeln. Denn niemals darf ein Gegensatz entstehen zwischen dem Erleben höherer Geistigkeit und den notwendigen Anforderungen des täglichen Lebens.
Jeder weichliche Idealismus, der nicht mit der harten Realität des Daseins fertig wird, jeder Fluchtversuch vor den irdischen Aufgaben in ein angeblich »besseres Jenseits«, überhaupt jegliche Minderbewertung oder gar

Verunglimpfung des Leiblichen und Materiellen durch irgendeinen einseitigen Psychismus – das alles ist ein folgenschwerer Irrtum! Nur diesem haben wir es zu verdanken, daß wir Menschen uns vielfach noch gegenseitig das Leben zur »Hölle« machen, anstatt die Erde in ein Paradies zu verwandeln, wie es nicht nur dem göttlichen Auftrag entspricht, sondern heute schon praktisch möglich wäre.

Beherzigen Sie daher bei all Ihren geistigen Bemühungen immer die Mahnung Nietzsches in seinem »Zarathustra«: *»Bleibt mir der Erde treu, meine Brüder, also beschwöre ich euch!«*

5. Die *Unantastbarkeit der persönlichen Freiheit* auf Grund der unbedingten Achtung vor dem göttlichen Wesenskern eines jeden Menschen sei oberstes Gebot!

Vermeiden Sie also sorgsam, durch Taten oder Worte in die freie Willensentscheidung eines anderen gewaltsam einzugreifen, ja sogar durch Gedanken und Gefühle die Unabhängigkeit seiner Urteilsbildung zu beeinträchtigen. Denn jeder Mensch folgt seiner ureigensten karmischen Gesetzmäßigkeit, so daß Sie sich immer zuerst fragen müssen, ob Sie einen eigenmächtigen Eingriff in diese Gesetzmäßigkeit verantworten können und die unausweichlichen Folgen eines solchen Eingriffs auf sich nehmen wollen.

Selbst noch so hohe Einsicht und noch so gute Absicht berechtigt nicht zu äußerem oder innerem Zwang, sondern nur zu helfendem Rat und richtungsweisendem eigenem Beispiel (abgesehen von einigen wenigen – allerdings um so größere Vorsicht und Behutsamkeit erfordernden – Sonderfällen, in denen das menschliche Bewußtsein noch nicht oder nicht mehr voll ansprechbar ist).

Jedes Bekehren-, Überreden- oder Beeinflussen-Wollen

anderer, überhaupt jedes Eiferertum und erst recht jeglicher Fanatismus sind nur ein Zeichen geistiger Unreife. Denn niemals kommt es darauf an, anderen die eigene Meinung aufzudrängen, sondern allein auf das Vermögen, in richtiger Weise dazu beizutragen, daß der andere aus sich selbst heraus das Rechte findet. Wir nennen dies treffend »Überzeugen«, denn es ist tatsächlich eine geistige Zeugung, durch die wir das, wovon wir selbst erfüllt sind, so auf den anderen übertragen, daß es auch in ihm heranwächst.

Darum *verlangen Sie stets das meiste von sich selbst und erwarten Sie das wenigste von den anderen.* Je strenger und gerechter Sie so sich selbst gegenüber sind, desto duldsamer und liebevoller werden Sie anderen gegenüber werden.

6. Es ist ein *unerbittliches Lebensgesetz:* Wie die Saat, so die Ernte, wie der Einsatz, so das Resultat, wie die Ursache, so die Wirkung. Sie werden also auch im Geistigen immer nur so viel erreichen, wie Sie dafür an Lebensgütern und Persönlichkeitswerten einsetzen. Und ihr Wesenskern bzw. Ihr Gewissen läßt sich da gar nichts vormachen: *Nur wirklich restlose Hingabe, unbedingte Konsequenz und unermüdliche Ausdauer führen zum Ziel!* Nicht wir selber haben hier die Fordernden zu sein. Vielmehr ist alles, was wir tun können, nur die Erfüllung unseres Auftrages, uns selbst zu einem immer vollkommeneren Instrument in der Hand eines Höheren zu bereiten. Bleiben wir daher bei aller Notwendigkeit selbständiger Mitwirkung und Leistung doch stets unserer Gliedhaftigkeit in einem größeren Ganzen voll bewußt, so daß alle eigene Aktivität stets nur Ausdruck vertrauensvoller Erfüllung des einen Willens ist, der da unfehlbar in allem geschieht. Lassen Sie sich in Ihrem Vervollkommnungsstreben auch durch noch so große Widerstände und zeitweilige Mißerfolge nicht beirren, denn dadurch soll ja nur Ihre Ausdauer und Geduld geprüft werden.

Verfallen Sie ebensowenig in ungeduldige Willensverkrampfung oder lähmende Selbstunterschätzung wie in nachlässige Bequemlichkeit oder irreführende Überheblichkeit. Lernen Sie vielmehr alles, womit Sie im Augenblick noch nicht fertig werden, zwar nicht aufzugeben, aber so lange ruhen zu lassen, bis es dafür »an der Zeit ist«.

Bei allem drängenden Vorwärtsstreben sollten Sie es ebensogut verstehen, Ihre gegenwärtigen Grenzen zu kennen und einzuhalten, denn nur dann wird im richtigen Zeitpunkt die angemessene »Grenzerweiterung« ganz von selbst eintreten.

Eine indische Sentenz lautet: »Die ausgestreckte Wunschhand stößt die Gabe zurück.« Das bedeutet: Man muß zugleich abwartende Geduld nach außen bei voller Intensität des Strebens im Inneren üben.

Nur so wird nutzloses, unbeherrschtes Wünschen in die gezügelte Kraft wissenden Wollens verwandelt.

7. *Unbedingte Ehrfurcht vor dem Leben* in all seinen Erscheinungsformen ist ein Hauptkennzeichen des geistig Hochstehenden.

Gewöhnen Sie sich daran, allem Bestehenden stets in der Haltung positiver Aufgeschlossenheit und Lernbereitschaft gegenüberzutreten, anstatt in der so unfruchtbaren, hemmenden Haltung negativer Kritik und engstirnigen Aburteilens. Denn Ihre Umgebung ist stets nur ein Spiegelbild Ihrer selbst: Je mehr Sie sich selbst vervollkommnen, desto vollkommener wird auch die beglückende Harmonie und fruchtbare Wechselwirkung mit Ihrer Umwelt werden.

8. Seien Sie immer darauf bedacht, nicht nur Teile Ihres Wesens um den Preis der Vernachlässigung anderer zu entwickeln, sondern eine möglichst *gleichmäßige Ausbildung der Gesamtpersönlichkeit* zu vollziehen:

a) Üben Sie die *Bestimmtheit des Wollens im Wesenskern*. Denn nur dadurch bleiben Sie nicht mehr ein »vom Leben Gelebter« und »von den Trieben Getriebener«, sondern reifen zu einem wahrhaft Lebendigen und in sich Gefestigten heran, der als ein geistig mündig Gewordener Recht und Pflicht der Selbstbestimmung in verantwortungsbewußtem Handeln sich verdient hat.

b) Schulen Sie die *Sachlichkeit des Denkens im Bewußtsein*. Denn nur dadurch lernen Sie allmählich die trügerische Erscheinungswelt täuschender Sinneswahrnehmungen, unzulänglicher Begriffe und subjektiver Vorstellungen zu durchschauen und den Spiegel des Bewußtseins zum immer klareren Widerspiegeln der ewigen Urbilder zu befähigen, so daß schließlich die Wahrheit und Wirklichkeit des Wesens ungetrübt und unverzerrt hindurchzustrahlen vermag.

c) Erwerben Sie *Gelassenheit des Fühlens im Gemüt:* Denn nur dadurch werden Sie aus einem hilflosen Tummelplatz unkontrollierbarer Emotionen und Affekte zu einem alle Gefühlsschwingungen sicher meisternden Beherrscher Ihrer selbst. Nur durch solch ruhevolle Ausgeglichenheit können Sie Ihre Empfindsamkeit steigern, ohne empfindlich und nervös zu werden, immer besser Ihren Ausdruck zügeln, ohne gefühllos oder phlegmatisch zu werden, reine Sinnenfreude und sublime Genußfähigkeit gewinnen, ohne grobsinnlich und leichtsinnig zu werden.

d) Gelangen Sie so zur *Stetigkeit des Wirkens im Körper*. Denn nur dadurch werden Sie zu einem immer besser funktionierenden Instrument für den ewigen Willen des

Schöpfergeistes, die allumfassende Weisheit der Weltseele und die unendliche Schwingungssymphonie der Lebensenergien.

e) Streben Sie also stets nach *vollkommener Harmonie*, nach bestmöglichem Zusammenklang all Ihrer psychophysischen Fähigkeiten. Denn nur das bedeutet die »große Gesundheit« (Nietzsche), das heißt die »Ebenbildlichkeit« der irdischen Erscheinungsform mit der göttlichen Schöpfungsidee Mensch.

9. Verschaffen Sie sich immer öfter und in wachsender Intensität *Zeiten der Besinnung*, der inneren Ruhe und Gelöstheit, der Versenkung und »Abgeschiedenheit« (Eckehard), in denen Sie die »Stimme der Stille« in sich vernehmen, das Wesentliche vom Unwesentlichen unterscheiden und ganz zu sich selbst kommen können (Gebet und Meditation).

Dadurch werden Sie erfahren, daß mit dem Mysterienwort »*Erkenne dich selbst*« in der Tat der Schlüssel aller echten Geistesschulung und rechten Lebensführung gegeben ist. Erst wenn Sie »sich selber zusehen« können, das heißt sogar in den heftigsten Gemütserschütterungen, in allem Glück und Unglück, in Freud und Leid die geistige Überlegenheit eines gewissermaßen »unbeteiligten Beobachters« wahren und sich über sich selbst nichts mehr vormachen – erst dann werden Sie die Kraft gewinnen, auch jenes andere Mysterienwort in die Tat umsetzen zu können: »*Werde, der du bist*«, das heißt dem Erkennen auch das Können, der intuitiven Wesensschau auch die lebensvolle Selbstverwirklichung folgen zu lassen.

10. Der stärksten Konzentration der Selbstbesinnung folgt in polarer Wechselwirkung die größtmögliche Expansion der Selbstentfaltung, indem nun alles Persönliche gerade in seiner Einzigartigkeit doch zugleich auch als spezifische Ausdrucksform eines Überpersönlichen und Allgemeingültigen, als Teilsein im Göttlich-Ganzen und als Gliedhaftigkeit im Gesamtorganismus des Kosmos erlebt wird (kosmisches Bewußtsein).

Die Urerfahrung des zu sich selbst erwachten Menschen: »*Das (alles) bist du*« (östlich – von außen nach innen) oder »*Ich bin all*« (westlich – von innen nach außen) führt so zu einer immer umfassenderen Bewußtseinserweiterung, in der man sich schließlich mitwirkend und mitverantwortlich weiß an allem, was besteht und geschieht.

Dieses freiwillige Mittragen der allseitigen Verantwortlichkeit der göttlichen Urwesenheit für alle ihre Teile bzw. für jedes Teilgeschehen in sich ist aber zugleich die höchste, weil umfänglichste und zentralste, heiligste und wirksamste Form der *Liebe*.

Weil somit die Liebe letzter und eigentlichster Sinn des Menschseins ist, darum muß der Mensch alle ihre Erscheinungsformen durchleben, um so schließlich das Ziel alles Liebens, *erkennende Durchdringung*, und das Ziel alles Erkennens, *liebende Vereinigung*, zugleich zu erreichen in der vollkommenen Wiederverschmelzung des »Fünkleins« mit dem Urfeuer.

Nächstenliebe und Gottesliebe, reine Menschenliebe und grenzenlose All-Liebe sind also Ursprung und Ursinn des Menschen. Und darum bildet das Wort des greisen Johannes, in dem er zuletzt den ganzen Sinn seiner Verkündigung zusammenfaßte: »Kindlein, liebet einander« – ebenso wie die moderne Hippie-Philosophie »Macht Liebe (wenn man darunter nicht bloß Sex versteht), nicht Krieg« – auch die Quintessenz dieses Buches:

LIEBE ist das einzige, was das Leben wirklich lebenswert macht, und folglich ist das Beste, was wir aus dem Leben machen können: *Immer vollkommener zu lieben!*

Der wahrhaft Liebende ist zu einer menschlichen Sonne geworden: Das Geistfeuer der Kernsubstanz, des innewohnenden Gottesfunkens, kann nun ungehemmt und ungetrübt durch alle Hüllen der Persönlichkeit hindurchstrahlen und überall Licht (= Erkenntnis) und Wärme (= Liebe) verbreiten.

Selbst-Bewußtsein
Selbst-Erkenntnis
Selbst-Verwirklichung
Selbst-Erfüllung
Selbst-Vollendung
durch fortschreitende **Transparenz**
aller Funktionsbereiche
für den Wesenskern

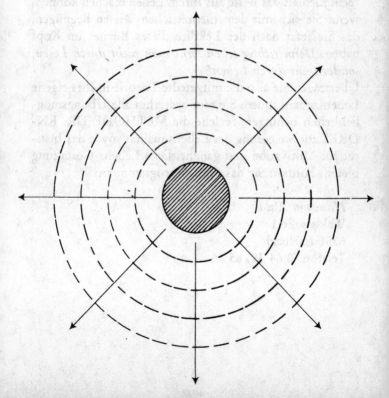

Nachwort

Ehe Sie nun dieses Buch aus der Hand legen, lieber Leser, sollten Sie folgendes überlegen:

Ob Sie Klavier spielen oder radfahren, schwimmen oder eine Fremdsprache lernen wollen – Sie werden nichts erreichen, wenn Sie auch noch so viele Bücher darüber lesen, sondern nur durch *praktisches Tun*, durch konsequentes Trainieren und unermüdliches Üben sich das Erstrebte aneignen können. So werden Sie natürlich erst recht niemals das Beste aus Ihrem Leben machen können, wenn Sie sich mit dem theoretischen Wissen begnügen, das Sie jetzt nach der Lektüre dieses Buches im Kopf haben. *Denn richtig leben lernt man nicht durch Lesen, sondern nur durch Leben!*

Übertragen Sie also die mitgeteilte Theorie in Ihre eigene Lebenspraxis, indem Sie nun weiterhin alle Übungsmöglichkeiten benützen, welche die METHODE DR. ENDRES zur Steigerung der Lebensqualität sowie das Institut für Motivation und ganzheitliche Lebens-Gestaltung bieten. Fordern Sie das Gesamtprogramm an:

Haus am Wald
Waldstraße 1
6251 Isselbach
Telefon (0 64 39) 65 46

Quellenwerke und empfehlenswerte Literatur

Äppli: Der Traum und seine Deutung. Knaur.
Andreas/Davies: Das verheimlichte Wissen. Knaur.
Anrich: Moderne Physik und Tiefenpsychologie. Klett.
Assagioli: Handbuch der Psychosynthesis. Aurum.
Argüelles: Das große Mandalabuch. Aurum.
– Weiblich. Irisana.
Aurobindo: Stufen der Vollendung. Barth.
– Zyklus der menschlichen Entwicklung. Barth.
– Integraler Yoga. rororo.
Bach: Die Möwe Jonathan. Ullstein.
– Illusion. Ullstein.
Baer: Selbsttherapie. Goldmann.
Beer: Leben ohne Angst. Goldmann.
Berne: Spiele der Erwachsenen. rororo.
– Spiele u. Spielarten der Liebe. rororo.
Birkenbihl: Streß im Griff. Goldmann.
– Kommunikationstraining. Goldmann.
Björkmann: Das neue Menschenbild. Aurum.
– Die spirituelle Evolution. Aurum.
Blakeslee: Das rechte Gehirn. Aurum.
Boeckel: Meditationspraxis. Goldmann.
Bohm: Chakras. Barth.
Bonnafont: Die Botschaft der Körpersprache. Ariston.
Boschke: Die Schöpfung ist noch nicht zu Ende. Econ.
Bossard: Traumpsychologie. Walter.
Brocher: Von der Schwierigkeit zu lieben. Kreuz.
Brunton: Der Weg nach Innen. Barth.
– Entdecke Dich Selbst. Bauer.
– Das Überselbst. Bauer.
Bucke: Die Erfahrung des kosmischen Bewußtseins. Bauer.
Buehler: Psychologie im Leben unserer Zeit. Mosaik.
– Wenn das Leben gelingen soll. Goldmann.
Buttlar: Der Menschheitstraum. Fischer.
– Zeitsprung. Goldmann.
Capra: Der kosmische Reigen. Barth.
– Wendezeit. Scherz.
Carnegie: Wie man Freunde gewinnt. Rascher.
– Sorge Dich nicht – lebe! Scherz.
Carrel: Betrachtungen zur Lebensführung. Kindler.
– Der Mensch – das unbekannte Wesen. Kindler.
Coster: Yoga und Tiefenpsychologie. Barth.
Collins: Bewußter leben im Hier und Jetzt. Goldmann.
Davis: Das ist Wirklichkeit. CSA.

– Schöpferische Imagination. CSA.
– Wahrheitsstudien. CSA.
De Ropp: Das Meisterspiel. Knaur.
Deshimaru: Zen in den Kampfkünsten Japans. Knaur.
Doucet: So deuten Sie Ihre Träume richtig. Kremayr.
Draayer: Das Licht in uns. Kösel.
– Finde Dich selbst. Kösel.
Dürckheim: Im Zeichen der großen Erfahrung. Huber.
– Der Alltag als Übung. Barth.
– Zen und wir. Fischer.
– Erlebnis und Wandlung. Barth.
Dürckheim: Mächtigkeit, Rang und Stufe des Menschen. Aurum.
Eberhard: Heilkräfte der Farben. Drei Eichen.
Eckehard: Auswahl. Diederichs.
– Im ewigen Jetzt (Albrecht). Rascher.
Endres: Der Weg zum persönlichen Erfolg. Rasche.
– Numerologie. IfL.
Endres: Das spirituelle Menschenbild. Knaur.
– Menschenkenntnis rasch und sicher. Knaur.
Fast: Körpersprache. rororo.
Ferguson: Die sanfte Verschwörung. Knaur.
Feyler: Träume – Suchbilder der Seele. Bauer.
Frybe: Anleitung zum Glücklichsein. Bauer.
Fließ: Der Ablauf des Lebens. Deuticke.
– Das Jahr im Lebendigen. Diederichs.
Frankl: Der Mensch auf der Suche nach Sinn. Mosaik.
Franz: Zahl und Zeit. Klett.
Friedmann: Wissenschaft und Symbol. Biederstein.
Fromm: Die Kunst des Liebens. Ullstein.
– Es geht um den Menschen. Goldmann.
– Haben oder Sein. DVA.
Früh: Triumph der Lebensrhythmen. Lebensweiser.
Funk: Mut zum Menschen. DVA.
Fynn: Hallo Mister Gott. Fischer.
Garfield: Kreativ träumen. Ansata.
Gebser: Abendländische Wandlung. Europa.
Geisler: Lebenshilfe durch PSI. Bauer.
Gottschalk: Die Wissenschaft vom Traum. Goldmann.
Grof: Geburt, Tod und Transzendenz. Kösel.
– Das Abenteuer der Selbstentdeckung. Kösel.
Groß: Hoch und Tief unserer Lebensenergie. Ebertin.
– Biorhythmik. Goldmann.
Hamblin: Psycho-Dynamik. Drei Eichen.
Hartmann: Der Mensch als Selbstgestalter seines Schicksals. Klostermann.
– Menschenkunde. Klostermann.
– Erde und Kosmos. Klostermann.
Hauer: Der Yoga als Heilweg. Kohlhammer.
Hauschka: Substanzlehre. Klostermann.
Hennenhofer: Angst überwinden. rororo.
Heyer: Seelenkunde im Aufbruch der Zeit. Huber.

– Vom Kraftfeld der Seele. Kindler.
– Praktische Seelenheilkunde. Kindler.
Hull: Alles ist erreichbar. rororo.
Huxley: Das Leben meistern. Econ.
Jackson: Nie mehr krank sein! Goldmann.
Joy: Weg der Erfüllung. Ansata.
Jung: Über die Psychologie des Unbewußten. Rascher.
– Symbole der Wandlung. Rascher.
– Symbolik des Geistes. Rascher.
– Psychologie und Alchemie. Rascher.
– Mandala. Walter.
Kirst/Diekmeyer: Contakttraining. DVA.
– Creativitätstraining. rororo.
– Intelligenztraining. rororo.
Kirsten: Gruppentraining. rororo.
Koeck: Keine Angst vor morgen. Econ.
Krishnamurti: Autorität und Erziehung. Humata.
– Jenseits der Gewalt. Fischer.
– Leben! Fischer.
– Schöpferische Freiheit. Humata.
Kuhn: Finde Deinen Weg. Bauer.
– So macht leben Spaß. Bauer.
Kupfer: unzerstörbare Energie. Ariston.
Kurth: Lexikon der Traumsymbolik. Ariston.
Kyber: Die drei Lichter der kleinen Veronika. Drei Eichen.
Laubach: Der Weg des Geistes. Knaur.
Laotse: Taoteking. Drei Eichen.
– Weisheiten. Heyne.
Lassalle: Wohin geht der Mensch? Benziger.
– Zen-Meditation für Christen. Barth.
Lasalle: Leben im neuen Bewußtsein. Kösel.
Leadbeater: Chakras. Bauer.
– Der sichtbare und der unsichtbare Mensch. Bauer.
Lebert: Psychopotenz. Goldmann.
Leitner: So lernt man lernen. Herder.
– So lernt man leben. Knaur.
Lenné: Zurück zum gesunden Schlaf. Heyne.
Lilly: Das Zentrum des Zyklons. Fischer.
Lindemann: Anti-Streß-Programm. Mosaik.
Lindenberg: Training der Lebenskräfte. Schickowsky.
Luban/Plozzi: Was zerrt an unseren Nerven? Goldmann.
Luban/Knaak: Der ganzheitliche Mensch. Goldmann.
Lüscher: Signale der Persönlichkeit. DVA.
Lysebeth: Yoga für Menschen von heute. Mosaik.
Maeder: Selbsterhaltung und Selbstheilung. Kindler.
– Wege zur seelischen Heilung. Kindler.
Maler/Sieber: Das Verhalten des Menschen. Bertelsmann.
Maltz: Erfolg kommt nicht von ungefähr. Econ.
Malzahn: Das Wunder Ihrer Psyche. Ariston.
Mangoldt: Meditation heute. Barth.

- Yoga heute. Goldmann.
- Das Menschenbild. Barth.
Markert: Das bist Du. Goldmann.
Maslow: Motivation und Persönlichkeit. Walter.
Maugham: Auf Messers Schneide. Ullstein.
May: Der Weg zum glücklichen Alter. Goldmann.
Meckelburg: Der Überraum. Bauer.
Michael: Was kränkt, macht krank. Kindler.
Milner/Smart: Experiment Schöpfung. Bauer.
Murphy: Energie aus dem Kosmos. Ariston.
- Die Gesetze des Denkens und Glaubens. Ariston.
- Die Macht Ihres Unterbewußtseins. Koenig.
Nakamura: Das große Buch vom richtigen Atem. Knaur.
Nimmergut: Die erfolgreiche Kontaktschule. Heyne.
Norfolk: Nie mehr müde und erschöpft. Ariston.
Ott: Optimales Denken. rororo.
- Das Konzentrationsprogramm. rororo.
Pachtner: Richtig denken – richtig arbeiten. Goldmann.
Pauwels/Bergier: Aufbruch ins dritte Jahrtausend. Goldmann.
- Der Planet der unmöglichen Möglichkeiten. Scherz.
- Die Entdeckung des ewigen Menschen. Scherz.
Peale: Trotzdem positiv. Heyne.
Peccei: Die Qualität des Menschen. DVA.
Peter/Kilian: Die phantastische Wissenschaft. Fischer.
Plack: Ohne Lüge leben. DVA.
Portmann: Aufbruch der Lebensforschung. Rhein.
Postle: Das kosmische Ballett. Umschau.
Pulver: Selbstbesinnung – Selbsterfahrung. Orell Füßli.
- Person – Charakter – Schicksal. Orell Füßli.
Rattner: Der schwierige Mitmensch. Fischer.
- Miteinander leben lernen. Fischer.
- Psychosomatische Medizin heute. Fischer.
Reiter: Meditation – Wege zum Selbst. Mosaik.
Richter: Die Gruppe. rororo.
Rosenfeld: Die zweite Schöpfung. Econ.
Rowe: Miteinander leben. Kösel.
Rozman: Mit Kindern meditieren. Fischer.
Scharf: Das große Buch der Herzensmeditation. Bauer.
Scheitlin: Erfolgreiche Lebensgestaltung. Walter.
Schellbach: Der neue Weg. Schellbach.
- Mein Erfolgssystem. Bauer.
Schleich: Wunder der Seele. Fischer.
Schmidbauer: Selbsterfahrung in der Gruppe. Mosaik.
Schmidt: Wunder der Willenskraft. Drei Eichen.
- Atom-Energien der Seele. Drei Eichen.
- In Harmonie mit dem Schicksal. Drei Eichen.
- Sei Du selbst. Drei Eichen.
- In Dir ist das Licht. Drei Eichen.
- Bhagavadgita. Drei Eichen.
Schönberger: Weltformel I Ging. Barth.

Schottländer: Des Lebens schöne Mitte. Klett.
Schwarz: Aus Träumen lernen. Knaur.
Schuré: Die großen Eingeweihten. Barth.
Schutz: Freude – Gruppentherapie. rororo.
Schwäbisch/Siems: Selbstentfaltung durch Meditation. rororo.
Selby: Ds Immunsystem aktivieren. Knaur.
Simeons: Ärger und Aufregung als Krankheitsursache. Goldmann.
Stangl: Das Entspannungsprogramm. Econ.
– Jede Minute sinnvoll leben. Econ.
– Lebenskraft. Econ.
– Hoffnung auf Heilung. Econ.
Stern: Lebenskonflikte als Krankheitsursache. Kindler.
Stiegnitz: Frei von Angst. Heyne.
Taniguchi: Leben aus dem Geiste. Bauer.
Taylor: Zukunftsbewältigung. rororo.
Teilhard de Chardin: Auswahl. Fischer.
– Die Zukunft des Menschen. Walter.
Thompson: Am Tor der Zukunft. Aurum.
Thorpe: Der Mensch in der Evolution. Nymphenburger.
Tietze: Entschlüsselte Organsprache. Knaur.
Tilmann: Die Führung zur Meditation. Benziger.
Trampler: Heilung durch die Kraft des Geistes. Ansata.
Trine: In Harmonie mit dem Unendlichen. DVA.
Ulene: Mehr Freude am Leben. Mosaik.
Ungern-Sternberg: Grundlagen kosmischen Ich-Bewußtseins. Aurum.
Vester: Denken, Lernen, Vergessen. DVA.
– Phänomen Streß. DVA.
– Neuland des Denkens. dtV.
Waelti: der dritte Kreis des Wissens. Ansata.
Waldeck: Der Rhythmus Deines Blutes. Lebensweiser.
Waldemar: Jung und gesund durch Yoga. Goldmann.
Wallimann: Lichtpunkt. Bauer.
– Wunder der Meditation. Bauer.
Watson: Geheimes Wissen. Fischer.
Waitley: Der Kern unserer Kraft. Heyne.
Weizsäcker: Natur und Geist. Kindler.
– Die biologische Basis der Glaubenserfahrung. Barth.
Werthmüller: Der Weltprozeß und die Farben. Klett.
Wiedemann: Fit und froh. Goldmann.
Wilhelm: Das Geheimnis der Goldenen Blüte. Walter.
– I Ging. Diederichs.
Williams: Durch Traumarbeit zum eigenen Selbst. Ansata.
Wilson: Mehr Willenskraft. Heyne.
Wölfi: Die hohe Schule der Zärtlichkeit. Ariston.
Yesudian: Raja-Yoga (Yoga in den zwei Welten). Drei Eichen.
– Yoga im heutigen Lebenskampf. Drei Eichen.
Yogananda: Autobiographie eines Yogi. Barth.
Zielke: Methodik geistiger Arbeit. Mod. Industrie.
– Die Technik der Gedächtnisschulung. Goldmann.
Zimmer: Der Weg zum Selbst. Diederichs.
Zschock: Zu neuen Seinsdimensionen. Ariston.

Ferguson, Marilyn
Die sanfte Verschwörung

Persönliche und gesellschaftliche Transformation im Zeitalter des Wassermanns. Mit einem Vorwort von Fritjof Capra. 528 S. [4123]

Walsh, Roger
Überleben

Wir produzieren unter unbiologischen Bedingungen Feldfrüchte und Fleisch im Übermaß – während ein großer Teil der Weltbevölkerung hungern muß. Roger Walsh untersucht die Triebfedern unseres selbstmörderischen Tuns und gibt Anregungen für eine neue und sinnvolle Richtung. 176 S. [4155]

Aeppli, Ernst
Der Traum
und seine Deutung

Der Psychoanalytiker Ernst Aeppli schrieb dieses Traumbuch im Geiste des großen Seelenforschers C. G. Jung. Er wendet sich an alle, die wirklich Zugang zu ihren Träumen und somit zu ihrem Unbewußten suchen. 416 S. [4116]

Boot, M.
Das Horoskop

Dies ist sowohl ein Einführungswerk für den interessierten Anfänger als auch ein Nachschlagewerk für den praktizierenden Astrologen. Alle Interpretationen stützen sich auf empirische Ergebnisse der Astrologie in Verbindung mit modernen psychologischen Erkenntnissen. 336 S. mit Abb. [4172]

Szabó, Zoltán
Buch der Runen

Das westliche Orakel. Das Buch enthält eine ausführliche Anleitung für die Orakel-Praxis und erklärt die besondere Bedeutung der Runen und der germanischen Götter als lebendige Symbole. Zusammen mit einem Satz von 18 Runensteinen in Klarsichtkassette. 256 S. [4146]

Tietze, Henry G.
Imagination
und Symboldeutung

Wie innere Bilder heilen und vorbeugen helfen. Henry G. Tietze führt uns ein in die Welt der inneren Bilder, erklärt, was sie bedeuten, wie sie hervorgerufen und genutzt werden können. 352 S. [4136]

Wilson, Colin
Gurdjieff – Der Kampf
gegen den Schlaf

Georg Iwanowitsch Gurdjieff (1865–1949) ist eine der geheimnisumwittertsten Persönlichkeiten des Jahrhunderts. Colin Wilson ist seiner Philosophie und seinem Einfluß auf andere Menschen nachgegangen. Sein Buch ist eine brillante Einführung in Leben und Werk dieses Psychologen-Magiers des 20. Jahrhunderts. 176 S. [4162]

Boyd, Doug
Swami Rama

Erfahrungen mit den heiligen Männern Indiens. Swami Rama, in Indien aufgewachsen, ist eine Persönlichkeit, für den Wunder alltäglich sind. In den USA experimentiert er mit quantitativen Untersuchungsmethoden über höhere Bewußtseinszustände. 320 S. [4140]

ESOTERIK